D0262412

Aanval op Willowmere

Alison Baird bij Uitgeverij M:

DE WILLOWMERE-KRONIEKEN

De heksen van Willowmere

Aanval op Willowmere

Alison Baird

Aanval op Willowmere

Tweede boek van de Willowmere-kronieken

Oorspronkelijke titel: The Warding of Willowmere – Willowmere Chronicles, book 2
Vertaling: Fanneke Cnossen
Omslagontwerp: Zeno vormgevers

Eerste druk augustus 2006

ISBN 10: 90-225-4498-2 / ISBN 13: 978-90-225-4498-3 / NUR 280

Uitgeverij M is een imprint van De Boekerij bv, Amsterdam

Ter herinnering aan Ann Walford
1929-2001

Plato's daemonen
wezens vrij van ruimte & tijd
zien door onze ogen
horen door onze oren
onze wereld hun speelterrein
onze dromen hun werkelijkheid

PROLOOG

Afrika, 100.000 v. Chr.

'De droogte houdt maar aan. Als dit zo doorgaat, gaan we nog dood van de honger.'

'Moet je kijken hoe weinig dieren er nog zijn. Als ze allemaal weg zijn, kunnen wij het ook wel vergeten.'

Het meisje zat in haar eentje, een eindje bij haar stam vandaan, naar de gesprekken te luisteren. De grond was gortdroog en verkruimelde onder haar voeten. De middagzon brandde aan de verschoten hemel, de hitte sloeg neer op de verschroeide vlakte en in de verte trilde de hitte haar martelende fata morgana's van kabbelend water. In de buurt van het meisje en de rest van de stam, die in de schamele schaduw van een paar afstervende doornstruiken bijeen groepte, lag een waterbron, maar daar was weinig meer van over dan een zwart modderbed. Vogels en andere dieren verdrongen zich eromheen, roofdieren en prooi door elkaar. Vergeten was hun natuurlijke vijandschap, hun dorst was groter en ze waren wanhopig op zoek naar water. Hier en daar lagen nog een paar plasjes vuil water, maar die verdampten snel.

Het meisje keek toe hoe een jonge leeuw de vlakte overstak,

zijn poten deden wolkjes stof opwaaien. Hij kwam op de modderpoel af. Zijn ribben staken door zijn geelachtige vel en zijn half volgroeide manen zaten onder het stof. Normaal gesproken zouden de antilopen zijn gevlucht, maar nu keken ze nauwelijks op en hij leek ook geen belangstelling voor hen te hebben. Misschien was hij te zwak om te jagen, dacht het meisje medelijdend. Ze kende de leeuw goed, had hem van welp af aan zien opgroeien, de slimste en sterkste van drie nesten. Hij had ze allemaal overleefd, de andere welpen waren verhongerd of door roofdieren gedood. Het leven was wreed voor leeuwenwelpen en maar weinige werden volwassen. Ze was op hem gaan letten als hij in de buurt op jacht was. Hij was duidelijk te herkennen aan een markant litteken op zijn kop, een souvenir van een aanvaring met een plunderende hyena waar hij onverwacht als overwinnaar uit tevoorschijn was gekomen, ook al was hij een stuk kleiner geweest. Het meisje was altijd blij verrast wanneer ze zag dat hij nog leefde. Nu was hij volwassen en de leeuwinnen hadden hem uit de troep verstoten, de wijde wildernis in, om voor zichzelf te zorgen. En hij wist in leven te blijven, eenzaam en hongerig, ook al was hij nog zo verbijsterd door de afwijzing. Ze zag hoe hij aan de modder snuffelde en zijn poot erin stak, met zijn tong het vocht probeerde op te likken. Opnieuw had ze medelijden met hem. Had hij alle gevaren van zijn jeugd overleefd om nu van dorst om te komen?

Er was al wel eerder zo'n droogte geweest, zo was haar verteld, in haar geboortejaar. De stam had haar moeder gevonden, dood, met haar huilende baby nog aan de borst. Het gebeurde niet vaak dat een verweesd meisje werd opgenomen – nog een mond om te voeden, nog een zorg erbij, weer een vrouw die ongewenste kinderen zou krijgen – maar haar wilskracht had grote indruk gemaakt: ze had immers haar moeder onder verschrikkelijke omstandigheden verloren. Misschien dachten ze dat ze vers bloed in de stam zou brengen. Of dat de magische geesten, die duidelijk een voorliefde voor haar hadden en haar hadden beschermd, ook over de hele stam zouden waken. En inderdaad, sinds zij bij hen was, hadden ze jaren van overvloed gekend. Tot deze tweede en ergste droogte ooit.

De stiefmoeder van het meisje zei: 'Geen woord meer over doodgaan. Zolang we de tovenaar gehoorzamen, gaan we niet dood.' De vrouw maakte een klein, verlegen gebaar naar een donkere figuur die op zijn hurken bij de rand van de waterbron zat: een oude man met een halsketting waaraan de tand van een wrattenzwijn hing. Zijn hand omklemde een benen staf met bovenaan de schedel van een mangoeste. Hij was verschrompeld, uitgemergeld, alsof hij door de droogte al dood en verdord was. Alleen aan zijn kleine, donkere, in hun kassen weggezonken ogen was te zien dat er nog leven in hem school. 'Er komt regen. Hij zorgt dat er regen komt, als we maar doen wat hij zegt. Doen we dat niet, dan blijft hij ons straffen.'

Het meisje keerde zich om en zei met heldere en krachtige stem tegen haar moeder: 'Ik geloof het niet. Mamba is gewoon een oude man. Er is niets magisch aan, aan die droogte. Het weer wordt geregeerd door de lucht, door de zon en de wolken... niet door hem.'

'Sst, Bloem-van-de-droogte! Straks hoort hij je nog!'

'Welnee, hij staat te ver weg.'

'Kind, hij heeft overal oren. De geesten dienen hem, de dieren en vogels spioneren voor hem. Zo meteen stuurt hij een giftige slang op je af en vermoordt hij je nog. Mamba is een tovenaar... begrijp je dat dan niet?'

Het meisje zweeg, niet overtuigd. De oude man dook ineen en sloeg de groep intens kwaadaardig gade. Ze hadden hem al het eten gegeven dat ze hadden en hem het eerst van het water laten drinken. Maar wat had Mamba daarvoor teruggegeven?

Bloem-in-de-droogte had er niets van gezien. Hij kon geen regen maken, wat hij ook beweerde, anders had hij dat heus wel eerder gedaan, toen hij dorst had gekregen. Ondanks het extra voedsel was hij het magerst van hen allemaal. Nee, als hij werkelijk zo'n macht bezat, dan had hij die al veel eerder gebruikt, al was het maar om zichzelf te redden. *Leugenaar*, dacht ze en ze keek de andere kant op. Ze werd verdrietig omdat haar adoptiefamilie ijdele hoop koesterde. De droogte kon best weleens aanhouden en dan eindigden ze waarschijnlijk naast de levenloze dieren die ze op de vlakte hadden zien liggen. Bloem-van-de-droogte voelde haar eigen knagende honger, haar uitgedroogde mond, maar ze zette die opzij toen ze naar de leeuw bij de waterpoel keek. Ze was blij dat hij een klein spatje water had gevonden en dat gulzig oplikte. Ze vergat haar eigen brandende dorst en keek toe hoe hij de zijne leste. Ze hield van hem, van zijn koppigheid, van zijn allesoverheersende wil om het te overleven.

Jij bent net als ik, dacht ze toen hij ten slotte bij de poel vandaan liep en in de koele, zachte modder ging liggen. Een ogenblik leken zijn doffe, amberkleurige, uitdrukkingsloze ogen haar recht aan te kijken en over de van hitte trillende vlakte stuurde ze haar gedachten naar hem toe. *Leef jij maar door, ook al wil de wereld dat je sterft. Jij bent sterker dan ik, jij bent niet bang en zit vol hoop, altijd. Je moet voortleven! Want op de een of andere manier weet ik dat als jij overleeft, ik ook zal overleven. Jij bent mijn geest...*

Er werd op de deur geklopt.

Het meisje schrok op in haar stoel bij het raam, haar handen omklemden een dolk. Een ogenblik lang vroeg ze zich af of het geluid werkelijk van de deurklopper was geweest. Het was een heel groot en heel oud huis, het zat vol geluiden: krakende vloerdelen en reutelende radiatoren, zachte voetstappen van door de gang zwervende katten. Het meisje zat even bewegingsloos, haar hart bonkte tegen haar ribben. Beneden begon een hond woedend te blaffen. Angus MacTavish, de collie. Ze had hem in de keuken opgesloten, maar hij was tijdens de inbraak zeker ontsnapt...

Er werd weer geklopt, drie scherpe tikken, deze keer fermer en luider, wat nog meer woedend geblaf aan Angus ontlokte. Ze haalde zich de oude, koperen deurklopper voor de geest, met de streng kijkende leeuwenkop... maar welke onbekende hand rammelde nu aan de koperen ring in zijn bek, daarbuiten in de donkere portiek? Ze stond op, dicht bij de muur blijvend zodat niemand haar van buitenaf kon zien, en gluurde door het raam. Buiten was het donkerder dan normaal, zelfs op dit uur. Een stroomstoring had de lichten van huizen en straatlantaarns gedoofd. Het terrein om het landgoed was in schaduwen gehuld en de nacht was doodstil.

Het meisje greep haar wapen, een oude Gurkha-dolk, steviger vast. Ze had hem weggegrist uit de verzameling antieke wapens van de vorige bewoner. Ze zou hem waarschijnlijk nooit tegen iemand gebruiken, maar alleen al door hem vast te houden voelde ze zich minder machteloos. Waren haar aanvallers teruggekomen? Wilden ze haar naar de deur lokken en proberen binnen te komen? Ze kon zich niet voorstellen dat ze zo naïef zouden zijn, niet na wat er vanavond was gebeurd... Toen realiseerde ze zich plotseling dat de uil in de esdoorn haar niet had gewaarschuwd, met zijn scherpe ogen had het dier de indringer vast naar het huis zien lopen. Ze keek weer uit het raam en zag dat de uil nog op zijn tak zat, een kleine, stille, schimmige gestalte. Langzaam legde ze het wapen neer en pakte de kandelaar van het nachtkastje. Met trillende handen worstelde ze even met de lucifers, slaagde erin hem aan te steken en liep naar de trap. Toen ze naar beneden liep, sloeg de klopper opnieuw. Voeten schuifelden in de portiek.

'Wie is daar?' riep ze. Angus stond in de hal, met zijn snoet naar de deur, en gromde diep achter in zijn keel.

Aan de andere kant van de deur klonk wat wel de laatste stem was die ze ooit had verwacht... een vrouwenstem. 'Schrik niet, liefje!' riep ze uit. 'Ik kom alleen maar even kijken of alles in orde is. Telefonisch kon ik je niet bereiken.'

Ze liep naar de deur en opende hem op een kier. In de portiek stond een non, gekleed in een donkerblauwe regenjas over een blauw met grijs habijt. In haar rechterhand had ze een zaklamp en in haar linker- een lang, donker voorwerp. Haar ogen gluurden ongerust van achter een bril met metalen montuur. 'Jij past toch op het huis van doctor Moore?' vroeg ze. 'Claire Norton?'

Het meisje zweeg een ogenblik. *Claire Norton.* Zo heette ze inderdaad, maar ze had een andere naam, een naam die ze aan niemand kon vertellen, en nu klonk haar oude vertrouwde naam haar vreemd in de oren... 'Ja,' dwong ze zich te zeggen, 'dat ben ik.'

'Ik weet niet of je me nog kunt herinneren. Ik ben zuster Helena, uit het St. Mary's klooster verderop in de straat. Sharon heeft me net gebeld.'

'Wie?'

'Sharon... Sharon Brodie.'

Het meisje staarde haar aan. 'U bedoelt Zilverhavik? Heeft Zílverhavik u gebeld?' Er kwam geen eind aan deze merkwaardige nacht, dacht ze. Want Zilverhavik, zoals ze graag werd genoemd, was een wicca, ze deed aan hekserij. Waarom zou zij een non bellen? Nu deed ze de deur wijd open en Angus begon de gestalte in de portiek te besnuffelen. Hij gromde niet meer.

'Ja, we kennen elkaar behoorlijk goed,' zei zuster Helena, de onuitgesproken vraag beantwoordend. 'Doctor Moore heeft ons aan elkaar voorgesteld. Sharon zei dat ze je eerder op de avond aan de telefoon had gehad en dat je van streek was, maar toen hing je plotseling op. Later heeft ze nog geprobeerd terug te bellen, maar ze kreeg geen contact meer. Ze maakte zich nogal zorgen en vroeg of ik even bij je wilde gaan kijken. Ik heb ook geprobeerd je te bellen, maar ik kwam er ook niet doorheen.'

'De telefoonlijn is dood.'

'Dat is wel raar, hè? Dat heeft niets met de stroomstoring te maken. Telefoonlijnen staan daar los van.' De non stak het donkere voorwerp naar voren, het was een rugzak. 'Dit vond ik midden op de oprijlaan. Weet jij van wie hij is?'

'O, die is van mij,' antwoordde Claire. 'Ik had... hem buiten laten vallen en ben hem helemaal vergeten. Bedankt.' Ze nam de rugzak aan en was zich bewust van de doordringende blik van de oudere vrouw.

'Sharon zei dat je helemaal alleen was.'

'Ja, mevrouw Hodge – de huishoudster – logeerde hier ook, maar ze moest naar een ziek familielid.' Dat was allemaal waar, hoewel het niet de hele waarheid was. Claire kon haar stem maar met moeite in bedwang houden.

'Weet je zeker dat het wel gaat?' drong zuster Helena aan. 'Sharon had het erover dat je door een paar mensen werd lastiggevallen. Ik vroeg me al af of ik de politie moest bellen.'

'Nee, het gaat wel, echt.' Claire vermoedde dat de politie hier weinig kon uitrichten, het had totaal geen zin om die erbij te halen. 'Het was dat meisje alleen maar, van school, Josie Sloan en haar vriendje. Josie heeft de pik op me en deze keer is ze echt te ver gegaan. Ze is hiernaartoe gekomen en heeft in doctor Moores huis ingebroken. Ik moet het de schooldecaan vertellen.' Weer klopte het allemaal en weer was het niet het hele verhaal.

De non keek haar bedachtzaam aan. 'Je hebt al een poosje problemen, hè? Als ik me niet vergis, vluchtte je de eerste keer dat ik je zag het klooster in om een vervelende jongen te ontlopen, die achter je aan zat.'

Ze knikte. 'Nick van Buren, Josies vriendje. Die twee maken me het leven behoorlijk zuur, maar daar ga ik een eind aan maken, geloof mij maar.'

'Nou, als je het zeker weet,' zei zuster Helena, maar er klonk nog steeds twijfel in haar stem. 'We hebben in het klooster meer dan genoeg logeerkamers, voor een enkel nachtje of voor mensen die zich een weekend in alle rust willen terugtrekken. Als je het vervelend vindt om hier helemaal alleen te blijven, kun je gerust een nachtje bij ons komen.'

'Dat is heel vriendelijk van u.' Even kwam Claire in de verleiding om het aanbod aan te nemen. Maar ze had zich zopas heldhaftig tegen haar vijanden verweerd en daarmee grote indruk op ze gemaakt. Als ze nu het huis uit zou vluchten, zou het zijn alsof ze aan haar angst en onzekerheid toegaf. Bovendien hadden ze gedreigd iedereen die haar hielp kwaad te doen... 'Het gaat hier prima, hoor,' zei ze. 'En ik heb Myra – doctor Moore – beloofd dat ik op haar huis en de dieren zou passen.'

'O, liefje, ik vind het zo'n akelig idee dat je hier helemaal alleen in dat grote huis bent, zonder telefoon en geen buren om je heen,' zei de non. 'Ik denk dat Myra dat ook maar niks zou vinden. Hier, neem deze.' Ze haalde een mobieltje uit haar zak tevoorschijn. 'Ik had hem meegenomen voor het geval er problemen waren. Houd die vannacht bij je, totdat de telefoon weer is gerepareerd. Je kunt hem later wel weer bij het klooster afgeven. Ik wil morgen het telefoonbedrijf wel voor je bellen, als je dat wilt.'

'Graag,' zei Claire dankbaar en met een gedwongen glimlachje pakte ze de telefoon aan. Ze greep de hond bij zijn halsband, die nu grijnzend met zijn pluimstaart stond te kwispelen, en trok hem naar binnen.

'Nou, dan ga ik maar. Als er problemen zijn, moet je me bellen, hoor, maakt niet uit hoe laat. Myra heeft mijn nummer naast de keukentelefoon opgeschreven.' Zuster Helena draaide zich om en liep de oprijlaan af.

Claire deed de deur dicht en legde de telefoon op het haltafeltje. Ze was verbaasd dat ze zo normaal had geklonken. Dat had ze nooit gedacht, maar het was een hele geruststelling. Haar stem was nog steeds van Claire Norton, evenals haar lichaam. Haar geest was één grote chaos en haar persoonlijkheid was voorgoed veranderd, maar vanbuiten zag ze er tenminste nog hetzelfde uit. Ondanks haar angst en onzekerheid stelde dat haar gerust. Ze was dus in staat om de schijn op te houden, want dat zou ze de komende dagen nodig hebben. Ze kon aan niemand vertellen wat er vanavond in Myra's huis was gebeurd. Zuster Helena niet, de decaan niet, zelfs haar eigen vader niet.

Niemand zou haar geloven. Tot vanavond zou zijzelf zo'n verhaal maar een verzinsel hebben gevonden. Haar moeder had het misschien geloofd, zo'n sterke band hadden ze vroeger wel. Ze zag nu haar moeders gezicht voor zich, haar zachte blonde haar dat ze altijd in een paardenstaart had weggebonden, haar kalme, fijnbesneden gelaatstrekken. En ze luisterde naar haar, oordeelde niet, analyseerde niet. Ze lúísterde gewoon. Maar het had geen zin om aan mam te denken, ze was drie jaar geleden weggegaan, zonder ook maar een adres achter te laten. Ze was weg, verhuisd, onvindbaar.

Claire voelde weer de steek van dat verlies.

Ze ging op haar knieën zitten, sloeg haar armen om de hals van de collie en begroef haar gezicht in zijn dikke witte kraag. *Wat zou ik trouwens moeten zeggen, zelfs tegen mam? Een van mijn klasgenoten is een heks, of denkt dat ze dat is? Ze heeft zich aangesloten bij een of andere maffe coven in het huis verderop in de straat, die haar macht geeft waardoor ze illusies kan oproepen, dieren naar haar pijpen kan laten dansen en mensen ziek kan maken? En met hulp van haar heksenmeestervriendjes heeft ze twee keer haar krachten op mij losgelaten... En dat is nog niet eens het idiootste van alles. Ik denk dat ik ook een—*

Ze huiverde en stond weer op. Ze liet Angus liggen, liep naar de zitkamer en staarde naar het oude portret boven de schoorsteenmantel: een schilderij van een jong meisje in een jurk uit de renaissance met een witte kat in haar armen. Al kijkend kwamen er allerlei herinneringen bij haar op: niet uit haar moderne leven, maar uit een ander leven, op een andere plaats en in een andere tijd. Ze dacht aan een ander lichaam, niet zo lang als nu, maar tenger, met kleine, delicate handen en een bleek ovaal gezicht... precies zoals het meisje op het portret. Meesteres Alice Ramsay. Vanaf het schilderij keek ze naar zichzelf, naar haar lichaam in spijkerbroek, sweatshirt en gympen, de lange vingers van haar handen vouwden zich samen en lieten weer los. Ze wreef ermee over haar gezicht alsof ze zeker wilde weten of alles nog hetzelfde was: hoekige, krachtige gelaatstrekken, een vooruitspringende kin en sterke jukbeenderen, de rechte neus met daarop haar bril met zwaar montuur. Ja, ze was nog steeds Claire Norton.

Was ze dat wel? Zou ze écht weer hetzelfde worden, nu ze wist dat ze vroeger had geleefd? Haar hele zelfbeeld was veranderd. Tot vanavond had ze altijd in dit lichaam vastgezeten, zat ze opgescheept met dit gezicht dat ze elke dag weer in de spiegel tegenkwam. Maar dat was nu allemaal anders geworden.

Ooit was ze Alice Ramsay geweest.

Ze sloot haar ogen en probeerde uit de herinneringen wijs te worden. Ze sloegen als een golf over haar heen, alsof ze door een onbekende kracht waren onderdrukt maar nu allemaal loskwamen. Achter de duisternis van haar oogleden barstten de beelden, geluiden en andere indrukken uit Alice' korte leven in het zeventiende-eeuwse Schotland los... Het oude herenhuis van Glenlyon, de stenen muren die oprezen naar trotse torens met kantelen... Vrouwen in jurken met reusachtige hoepelrokken, mannen in fluweel en kant... Het dorpje in de vallei naast de bochtige kreek... De heuvels paars van de heide... het lachende gezicht van William Macfarlane. De gedachte aan hem deed pijn, vooral zijn smartelijk gezicht, het laatste wat ze zag toen ze onder het wateroppervlak van de kreek wegzonk terwijl het op de oever bijeengekomen dorpsvolk scandeerde: 'Heks, heks!' Haar gedachten vlogen van die scène naar andere momenten en beelden: haar lievelingsjurk... haar witte kat... haar oude kindermeid... De herinneringen gingen maar door, helemaal terug naar haar vroege jeugd, naar vage, onduidelijke beelden van veiligheid en warmte. Ze deed haar ogen weer open en keek uit het raam naar de bomen aan de westkant van het landgoed, de grens met het terrein van de buren, waar haar vijanden woonden. De heksenmeesters – Klaus van Buren en zijn neef, Nick – die aan het hoofd stonden van de coven de Donkere Cirkel. Er was geen spoor van hen te bekennen, maar Claire was er niet gerust op. Hoewel haar vijanden zich voorlopig hadden teruggetrokken, konden ze gemakkelijk wachtposten hebben neergezet, wachtposten die ze nauwelijks in de gaten zou hebben.

In een van de grote esdoorns zat nog altijd de kleine donkere schim van de uil. Hij was een *daemon*, een geest in het lichaam van een dier, maar niet een van hen. Deze geest was haar bondgenoot, geen spion, hij waakte als beschermer over haar. Ze stroomde vol verlangen.

Leo... Leo, praat weer tegen me. Sluit me alsjeblieft niet uit. Ik moet met je praten...

Er klonk geen antwoord in haar gedachten. Hij had niet tegen haar gesproken sinds hij haar uren geleden te hulp was geschoten bij het verslaan van die jonge, bedreigende heks. Josie Sloan was gevlucht, door de tuin naar haar leermeesters – de heksenmeesters. Als een lamgeslagen leger hadden ze zich in het huis achter de bomen teruggetrokken, hoewel ze weinig hoop had dat ze weg zouden blijven. En Leo was ook weggegaan, in zijn uilengedaante teruggevlogen naar de esdoorn, zonder door te gaan op die ene korte, troostende aanraking.

Ze probeerde het opnieuw. 'Leo, luister alsjeblieft. Ik ben alleen, ik ben bang, ik moet met iemand praten. Je was er altijd voor me, weet je nog...' Midden in de zin zweeg ze toen een andere gedachte haar te binnen schoot. 'Leo, je geeft jezelf toch niet de schuld van wat er in Schotland is gebeurd, wel? Het is nu weer goed met me. Ik ben weer terug.' Angst en verwarring maakten plaats voor medelijden toen ze naar het kleine silhouet in de boom keek. 'Leo, het was niet jouw schuld dat ik toen ben gestorven.'

Buiten bewoog de uil zich en opende zijn vleugels, alsof hij weg wilde vliegen. Maar toen vouwde hij ze weer op en bleef even bewegingsloos zitten als daarvoor. In haar geest bleef het stil.

Dat zat hem vast dwars. Alice Ramsay was van hekserij beschuldigd, gedeeltelijk door een verklaring van haar dienstmeid, die had gezien dat haar meesteres op magische wijze wilde vogels en dieren bij zich kon roepen. De meid en de dorpelingen wisten niet dat het Leo was, haar huisgeest. De dieren gehoorzaamden aan hém, niet aan Alice. Niet dat het iets had uitgemaakt als ze wel hadden geweten hoe de vork in de steel zat. Voor hen was Leo – onsterfelijk, onstoffelijk, met macht over levende dingen – niet anders dan een duivelse demon. Ze zou hen er nooit van hebben kunnen overtuigen dat hij goedaardig was, dat hij de dieren die hij bewoonde juist hielp. Hij had de verdwaalde kat naar Alice' huis gebracht, waar hij onderdak en eten had gekregen: de witte kat was zijn belangrijkste gastheer geweest. Ze keek weer naar het portret. De kat die de dorpelingen later hadden aangewezen als haar huisgeest. Ja, Leo gaf zichzelf natuurlijk de schuld van al die dingen, de geest had het gevoel dat hij te veel van zichzelf en zijn macht aan Alice had laten zien, en dat was haar noodlottig geworden. Maar roekeloos als ze was, had ze het ergste over zichzelf afgeroepen: toen het paard van haar buurmeisje Helen Macfarlane op hol was geslagen, was Alice er op haar merrie achteraan gegaan. Ze had Leo gesmeekt of hij de macht over het doodsbange dier wilde overnemen om het meisje te redden. Ze had het luidkeels, uit alle macht, uitgeschreeuwd en was helemaal vergeten dat er dorpelingen in de buurt waren: 'Leo! Help haar!' Ze moest gek zijn geweest. Leo had het paard tegengehouden en Helen gered, maar door deze overduidelijke heksendaad had het dorpsvolk zich angstig en boos tegen Alice gekeerd.

Haar meid had bovendien bevestigd dat Alice haar kat met 'Leo' aansprak, waarmee ze bewees dat het niet zomaar de naam van haar huisdier was, maar van een wezen dat erin huisde, net als in andere schepsels.

'Leo, luister. Het was allemaal mijn eigen schuld. Ik werd onvoorzichtig en heb het helemaal verprutst, ook al had je me gewaarschuwd. Jij had gezegd dat ze zouden denken dat het zwarte magie zou zijn, en je had gelijk. Geef jezelf nou alsjeblieft niet de schuld! Ik ben er weer, en in deze tijd bestaan er geen heksenjagers meer. Je kunt nu veilig mijn vriendje zijn.'

Er kwam nog steeds geen antwoord. Leo had al een keer contact met haar gezocht, via haar gedachten met haar gesproken, dus hij *wílde* het gewoon niet, meer kon ze er niet van maken. Hij had kennelijk besloten om in dit leven over haar te waken, en haar waar mogelijk voor gevaar te behoeden, maar meer ook niet. Ze gaf het op en draaide zich weer om naar het portret. Zelfs nu ze zich alles kon herinneren, was het moeilijk om de waarheid te bevatten. Eigenlijk was ze twee mensen, de Claire Norton uit deze tijd en de Alice Ramsay die vierhonderd jaar geleden in Schotland had geleefd. En dat was nog niet alles. Dat had Leo een keer in de tijdruimte tussen haar levens in verteld, ze had nóg eerder geleefd.

Vóór Alice Ramsay...

Ze liet nogmaals de herinneringen van haar vorige leven over zich heen komen... dingen die ze nog maar pas had ontdekt, maar die zo levendig waren alsof ze ze gisteren nog had meegemaakt. En daarvoor, helemaal aan het begin, lagen nog andere... Ze reikte ernaar, was er niet langer bang voor, verlangde er juist naar. Ze had het gevoel dat die nieuwe herinneringen de sleutel bevatten van het lastige parket waarin ze zich nu bevond. Licht... Fel zonlicht dat zinderde in een lucht met de kleur van gebleekte botten. Menselijke figuren, zo donker alsof ze uit ebbenhout waren gesneden, liepen langzaam over een droge, stoffige vlakte. En plotseling dook een beeld van een leeuw op, geen stenen beeld zoals die op de poorten van Glenlyon, maar een beest van vlees en bloed, met ruige, rossige manen die haar met zijn grote amberkleurige ogen aankeek.

Het beeld vervaagde. Weg was het, dat vluchtige fragment van een ander, nog vroeger tijdperk. Wat ze ook probeerde, ze kon het niet meer terughalen.

Aangestaard door de ogen op het schilderij begon ze gefrustreerd door de kamer te ijsberen en dacht diep na. Wat moest ze nu doen? De heksenmeesters weten nu van mijn bestaan en mijn huisgeest af. Josie wordt bedankt. Daarom hebben ze haar natuurlijk hiernaartoe gestuurd... om daarachter te komen, om te zien welke krachten ik heb en wat ik allemaal kan. Die gedachte stond haar helemaal niet aan en ze wierp een bezorgde blik uit het raam. Voorlopig was Josie Sloan afgeschrikt en haar kwaadaardigheid teruggeslagen, maar je wist nooit voor hoelang. Zodra Josie zich van haar nederlaag had hersteld, zou ze op wraak uit zijn, popelen om het haar betaald te zetten. Geholpen door haar bondgenoten, de heksenmeesters, die zo goed de magische kunst verstonden om narigheid te veroorzaken in het leven van onschuldige mensen. Hoeveel waren ze te weten gekomen? Weten ze dat ik in een vroeger leven Alice Ramsay ben geweest? Wat gaan ze nu doen?

En kan ik er dan met niemand over praten? Met helemaal niemand? Mevrouw Brodie was er natuurlijk, alias Zilverhavik... zij was een witte heks, zij zou er zeker meer voor openstaan dan de meeste mensen om haar heen. Maar Claire betwijfelde of zij en haar covenleden veel tegen dit doelgerichte complot – de Donkere Cirkel – konden doen. Als ze hen hierbij zou betrekken, kon ze hen ook in gevaar brengen. Myra Moore was er ook. Wat had de jonge heksenmeester, Nick van Buren, ook nog over Myra gezegd? 'Ze komt te dichtbij.' Op de een of andere manier wisten de heksenmeesters dat de oudere vrouw onderzoek deed naar magie en de geestenwereld, en ze hielden haar ongetwijfeld al langer in de gaten. Ze waren vast ook achterdochtig door Myra's familieband met Alice Ramsay – ze stamde af van Alice' halfbroer. Misschien geloofden ze wel dat ze in de voetsporen zou treden van haar legendarische voorvader en dat ze zelf een heks wilde worden. Wat zouden ze dan met haar doen?

Claire voelde een benauwde steek. Myra moest in bescherming genomen worden, tegen de Donkere Cirkel en tegen haar eigen nieuwsgierigheid. Want, realiseerde Claire zich opeens, ze vond die vrouw echt heel aardig, ze was de eerste echte vriendin die ze in jaren had gehad. Myra, met haar goedhartige en vriendelijke karakter, haar kinderlijk enthousiasme en belangstelling voor alles om haar heen. Ze moest er niet aan denken dat haar iets naars zou overkomen. En al helemaal niet doordat zij, Claire, in haar leven was gekomen.

Ze voelde iets aan haar hand snuffelen en keek omlaag. Angus staarde met bezorgde, bruine ogen naar haar omhoog. Hij jankte zachtjes. Ze bukte zich en aaide hem tussen zijn oren, de hond en zichzelf troostend. 'Ik zeg hier niets over tegen Myra,' zei ze hardop. 'Ze zou me best geloven, maar ik vertel het niet. Als ze erachter komt, nou ja, dan komt ze erachter, maar niet via mij. Ik heb haar al veel te veel verteld: over Josie, Nick en de Donkere Cirkel. Ze mag er niet nog verder bij betrokken raken. Ze hebben er overduidelijk een hekel aan als ze worden uitgedaagd.'

Ze liep naar het raam en staarde over het terrein. Het lag er stil en verlaten bij, het grasveld glansde dofgrijs, maar niet op de plekken waar de bomen en het struikgewas hun zwarte schaduwpoelen vooruitwierpen. Vanaf hier kon ze het zomerhuis met het pagodedak zien staan, het meanderende stroompje ten westen van het terrein met zijn oriëntaalse bruggetjes, de lange bochtige oprijlaan die kronkelend zijn weg zocht naar de poorten waarop de stenen leeuwen waakten. Haar bange voorgevoelens gingen over in een nieuw gevoel, merkte ze. Krachtig en overweldigend, als een zee die haar overspoelde en meevoerde: een golf van liefde voor deze plek, dit prachtige oude huis, het landgoed Willowmere; voor iedereen die hier door de jaren heen had gewoond, bloedverwanten van degene die ze ooit was geweest: de nazaten van Alice Ramsay. Deze plek was net zo goed haar thuis als dat andere, waar Claire met haar vader woonde. Het landgoed was niet langer buiten haar bereik zoals vroeger; als ze erlangs kwam hoefde ze er niet meer verlangend naar te kijken en zich stiekem in te beelden dat het van haar was. Willowmere hoorde bij haar, zij hoorde er thuis. Tientallen jaren had haar geschilderde portret hier in de zitkamer gehangen, had het als een stille waakster de Ramsaygeneraties gadegeslagen. Nu was ze hier in levenden lijve, kon ze eindelijk Willowmere tegen het kwaad verdedigen.

Claire kreeg plotseling een overweldigend beschermend gevoel. Wat er ook in de komende dagen zou gebeuren, één ding wist ze nu heel zeker: zij moest ervoor zorgen dat de heksenmeesters nooit meer in de buurt van Myra zouden komen, niet bij haar huis, haar dieren of haar landgoed. Als ze dachten dat ze konden doen wat ze wilden, dan kregen ze met haar te maken.

De volgende ochtend werd ze wakker. Het zonlicht scheen door het logeerkamerraam en ze hoorde de normale ochtendgeluiden: het suizende verkeer door de straat voor het landgoed langs, gebons en gehamer van een huis in aanbouw een paar blokken verderop. Twee van Myra's katten lagen op haar bed te slapen: Socrates, de grote marmeladekleurige, lag opgerold aan het voeteneind en de schildpadgrijze Hypatia had zich in het holletje van haar arm genesteld.

Claire lag nog even stil in bed, dacht terug aan de gebeurtenissen van de vorige avond. Het was alsof ze een rare en angstige droom had gehad. Ze stak haar hand uit naar het lampje op het nachtkastje, verdreef daarmee de gapende Hypatia van haar plek, en knipte hem aan. De stroomstoring was opgeheven, of was die er nooit geweest? Misschien had ze het echt allemaal gedroomd. Ze nam de hoorn van de telefoon naast het bed en legde die tegen haar oor. Geen kiestoon. Dus de lijn was wél doorgesneden. En naast de telefoon lag de Gurkha-dolk. Het was allemaal echt gebeurd. Ze liet zich in bed terugvallen en het allemaal op zich inwerken. Het is zeker vrijdag, bedacht ze enigszins verbaasd. Tussen gisterochtend en nu leek wel een eeuwigheid te liggen. Toen was ze na een paar enge dromen angstig wakker geworden en had ze nog gedacht dat ze een doodgewone dag uit een doodgewoon leven tegemoet ging. Andere tieners stonden nu op, gingen naar school en keken uit naar het weekend. Terwijl Claire hier vol zelfmedelijden over nadacht, voelde ze ondanks haar emoties een vastberadenheid ontstaan. Ze was niet van plan om de hele dag binnen te blijven en de volgende aanval af te wachten. Nog los van dat ze zelf bang was, zou ze door hier te blijven de heksenmeesters alleen maar naar Willowmere toe lokken, en dat was de bedoeling niet. Ze moest hun aandacht afleiden maar ze mochten niet denken dat ze bang was en wegvluchtte. Het was het veiligst als ze ergens onder de mensen was en school lag dan natuurlijk het meest voor de hand. Daar durfden ze haar vast niet aan te vallen, veel te veel pottenkijkers. Bovendien leek het dan net alsof er voor haar geen vuiltje aan de lucht was en ze haar dagelijkse routine afwerkte.

Misschien was de decaan wel weer terug. Mevrouw Robertson had een poosje vrij genomen om haar zieke moeder te verzorgen. Claire geloofde helemaal niet dat ze ziek was, maar slachtoffer was geworden van de trucs van de heksenmeesters. Josie Sloan had erop gezinspeeld dat ze een complot hadden gesmeed: iedereen die Claire hielp werd uitgeschakeld, zodat zij zich kwetsbaarder zou voelen. Hopelijk was mevrouw Robertsons moeder nu weer beter. Maar ook al was de decaan er nog niet, er waren tenminste mensen om haar heen. Dat was een geruststellend idee en zo kon ze de normale draad van haar leven oppakken: de lessen, studeren, huiswerk. Dan kon ze makkelijker de rol spelen van Claire Norton.

Ze stond op, liep door de kamer en keek uit het raam. Het meer sprankelde onder de opgaande zon en het licht scheen helder over het terrein. Er was geen enkele dreiging. Claire waste zich en kleedde zich aan, bond haar weerbarstige, asblonde haar in een paardenstaart en ging naar beneden met de twee katten achter zich aan. Een derde kat, de zwart-witte kater Aristoteles, kwam uit zijn slaapplaats in de linnenkast tevoorschijn en sloot zich op zijn gemakje bij de optocht aan.

Angus lag onder aan de trap. Zodra hij haar zag, kraste hij begroetend met een nagel over de vloer, stond toen op en volgde haar en de katten de keuken in. Hier werd ze opnieuw onaangenaam herinnerd aan de angstige gebeurtenissen van de vorige avond: het raam van de achterdeur was ingeslagen en de vloer lag bezaaid met glas. Josie had ingebroken. Ze had de ruit in de deur stukgeslagen en het kettingslot van binnenuit opengemaakt. Claire perste haar lippen op elkaar toen ze de glassplinters opruimde. Als Josie soms dacht dat ze hiermee weg kon komen, dan had ze het mis. Misschien moest ze toch de politie erbij halen. Ze hoorde Josies snerende stem: 'Wat ga je nu doen... de politie bellen?' Maar toen was ze er nog vast van overtuigd dat ze Claire kon intimideren, dat was voor de confrontatie gisteravond op de uitkijkpost op het dak van het huis, die Claire met vlag en wimpel had doorstaan.

Nou, het was tot daaraan toe dat Claire werd aangevallen, maar het was heel wat anders dat Myra's spullen waren vernield. Inbraak was een ernstig vergrijp, en dan had ze het nog niet over het doorsnijden van de telefoonlijn... hoewel Claire eraan twijfelde of ze kon bewijzen dat Josie daarachter zat, ook al wist ze het bijna zeker. Maar ze had waarschijnlijk massa's vingerafdrukken achtergelaten. *Ze mag haar trukendoos mooi voor de politie bewaren,* dacht Claire grimmig.

De andere twee katten, Plato en Hildegard, waren ook opgedoken en voegden zich bij het miauwende koortje om haar voeten. Ze zette hun ochtendeten neer en gooide een paar hondenkoekjes naar Angus. Hij kreeg alleen maar 's avonds eten, maar wanneer de andere dieren wel hun voer kregen, zat hij haar altijd verongelijkt en verwijtend aan te kijken. Toen ging ze zelf ontbijten en pakte haar rugzak in. Behalve haar boeken en lunchpakketje schoof ze er een dik pak papier in, de notities van Al Ramsay, Myra's oudoom. De oude man was pas geleden overleden en had Myra het huis en zijn talloze huisdieren nagelaten, met inbegrip van Angus. Maar dat niet alleen. In zijn notities had hij tot in detail de ontdekking van geestwezens beschreven, die hij *daemons* – sommige goed- en andere kwaadaardig – noemde, en alles over zijn eigen persoonlijke daemon of huisgeest. Hij had het ook over Alice Ramsay, de familieverhalen over haar leven, haar liefde voor William Macfarlane en haar tragische dood. Maar ook dat ze nu, in de moderne tijd, gereïncarneerd was. Claire durfde die papieren niet achter te laten, het risico dat ze in verkeerde handen zouden vallen was te groot. De heksenmeesters zouden waarschijnlijk niet op klaarlichte dag durven inbreken, maar dat wist ze niet zeker. Ze mochten er niet achter komen wie ze was. Volgens Al Ramsays verslag zou de herboren Alice vijanden hebben – 'duistere sjamanen' – die haar wilden vernietigen. Ze wist zeker dat hij op de heksenmeesters doelde.

Claire plakte een stuk karton over het gebroken raam, sloot het huis af en liep naar de bushalte. Ze nam lijn 12B die bij Willowville High stopte, wat betekende dat ze langs het huis van de heksenmeesters moest lopen om bij de halte te komen. Als ze aan de overkant van de straat langs zou lopen, leek het net alsof ze hen uit de weg ging, terwijl ze hen juist in de waan moest laten dat ze niet bang was. Dus liep ze heel snel en wierp ze slechts een stiekeme, zijdelingse blik naar het reusachtige, grijze stenen herenhuis waar Nick en zijn oom Klaus van Buren woonden. Tot haar opluchting zag ze geen teken van leven, hoewel de wolfshonden in hun kennels achter het huis blaften. Ze rilde bij het geluid. Ze werden door de Van Burens gefokt en als waakhond verkocht, dat beweerden ze althans. Maar gisteravond hadden een stuk of tien het huis op Willowmere omsingeld en aangevallen, ze waren kwaadaardig en intelligent, gewone dieren deden zo niet.

Voorbij de bushalte liep ze een zijstraatje in, naar het St. Mary's klooster, een enorm bakstenen bouwwerk dat eruitzag als een Victoriaanse manor. Bij de non aan de receptie gaf ze zuster Helena's mobieltje af. Toen liep ze weer terug en ging bij de bushalte staan. Tijdens het wachten huiverde ze in de koele ochtendlucht. Ze keek nerveus de straat af in de richting van het grijze huis, bang dat een van de Van Burens door het hek zou komen, of een van die daemonische honden. Want sinds de gebeurtenissen van gisteravond zouden ze haar zeker in de gaten houden. Ze gingen vast al haar gangen na, een daemon kon immers van elk dier of elke vogel bezit nemen. Ze keek om zich heen. Een grijze eekhoorn klauterde langs een over de zijstraat gespannen telefoondraad, maar die leek zich met zijn eigen zaakjes te bemoeien. Verder waren er geen dieren in de buurt. Voor zover ze kon zien althans, corrigeerde Claire zichzelf.

De bus kwam eraan, piepend kwam hij voor haar neus tot stilstand. Opgelucht klom ze aan boord en nestelde zich bij een raam aan de rechterkant. Toen de bus oostwaarts rammelde, zag ze de huizen langs glijden: het lelijke nieuwbouwproject, het sinistere grijze herenhuis. Ze verstrakte toen ze op straat plotseling een glimp opving van Nick van Buren, zijn ogen als altijd onzichtbaar achter de donkere brillenglazen, zijn halflange donkere haar woei in de bries naar achteren. De grootste wolfshond, die met de inktzwarte vacht, liep aan zijn voeten. De bus reed verder en daar was Willowmere, achter zijn veilige stenen muren. Ze kon nauwelijks meer geloven dat ze die plek ooit zo veraf en mysterieus had gevonden. Ze voelde een steek toen ze erlangs reed, ze hield meer van dit huis dan van haar thuis aan

Maple Street. Maar het was niet van haar, wees ze zichzelf met moeite terecht. Ze was daar maar tijdelijk en zou nooit meer zijn dan een gast. Hoe ze zich ook voelde, ze moest doorleven als Claire Norton, en dat betekende dat ze naar haar eigen familie en huis moest terugkeren. Haar vader zou maandag weer van zijn zakenreis terug zijn en Myra kwam dit weekend thuis van haar boekentour. Dan zou ze haar dagelijkse routine weer oppakken, in elk geval voor de buitenwereld.

Nadat de bus haar eindelijk had afgeleverd, werd ze op school nog eens extra met haar neus op de feiten gedrukt. De voor de schoolingang rondhangende leerlingen schonken haar niet meer dan een vluchtige blik, hoewel ze half verwachtte dat ze wel zouden zien dat ze anders was. Maar ze zagen alleen haar buitenkant, voor hen was ze gewoon nog dezelfde Claire. Daardoor was het alleen maar makkelijker om naar haar normale leventje terug te keren, realiseerde ze zich.

Er was slechts één moment dat ze haar greep op het heden bijna dreigde te verliezen. Een jongen en een meisje liepen door de gang, armen om elkaar heen, het pluizige sikje op zijn kin rustte tegen haar wang. Een paar dagen geleden zou Claire het stelletje hebben genegeerd, of misschien licht geamuseerd zijn of zelfs weemoedig. Nu moest ze in één klap aan William Macfarlane denken, en aan een eeuwenoude herinnering: van een blauwe lucht boven heuvels vol paarse heide, een frisse wind, een schitterende rivier onder de zon... en William. Lang, breedgeschouderd, met zijn krullende kastanjebruine haar en zachte ringbaard, helderblauwe ogen net als de lucht boven hem. Zijn hand die langs de haren op haar slaap streek. Zijn diepe, zachte stem, net zo vriendelijk als zijn aanraking.

'Dat is dan geregeld. We lopen weg, jij en ik. We rijden door het landschap weg. We nemen een schip en steken de zee over...'

En haar eigen stem, Alice' stem, die protesteert, ook al ligt ze ontspannen tegen zijn sterke arm: 'Je oom wordt vast boos, Will. Hij wil zo graag dat ik met zijn zoon trouw. Hij zal met mijn vader gaan praten... en dan laten ze je misschien het landgoed in Virginia helemaal niet meer beheren.'

'Maakt niet uit. In de Nieuwe Wereld kan iedereen een nieuw leven opbouwen, helemaal van de grond af aan opnieuw beginnen. Het is voor ons allebei een avontuur.'

Het beeld en de stem vervaagden, vielen terug in het verleden. Er kroop een traan langs Claires wang en ze veegde hem snel weg. *Uiteindelijk ben ik toch in de Nieuwe Wereld terechtgekomen, maar dan vierhonderd jaar later en zonder mijn William...* Ze moest hevig met haar ogen knipperen om haar tranen binnen te houden.

Maar dat was haar enige terugval. Eigenlijk was het verbazingwekkend makkelijk om gewoon te doen. Zelfs het cijferslot van haar kluisje hielp: de vertrouwde klik toen het openging, de piepende metalen deur, de bons toen ze haar rugzak erin gooide; onmiddellijk keerde ze terug in de bekende, alledaagse routine. Net als de stemmen van de leerlingen in de gang.

'Echt niet. Josh is veel knapper dan Corey. Ik val in zwijm als ik hem zie. En trouwens, hij is de leadzanger. Corey is alleen maar de drummer.'

'Maar Corey is zo leuk! Lekker met mijn handen door zijn haar woelen, dat wil ik altijd. Ik ben dol op zijn krullenbol...'

De stemmen van Mimi Taylor en haar vriendin, die ze Chel noemden. (Ze had twee vriendinnen die allebei Chelsea heetten, een van de twee noemden ze kortweg Chel.) Normaal gesproken zou Claire zich aan dat gebabbel hebben geërgerd. Mimi en de Chelseas renden achter elke modegril aan: films, muziek, boeken, kleren, zelfs snacks moesten trendy zijn, anders raakten ze het niet aan. Maar vandaag vond ze hun geklets geruststellend, daardoor wist ze weer dat niet de hele wereld was veranderd, ook al was zij dat wel. Ze bleef naar hen staan luisteren toen een derde stem zich erin mengde.

'Zo, dus jullie komen allemaal vanmiddag? De jongens rekenen op jullie.' Het was Megan Holmes, een gewilde cheerleader en populair op Willowville High. 'We moeten bij deze wedstrijd echt goed voor de dag komen, oké?'

'Welke wedstrijd?' gromde een andere stem. Dat was Donna Rees, een kort, mollig meisje met haar kluisje rechts van dat van Claire.

'Wij tegen Maplewood, vanmiddag vijf uur. Ze spelen thuis, dus je hebt geen enkel excuus om weg te blijven! Jullie moeten het team komen aanmoedigen.' Megan wendde haar frisse gezichtje met roze wangen naar Claire.

Automatisch gaf ze op normale toon antwoord. 'Team, welk team?' vroeg Claire met een onschuldige blik.

Megan staarde haar aan en moest toen lachen. 'Ons footballteam natuurlijk!'

'Hebben we dan een footballteam?' Claire keek Donna aan.

'Kennelijk,' bromde ze.

'Sorry,' zei Claire tegen Megan, 'maar ik red het niet. Ik moet op iemands huis passen.'

'Nou, dan kom jíj toch,' zei Megan tegen Donna. 'Laat eens wat schoolspirit zien!'

'Die heb ik niet.' Donna sloeg haar kluis met een klap dicht en draaide zich om.

Megan gaf het op en riep naar Mimi's andere vriendin, Chelsea, die net bij haar kluisje aankwam. 'Chelsea! Jíj komt sowieso naar de wedstrijd, toch! Om Dave te zien spelen?'

'Nee, absoluut niet!' Het blonde meisje draaide zich met een ruk om en keek Megan met een kwaad gezicht aan. 'Ik haat Dave en dat hele achterlijke footballteam van hem, en ik hoop dat ze verliezen, écht!' Ze gooide haar rugzak in haar kluisje, deed hem op slot en liep door de gang weg. Iedereen staarde haar na.

'Nou,' zei Claire na een ongemakkelijke stilte, 'wie had dat gedacht?'

Megans mond hing verbijsterd open. 'Wat is er? Wat heb ik gezegd?'

'Het heeft niks met jou te maken, Megan,' verzekerde Chel haar. 'Dave heeft het uitgemaakt met Chelsea en daar is ze behoorlijk van in de war. Ik denk dat ze een tijdje niet naar hem komt kijken, misschien wel nooit meer.'

'Hij heeft ontdekt dat ze die toverspreuk op hem heeft uitgeprobeerd,' legde Mimi uit. 'Hij was razend en heeft haar de bons gegeven. Zei dat hij niet in dat heksengedoe geloofde, maar het stak hem dat ze hem naar haar pijpen wilde laten dansen, daar had hij geen zin in. Punt is dat zij eigenlijk ook niet in die bezwering geloofde, nu in elk geval niet meer, en dat heeft ze geprobeerd uit te leggen. Maar hij wilde niet luisteren. Het is allemaal zo stóm.' Ze haalde haar schouders op en rolde met haar ogen.

Op dat ogenblik zag Claire Josie Sloan door de gang naar hen toe lopen. Het meisje had minder aandacht besteed aan haar uiterlijk dan anders, zo leek het wel. Ze droeg geen sieraden, alleen een zwarte top met lange mouw op een gescheurde spijkerbroek, en haar zwartgeverfde haar was ongekamd. Ze zag heel bleek, maar haar teint kwam nu eens niet van haar normale melkwitte foundation: ze droeg helemaal geen make-up en er zaten donkere kringen onder haar grijsgroene ogen. *Over Donkere Cirkels gesproken...* Josies huisgeest was nergens te bekennen, haar witte rat die als gastheer had gefungeerd voor een kwaadaardige daemon. Daarmee had ze Mimi bespioneerd, en ook de andere meisjes die zich bij de Donkere Cirkel hadden aangesloten. Ze had het knaagdier aan ze uitgeleend wanneer ze hun 'magische rituelen' uitvoerden zodat ze alles kon horen en zien wat ze deden. Ze waren heel erg van streek geweest toen zij later hun eigen woorden had herhaald. Zelfs Claire was er bijna van overtuigd geraakt dat Josie bovennatuurlijke krachten bezat, maar nu wist ze dat Josie haar geest eenvoudigweg met die van de daemon-rat had verbonden.

Toen ze Claire in het oog kreeg, trok Josie nog witter weg en haar ogen werden groot van schrik. *Ze had niet verwacht dat ik er vanochtend zou zijn,* realiseerde Claire zich.

'O, Josie, hallo,' zei Mimi. 'Heb je het gehoord van Chelsea en Dave? Kun je er iets aan doen, het weer in orde maken? Want ze voelt zich er heel erg klote onder.'

Claires ogen hielden die van Josie vast. 'Ja, die liefdesbezwering van je heeft zeker een uiterste houdbaarheidsdatum.'

De groenachtige ogen knepen zich samen. 'Waarom doe je alsof?' barstte Josie uit. 'Je doet alsof je niet in heksen gelooft terwijl je er zelf een bént!'

'Zou niet weten waar je het over hebt,' zei Claire. De andere meisjes keken verbijsterd beurtelings naar haar en toen naar Josie.

'Je hebt jezelf het vak geleerd,' siste Josie. 'Geprobeerd net zo te worden als ik. Je deed alsof je er niet in geloofde, alleen maar om mij te kakken te zetten. Nou, kijk maar uit. Ik leer ook. Ik ben gauw genoeg sterker dan jij en dan zullen we weleens zien...
Josie draaide zich met een verwilderde blik naar de andere meisjes om. 'Ze liegt! Ze heeft de hele tijd tegen ons gelogen!'

Uit de gezichten van de andere meisjes sprak duidelijk dat ze dachten dat Josie volkomen de kluts kwijt was. Claire zei tegen hen: 'Josie is degene die al die tijd tegen jullie heeft gelogen. Zij liet jullie allemaal geloven dat ze magie had, hè? Dat ze jullie gedachten kon lezen. Nou, dat was alleen maar een truc. Josie heeft... jullie door iemand... laten bespioneren, jullie in de gaten laten houden en jullie gesprekken afgeluisterd. Ze heeft alles via hem gehoord...' Ze keek weer Josies kant uit en zag dat ze ergens naar staarde, niet naar Claire, maar naar iets of iemand achter haar. Claire draaide zich om. Er was niemand, maar in een boom even buiten het raam aan het einde van de gang, zat een vertrouwde gestalte. Een kleine, gestreepte uil zat op een lagere tak met zijn gezicht naar het raam gekeerd. Leo's vogelgastheer. Hij was met haar naar school mee gevlogen om Claire in de gaten te kunnen houden.

Ze wendde haar ogen van het raam af en keek weer naar de meisjes. 'Je hebt helemaal geen echte magie. Toch, Josie? Zeg tegen ze dat er geen bal van waar is, van die magie!' Claire deed een stap in haar richting en keek haar, dat hoopte ze althans, dreigend aan. *Kom op, Josie, geef het nou maar toe. Je wilt vast niet dat ik m'n uil roep...*

Josie deinsde terug, haar bleke gezicht werd nog bleker. Ze moest ongetwijfeld denken aan de confrontatie van de vorige avond, op het dak van Myra's huis. Leo had in uilengedaante Josies rat in vogelvlucht weggegrist en meegenomen. En als Leo had toegelaten dat de uil, zijn gastheer, de rat had vermoord, dan was Josie ook doodgegaan, want haar geest was met de daemon verbonden geweest. Natuurlijk had Leo dat niet gedaan, maar er zat pure angst in Josies ogen en ze deinsde achteruit. Claire bleef staan, was plotseling ongerust. Met haat en woede kon ze prima overweg, maar iemand een trap nageven was ook weer niet nodig.

'Spioneren?' herhaalde Chel. 'Is dat waar, Josie?'

Josies gezicht vertrok en verraadde allerlei emoties. Haar ogen ontmoetten die van Claire, maar ze kon haar blik niet vasthouden en sloeg haar ogen neer. Ten slotte zei ze met een zacht raspende stem: 'Ja.'

'Wel heb ik ooit... ik had nooit...' Chel wist niet wat ze moest zeggen. Mimi staarde haar met haar grote violetblauwe ogen aan. Josie keek naar geen van beiden. Ze sjokte de gang door, een levend bewijs van iemand die verslagen is. Maar Claire keek haar wantrouwig na. Ze had die giftige blik bij het andere meisje gezien, net voordat ze zich had omgedraaid. Josie zou niet rusten voordat ze deze vernedering had gewroken.

Met enige moeite bracht Claire uit: 'Zie je wel? Het was één grote leugen. Josie heeft helemaal geen macht over jullie. Je hoeft niet meer bang voor haar te zijn.' Ze keek weer door het raam. De uil was weg.

'Bedankt dat je dat hebt opgelost, Claire,' zei Chel. 'Weet je, in het begin was het wel leuk, maar eigenlijk vonden we het maar eng worden.'

Mimi gaapte. 'Nou ja, ik had toch al besloten om niet meer door te gaan met dat Donkere Cirkel-gedoe. Het leverde me toch geen fluit op.'

Claire bedacht dat Mimi nog het best werd beschermd doordat ze zo'n kort aandachtslontje had. Zij en de Chelseas waren nu veilig, bleef alleen Donna nog over. En zij was slim, het zou niet al te moeilijk zijn om haar de Cirkel uit te praten. Maar Josie zou zeker teruggaan naar haar heksenmeestervriendjes, om hulp en raad te vragen om het Claire betaald te kunnen zetten. Hun ruzie was dus toch niet beslecht met de confrontatie op het dak. Er lagen meer problemen in het verschiet en bij dat vooruitzicht zonk de moed haar in de schoenen. Ze kon dit niet alleen.

Na huiswerkklas liep ze naar de telefooncellen op school en belde haar huisarts op. 'Met de praktijk van dr. Ames,' klonk de stem van de doktersassistente.

'O, hoi. Met Claire Norton. Ik wil graag een afspraak afzeggen.'

'O ja, hier heb ik hem. Wil je een nieuwe afspraak maken?'

'Nee, dat hoeft niet. Wil je haar zeggen dat ik niet meer van die vreemde dromen waar ik over verteld heb, heb gehad? Het gaat nu prima met me.' Claire hing op en keek op haar horloge. Ze had nu een tussenuur en besloot dat ze net als anders naar de bibliotheek zou gaan. Maar toen ze in een studiecel zat en haar boeken uit haar rugzak wilde pakken, kwam ze de losse notities van de oude meneer Ramsay tegen. Ze wierp snel een blik over haar schouder, maar zag alleen andere studenten in hun hokjes en de bibliothecaresse aan haar bureau zitten. Ze trok langzaam het pak papier uit haar tas en begon te lezen, elke zin goed in zich opnemend.

Het handgeschreven manuscript begon als een soort memoires maar werd gaandeweg een verslag van de laatste gebeurtenissen in Ramsays leven. Het begon met een verhaal over zijn eerste ontmoeting met zijn huisgeest, in 1930 in Afrika. Een plaatselijke medicijnman had hem in een nabij staande boom een Afrikaanse grijspapegaai aangewezen en hem gezegd dat hij zijn geestelijke wachter was. Opgetogen had hij de vogel mee naar huis genomen en was onderzoek gaan doen naar dierlijke huisgeesten en het sjamanisme. Hij beschreef de reizen die hij daarna had gemaakt, naar Afrika en andere landen, overal waar de verschillende vormen van sjamanisme werd beoefend. Hij beschreef zijn experimenten met meditatie en trances en hij raakte er steeds meer van overtuigd dat de vogel die hij uit Nigeria had meegenomen inderdaad een soort bovennatuurlijke intelligentie bezat. Hij noemde de papegaai Ben, en de geest – of daemon – die erin huisde Benvolio.

Het wezen hoefde niet per se in de papegaai te zitten, hij kon van dier naar dier verhuizen. 'Op mijn laatste reis naar de Stille Zuidzee-eilanden,' schreef Ramsay ergens, 'wist ik de hand te leggen op een jonge fruitvleermuis, een specimen dat ze "vliegende vos" noemen vanwege zijn scherpe oren en neus. Hij was niet alleen het liefste en leergierigste huisdier dat ik ooit heb gehad, maar het wezen was 's nachts ook een prima gastheer voor Benvolio. Mijn daemon heeft me keer op keer verteld dat hij zo'n hekel had aan roofdieren... vandaar dat hij het liefst in een fruitvogel huisde. Maar soms moest hij ook 's nachts voor me op pad, en de meest nachtvogels zijn jagers, zoals vleermuizen en uilen. Teerhartig als hij was, kon hij zelfs een insecteneter niet verdragen, dus de fructivoor was voor hem een uitkomst. Dat soort dieren vliegt niet op een sonarsysteem, maar zoekt met zijn grote, scherpe ogen zijn weg in het donker. Perfect om te spioneren. Ik moet erachter zien te komen wie die andere daemonen in de buurt zijn, ze houden zich schuil in het lichaam van wilde dieren. Wat zijn ze precies van plan...?'

Er vloog een schaduw over de pagina. Claires hoofd schoot omhoog en ze keek om zich heen. Maar het was slechts een langslopende student die met een paar boeken op weg was naar de uitleenbalie. In haar studiecel werd ze aan drie kanten aan het zicht onttrokken, niemand kon haar van achteren besluipen. Ze ging staan, deed alsof ze haar benen en rugspieren uitrekte en geeuwde om het echter te laten lijken. In de bibliotheek was nergens een spoor van Josie te bekennen. Ze ging weer zitten en boog zich over de handgeschreven pagina's. Ze zou dit eigenlijk niet hier moeten lezen, Josie kon haar misschien ontdekken of iemand anders uit de Cirkel. Maar nu ze zover was, wilde ze dolgraag verder lezen. Ze moest er meer van te weten komen. Hoe zat het eigenlijk met Myra? Zij had dit ook gelezen – dat had Claire gezien aan de geeltjes die ze op sommige pagina's had geplakt – dus het meeste moest ze weten, misschien alles wel. Maar geloofde ze het ook, of vond ze de beweringen van haar overleden oom maar krankzinnig? Hoe meer Claire daarover nadacht, des te meer begon ze daaraan te twijfelen. Nee, Myra zou zijn verslag nooit licht opnemen. Daar was ze te ruimdenkend voor, ze had hem bovendien zo lang en zo goed gekend. En ze had zelf ook belangstelling voor wicca. Misschien begreep ze niet alles van magie, maar ze was overduidelijk geïntrigeerd door haar ooms ontdekkingen.

Bovendien had ze zo verschrikt gekeken toen Claire in haar bijzijn voor het eerst het woord 'daemon' had gebruikt. Zo had ze nooit gereageerd als dat woord haar niets had gezegd.

Eindelijk dook ook Myra's naam op een pagina op: '... ik heb een speelkameraadje gekocht voor mijn Afrikaanse papegaai, van dezelfde soort, maar dan een vrouwtje. Ik heb haar Tillie genoemd, naar mijn oude tante Matilda. Ik maakte er met Benvolio grapjes over dat hij nu een vrouwtjesdaemon had om hem gezelschap te houden. Daarop herinnerde hij me er ernstig aan dat daemonen geen geslacht hebben, hoewel ze wel een voorliefde hebben voor een gastheer van een bepaalde sekse – zoals een man soms liever een leren in plaats van een tweed jasje draagt, bijvoorbeeld – en veel van hen gaan zichzelf gaandeweg als vrouwelijk of mannelijk beschouwen. En volgens mij huist er inderdaad een daemon in de vrouwtjespapegaai! De geest heeft een vrouwelijke persoonlijkheid, lijkt wel. Ze is brutaal, schalks en betweterig, net een ondeugende oude vrouw. Hij is heel erg aan Myra gehecht en ze vindt het enig om soms op haar schouder te landen. Ik begin me af te vragen of hij niet haar eigen daemon-huisgeest is. Wat zou ik haar graag alles willen vertellen! Maar dan denkt ze vast dat haar oude oom het niet meer allemaal op een rijtje heeft. "Zeg je dat je een sjamaan bent, oom Al? En heb je in Afrika van alles over magie geleerd, van een oude medicijnman? En zit er een soort onzichtbaar wezen in Ben de papegaai die in je hoofd tegen je praat?" Geen sprake van, natuurlijk. Wel jammer, want we zijn zo dol op elkaar en als ze er niet bang voor was en het zou kunnen begrijpen, denk ik dat ze het vast geweldig zou vinden. Misschien als ze wat ouder is, maar soms twijfel ik eraan of ik het haar ooit zou kunnen vertellen, het aan wie dan ook zou kunnen vertellen. Ik geloof het zelf nog maar nauwelijks...' Een heleboel pagina's later duikt haar naam opnieuw op: 'Het is zo'n opluchting dat Myra eindelijk de waarheid weet. Ze had al een heleboel vermoed, natuurlijk, ze is tenslotte een intelligente vrouw, maar een deel van haar wil het allemaal graag geloven terwijl een ander deel het nog niet helemaal kan accepteren. Ze heeft gezegd dat haar huisgeest nog niet tegen haar heeft gepraat. Maar ze krijgt steeds meer belangstelling voor het paranormale en de moderne mystiek, ze zal ongetwijfeld haar eigen waarheid gaan ontdekken.'

Dus Myra geloofde in elk geval íéts van het verhaal van haar oom. En bovendien wist ze te veel... meer dan goed voor haar was, of veilig. Wisten de Donkere Cirkel-sjamanen hoeveel zij wist? Claire begon hoofdpijn te krijgen, ze legde de notities neer en masseerde haar voorhoofd. Eén ding was duidelijk: de Van Burens waren gevaarlijk. Ze zouden iedereen van alles aandoen, elke wet aan hun laars lappen, als ze hun doel maar konden bereiken. Zulke mensen was ze al eerder tegengekomen, tijdens haar leven in Schotland: de wrede heksenjagers Edward Morley en Anthony King, die haar aan de waterproef hadden onderworpen en haar min of meer hadden vermoord.

Claire bleef na school niet hangen. Mevrouw Robertson was nog steeds bij haar zieke moeder en de schoolbibliotheek had niet het materiaal dat ze nodig had. Ze moest leren hoe ze haar eigen daemon-huisgeest kon oproepen voor het geval ze hem nodig had, en ook hoe ze zich moest verdedigen als ze door een kwade geest werd belaagd. In Al Ramsays aantekeningen was daar niets over te vinden.

Ze nam de bus, stapte in het centrum uit en liep de paar blokken naar Boeken & Magie. Bij binnenkomst werd ze door sfeermuziek – panfluiten en kustgeluiden – begroet en de klokjes tingelden aan de deur. Ze keek niet bij de rijen boeken, maar liep regelrecht naar de toonbank. Daar stond zoet prikkelend wierook te branden voor een dansende Shiva die de toonbank deelde met een lachende boeddha, twee stenen Eskimo's en een grotere tinnen figuur van een gevleugelde fee die een kristallen bol in haar armen geklemd hield. Ojibwa droomvangers hingen als reusachtige spinnenwebben aan het plafond. Claire drukte op het belletje op de toonbank. Van achter een tinkelend knopengordijn kwam een meisje tevoorschijn met felrood haar en bijpassende nagellak, gekleed in een enkellange zwarte jurk. Ze schonk Claire een traag glimlachje. 'Kan ik je helpen?'

'Eh, misschien. Ik probeer meer te weten te komen over... daemonen.' Als ze in deze winkel daar geen boeken over hadden, dan had geen enkele winkel ze.

'Eens even kijken,' zei het meisje en ze keek naar de sieradenafdeling. 'We hebben halfedelstenen en een paar kwartskristallen voor channeling, maar geen...'

'Dáémonen, geen diamanten. Het zijn een soort... nou ja, je zou ze geesten kunnen noemen. De Griekse filosoof Plato heeft erover geschreven.'

Het meisje schudde haar hoofd waardoor haar lange, bungelende oorbellen gingen dansen. 'Nooit van gehoord. Sorry.'

De oude meneer Brown, de mede-eigenaar van de winkel, kwam plotseling van achter een boekenkast tevoorschijn. Hij was als altijd gekleed in zijn bruinachtige sweatshirt en broek, en hij had zijn gebruikelijke afkeurende uitdrukking op zijn gezicht. 'Jullie hadden het geweten,' gromde hij, 'als het onderwijs van tegenwoordig nog iets zou voorstellen. Dan zou je hebben geleerd dat in het verhaal Er, in Plato's *Republiek,* over daemonen wordt verhaald.'

Hij rommelde tussen de boekenplanken en reikte Claire een

paperback aan. Ze pakte hem aan en bedankte hem. Ze kon het net zo goed kopen, besloot ze. Waarschijnlijk was er wel een exemplaar in Myra's bibliotheek, maar zelf wilde ze er ook een hebben.

'Aan het eind van het laatste hoofdstuk,' zei hij tegen haar en hij verdween weer achter de boekenkasten.

Claire gaf het boek aan het meisje. 'O, en nog iets. Hebben jullie boeken over sjamanisme?'

'Bedoel je natuurlijke magie?' vroeg het meisje.

'Ja, kan wel. Ik ben vooral geïnteresseerd in die rituelen die sjamanen gebruikten om hun beschermgeest op te roepen. Wat Ojibwa ook heeft gedaan... hoe noemen jullie dat?'

Het meisje knikte. 'Dromen vangen,' zei ze en ze kwam van achter de toonbank vandaan. 'Daar weet ik wel een boek over. Wacht, dan pak ik het even.'

Claire bleef alleen achter bij de toonbank en staarde in de heldere diepten van het feeënkristal. Kón een daemon eigenlijk wel met een ritueel worden opgeroepen, zelfs tegen zijn wil? De enige manier om daarachter te komen, bedacht ze, was het simpelweg uitproberen. Ze kon het niet in haar eentje opnemen tegen de Donkere Cirkel en tegelijk Willowmere beschermen. Ze had hulp en raad nodig, en alleen haar huisgeest zou haar daarbij kunnen helpen. Op de een of andere manier moest ze weten waarom Leo niet meer tegen haar sprak en hem ervan zien te overtuigen dat ze hun krachten weer moesten bundelen.

Claire liep, licht gebukt onder het gewicht van haar rugzak, diep in gedachten langs Lakeside naar Willowmere. Toen ze het huis van de heksenmeesters passeerde, hoorde ze iemand haar naam roepen en haar hart sloeg een slag over. Ze gaf geen antwoord, klemde haar kaken op elkaar en versnelde haar pas. *Wat je ook doet, laat niet zien dat je bang bent,* prentte ze zichzelf nog eens in.

Maar toen ze voetstappen hoorde naderen, moest ze zich wel omdraaien. De oude meneer van Buren liep een paar passen achter haar. 'Laat me met rust,' snauwde ze hem toe.

'Miss Norton. Het spijt me oprecht wat er gisteravond met dat meisje Josie is gebeurd,' zei Van Buren. Zijn stem klonk als altijd gepolijst en gladjes. 'Ze is heel koppig en wilde per se de confrontatie opzoeken, ook al zeiden we dat ze dat vooral niet moest doen.'

Ze draaide zich weer om. 'O ja? En wat deden u en uw neef daar dan? En dan heb ik het nog niet over die valse rotbeesten.'

Ondanks zijn schuldbewuste woorden, bleven zijn ogen haar koel en strak aanstaren. 'Je gelooft toch zeker niet dat we op moeilijkheden uit waren? Integendeel, we waren er alleen maar bij om ervoor te zorgen dat jullie geen kwaad kon overkomen.

We wilden niet zonder toestemming op het terrein van dr. Moore komen, maar de situatie begon gevaarlijk te worden. We waren erg opgelucht dat jij noch Josie gewond is geraakt. Eigenlijk maakten we ons meer zorgen om haar dan om jou, miss Norton. We wisten wel dat zij geen partij voor je was.' Hij kwam naast haar lopen en ging zachter praten. 'Je hebt aanzienlijke krachten... zo sterk ben ik ze nog niet tegengekomen bij iemand van jouw leeftijd,' zei hij zacht.

Claire versnelde haar pas. 'Krachten? Ik weet niet waar u het over hebt. Zeg tegen miss Sloan dat ik de volgende keer de politie bel wanneer ze weer op Myra's terrein opduikt. En dat geldt ook voor u en Nick.'

'Je hoeft niet te doen alsof, hoor,' zei hij, terwijl hij nog steeds achter haar aan liep. 'We hebben heus wel gezien hoe de uil op jullie af vloog en haar huisgeest weggriste... dat was toch zeker jouw werk? Kom nou toch, we weten allebei wat je bent.'

Claire bleef abrupt staan. Haar hart sloeg weer een slag over en leek nu in haar hoofd te bonzen. 'Wát ik ben? Wat bedoelt u?' *Hij weet het,* dacht ze plotseling in paniek. *Hij weet dat ik de reïncarnatie ben van Alice...*

'Je hoeft niet zo te schrikken!' zei hij. 'We weten allebei dat je een heks bent. Zo... nou heb ik het gezegd.' Hij glimlachte.

Een heks... alleen maar een heks? Dan vermoedt hij dus niet wíé ik ben? Haar op hol geslagen hart bedaarde wat.

'En je hebt ook nog eens heel veel talent. Ik zou het geweldig vinden om je op te mogen leiden.' Met intense ogen deed hij een stap naar haar toe. 'Daarom ben je dr. Moore en haar wiccavriendjes gaan opzoeken, toch? Je was heus niet alleen uit op liefdesdrankjes zoals die andere malle meiden van je school, of zelfs op bijzondere macht, zoals Josie. Jij wilt wéten, bent op zoek naar kennis over het heksengilde en de verborgen mogelijkheden die je altijd bij jezelf hebt gevoeld. Maar dat zul je niet op Willowmere vinden, miss Norton. De oude man is dood en zijn talent was sowieso al bepaald niet indrukwekkend.'

'De oude man? Bedoelt u meneer Ramsay?'

'Alfred Ramsay, ja. Ik heb je al verteld dat ik hem een keer heb ontmoet. Misschien heb je zijn papieren onder ogen gehad? Ik heb begrepen dat hij zijn ervaringen omstandig voor zijn nicht heeft opgeschreven.' Claire werd zich onmiddellijk bewust van de notities in haar rugzak. Die informatie zou haar verraden en dan zou haar leven in gevaar zijn, en dat was nu zomaar binnen zijn bereik... Ze trok zich terug toen hij nog een stap in haar richting deed. 'Toen hij nog leefde hebben ze het daar vast uitgebreid over gehad. Maar als magiër was hij niet meer dan een amateur. En dat geldt ook voor Myra Moore... zij bezit nog geen fractie van de magie van haar oom. Zij kon alleen maar een vage slag slaan naar de krachten die hij ooit kon beheersen. Als je hoopt iets van Myra aan de weet te komen of uit de aantekeningen van haar oom, dan word je teleurgesteld, ben ik bang. En aan haar wiccavriendjes heb je ook niet veel. Als je magie wilt, echte macht, dan is er maar één plek waar je dat kunt leren, en dat is in mijn coven. Denk erover na om je bij ons aan te sluiten. We kunnen talenten als jij goed gebruiken.'

'Als u nu niet weggaat,' siste Claire tussen haar tanden, 'dan ga ik gillen en denkt iedereen in de buurt dat u me lastigvalt.'

Daarop zweeg hij even. 'Een buitengewone, jonge vrouw,' zei hij vervolgens. 'Goed dan. Van nu af aan laat ik je met rust. Maar denk alsjeblieft over mijn aanbod na, miss Norton. Mijn deur staat altijd voor je open, mocht je besluiten lid te worden van onze coven.' En daarmee draaide hij zich om en liep weg, en zij staarde hem na.

Claire had geen rust totdat ze in het huis terug was. Tot haar grote opluchting had zuster Helena gedaan wat ze had beloofd.

Ze had de telefoonmaatschappij gebeld en de telefoon deed het weer. Het was een geruststellend gevoel dat ze weer contact had met de buitenwereld. Ze liet Angus buiten rennen, zag hem over het grasveld achter de bal aan huppelen met zijn staart als een wapperende vlag achter zich aan. Het terrein lag er in het zachte oktoberlicht rustig bij. Alles leek zo normaal, bedacht ze. Misleidend, verraderlijk normaal. Ze keek rond of ze de uil zag, maar hij was nergens te zien. Leo had of zijn gemak ervan genomen of hij gebruikte een ander dier als gastheer. Van Buren en zijn bondgenoten hadden hun eigen daemon-spion die Willowmere in de gaten hield. Die zat in het lichaam van een andere uil, een grote, grijze die veel groter was dan Leo's gastheer. Die was vast gestuurd om haar te bespioneren, niet Myra, want nadat Myra voor haar tour was vertrokken, was hij op het terrein blijven rondhangen. Maar Claire had de vogel al een tijdje niet meer gezien. Misschien gebruikte de vijandige daemon nu ook een andere gastheer.

Ze floot Angus bij zich en hij dartelde kwispelend achter haar aan met de bal tussen zijn kaken geklemd. Ze kon het nauwelijks geloven dat Nick van Buren gisteren deze hond tegen haar op had gezet, hij had met ontblote tanden naar haar gegromd. De jonge heksenmeester had zonder meer een daemon opgeroepen en bezit laten nemen van Angus... en als hij dat nu kon, zou hij het een volgende keer weer doen. Als ze maar iets wist te verzinnen om de macht van die heksenmeesters te trotseren! Ze liet zich niet voor de gek houden door die gladde praatjes van Van Buren. Hij en zijn neef waren zeker niet van plan haar met rust te laten.

Om vijf uur gaf Claire de hond en de katten te eten. Toen ze de volière in ging werd ze door de kreten en het gekakel van de vogels begroet en Koko de kaketoe vloog op haar schouder. 'Hallo,' zei hij op liefhebbende toon en hij nipte speels aan haar oor. Maar Claires aandacht was vooral op de Afrikaanse grijspapegaai gericht, Tillie. Ze moest aan Al Ramsays woorden denken in zijn dagboek: '... het lijkt erop dat er inderdaad een daemon huist in de vrouwelijke papegaai!... Hij is heel erg aan de jonge Myra gehecht...' Was hij nu ook in de papegaai?

'Ben je daar, daemon?' vroeg ze hardop. Maar Tillie zat op haar stok zaden te eten en schonk geen aandacht aan haar.

Claire gaf de rest van de dieren te eten – een leguaan, een paar tropische vissen en een pauw die in een hok buiten zat – en ging toen naar de bibliotheek waar ze zich met de twee gekochte boeken in een stoel nestelde. Zoals meneer Brown al had gezegd, vond ze het verhaal van Er achter in het laatste deel van Plato's *Republiek*. Het ging over een man die naar verluidt voor dood lag op het slagveld. Tijdens zijn crematie kwam hij echter tot leven en vertelde de anderen over zijn ervaringen in het hiernamaals. Volgens hem werden zielen vele malen opnieuw geboren, soms in menselijke en soms in dierlijke vorm. In het hiernamaals kreeg elke ziel een bepaald 'lot' toegewezen. Claire kreeg een ingeving, stond op en bekeek de boeken op de boekenplanken. Daar stond een oud, in leer gebonden exemplaar van de *Republiek*, volgeschreven met Al Ramsays aantekeningen in zijn ferme handschrift. Ja, in deze oudere versie was 'lot' vertaald als 'daemon'. Ramsay had elke keer dat het woord voorkwam er een asterisk naast gezet en bij de laatste had hij erbij geschreven: 'Daemon – demon – gids-geest: check *Geschiedenis van de hekserij.*'

Er klonk een luid zoemend geluid in de keuken, ze maakte een sprongetje van schrik en liet het boek vallen. Dat moest de intercom bij de poort zijn. Myra gebruikte die zelden, ze liet voor haar vrienden liever het hek openstaan. Claire vroeg zich af of het meneer van Buren weer was en overwoog even het maar te negeren. Maar misschien was mevrouw Hodge wel teruggekomen van haar zieke tante. Claire liep naar de intercom en vroeg behoedzaam: 'Wie is daar?'

'Mevrouw Brodie, liefje. Zilverhavik.'

'O,' zei Claire verbaasd. Ondanks het bezoek van zuster Helena wilde Zilverhavik zeker toch even zelf bij haar komen kijken. 'Wacht, ik kom eraan.'

Claire liep de oprijlaan af. Buiten de poort stond een rood autootje en toen ze dichterbij kwam, leunde Myra's vriendin uit het raampje en zwaaide. Claire maakte het hek open en de auto reed naar binnen.

Zilverhavik stopte en riep: 'Spring erin.'

Claire glipte op de passagiersstoel. De vrouw naast haar zag er evenals Willowmere geruststellend normaal uit: mollig met grijs haar, een bril met stalen montuur en een gebreide wollen trui op een lange broek. Op straat zou niemand haar een tweede blik waardig keuren. En niemand zou enig idee hebben dat ze bij een spirituele beweging hoorde waarvan de leden zichzelf heksen noemden, zoveel was wel duidelijk. Zouden de Van Burens haar bedreigend vinden? Kon ook zij slachtoffer worden van een of andere wraakzuchtige aanval, als ze zagen dat ze Claire ging helpen? Ze moest haar zo snel mogelijk kwijt zien te raken, al was het maar voor haar eigen veiligheid.

'Fijn om je te zien,' zei Claire oprecht. Toen vermande ze zich en probeerde op neutralere toon: 'Maar je had echt niet helemaal hiernaartoe hoeven komen, hoor. Dat gedoe waarvan ik je gisteravond heb verteld, van die mensen die zwarte magie bedreven... dat bleek allemaal nep te zijn geweest, meer niet. Sorry dat ik er zo'n toestand van heb gemaakt.'

Zilverhavik reed naar Myra's tot garage omgebouwde stal en parkeerde de auto. 'Geeft niet, liefje. Ik weet dat Myra het niks vindt als je helemaal alleen zenuwachtig in haar huis zit. Misschien is het een idee dat ik hier een nachtje blijf, dan kun jij naar huis.' Ze knikte naar een koffertje op de achterbank.

'O nee, dat hoeft niet, hoor,' haastte Claire zich te zeggen toen ze de auto uitstapte en naar de trap van het huis liep. 'Dat is echt niet nodig. Ik heb Myra beloofd op haar huis te passen. Mijn fantasie ging gewoon met me op de loop, dat is alles.'

'Weet je het zeker?' vroeg de oudere vrouw. Angus kwam op haar af rennen, ze boog zich voorover en kroelde de collie tussen de oren. Hij grijnsde opgetogen. 'Ik vond het anders een behoorlijk eng verhaal.'

'Het is dat meisje van school. Josie Sloan. Zij en haar vriendje doen aan dat zogenaamde covengedoe en proberen me steeds met allerlei trucs bang te maken. Meestal heb ik wel door wat ze aan het doen zijn, maar gisteravond riepen ze... een soort illusie op die ik nog niet eerder had gezien, en daar ben ik behoorlijk van geschrokken. Maar ik weet inmiddels hoe ze het hebben gedaan, dus nu ben ik niet meer bang.' Voor een deel sprak ze tenminste de waarheid, dus Claire hoopte maar dat ze overtuigend klonk. Heks of geen heks, Zilverhavik moest niet bij dit conflict betrokken raken. 'Aan de telefoon moet ik wel als een wauwelende idioot hebben geklonken.' Ze zette een quasi-zielig gezicht op.

'Nee... hoewel je wel heel bang leek. Ik probeer altijd voor dit soort dingen open te staan. Ik geloof namelijk dat er meer is tussen hemel en aarde dan we kunnen zien of weten, dat vond ik al voordat ik me bij wicca aansloot.'

'Ja, of misschien zijn er gewoon dingen die we nog niet helemaal begrijpen. Nou, je bent helemaal hiernaartoe gekomen, dus het minste wat ik kan doen is een kop thee zetten,' stelde Claire voor. Ze wilde niet dat de vrouw bleef, maar ze wilde ook niet onbeleefd lijken. Zilverhavik vond dat een goed idee en liep de keuken in.

De oudere vrouw trok haar wenkbrauwen op toen ze het karton over het gebroken raam zag. 'Dat hebben zij toch niet gedaan, wel? Die kinderen van de Donkere Cirkel?'

'Dat heeft Josie gedaan.' Claire pakte de theepot en een paar theezakjes.

'Maar dat is verschrikkelijk! Puur vandalisme!'

'O, maak je maar geen zorgen, ze komt er heus niet mee weg. Ik heb een boodschap achtergelaten voor mevrouw Robertson, de schooldecaan. Zij weet wel wat we moeten doen. Myra heeft speciale kruidenthee, wil je die soms? Er is ook oranje peccothee.'

'Oranje pecco is prima.'

Ze gingen zitten, dronken hun thee en hadden het een tijdje over koetjes en kalfjes. Claire merkte dat ze minder ongerust werd. Zilverhavik had het over Myra en haar reizen, en hoe ze haar had ontmoet tijdens een conferentie over vrouwen en spiritualiteit. 'Zij was een van de themaspreeksters over antropologie en de rol van vrouwen in verschillende culturen,' legde Zilverhavik uit. 'Ik stond verbaasd over haar brede kennis en haar ervaringen met inheemse volkeren over de hele wereld. En ze heeft me alles over haar oom verteld, Al Ramsay... fascinerende figuur, vind je ook niet?'

'O ja,' zei Claire. 'Dat was hij zeker.' *Als je eens wist*, voegde ze er in gedachten aan toe.

Ze hadden het toen over wicca en de ervaringen die Zilverhavik daar zelf mee had. 'Soms melden mensen zich aan, vooral jonge vrouwen die te veel Hollywoodfilms hebben gezien, die denken dat het allemaal gaat om lichtflitsen die uit je vingertoppen schieten en dat soort onzin,' zei de vrouw met spottende blik. 'Maar degenen die op zoek zijn naar een echt spirituele ervaring kunnen er een hoop in kwijt.'

'Gisteravond zei je iets over een magische bescherming van Myra's huis?'

'Ik bedoelde bewaking... een soort beschermingsbezwering. Eigenlijk het tegenovergestelde van vervloeken: een ritueel om iemand voor het kwaad te behóéden.'

'Je bedoelt alsof je voor iemand bidt?'

'Daar lijkt het wel wat op, ja. Een positieve toepassing van geestelijke energie die je op een persoon of plek richt. Mijn coven wil dat graag voor Willowmere doen, en ook voor jou als je dat wilt.'

Dat was een behoorlijk geruststellend idee. En ook al zou het niet echt helpen, op die manier konden Zilverhavik en haar covenleden haar wel hulp bieden en tegelijkertijd veilig buiten het conflict met de Donkere Cirkel blijven. 'Nou, graag,' zei Claire. 'Dat is echt heel aardig van je.'

De intercom zoemde weer en Claire maakte een sprongetje op haar stoel. Zilverhavik zag haar reactie en stond op. 'Zal ik antwoorden, Claire?'

'Eh... graag,' mompelde ze. 'Als je het niet erg vindt.'

'Hallo?' zei Zilverhavik in de speaker.

Het bleef even stil en toen zei een onzekere stem: 'Claire? Is Claire Norton daar?'

Claire sprong op. 'Dat is mevrouw Hodge.'

Zilverhavik knikte, zij had kennelijk ook de stem van de huishoudster herkend. 'Ik ben Sharon Brodie, Doris,' zei ze. 'Ik ben bij Claire op bezoek. Claire komt naar je toe om je binnen te laten.'

Opgelucht liep Claire de oprijlaan weer af en liet mevrouw Hodge binnen. Toen ze het hek openmaakte, reed Zilverhavik ernaartoe en bleef even stilstaan toen mevrouw Hodge haar blauwe auto langs de hare manoeuvreerde.

'Sorry,' begon mevrouw Hodge, 'dat ik er zomaar vandoor was gegaan...'

'Nou, dat zou ik ook hebben gedaan als ik jou was,' onderbrak Zilverhavik haar verontwaardigd uit haar autoraampje leunend. 'Je laat toch zeker zo'n jonge meid niet helemaal alleen in dat grote huis! Je had minstens een van de buren kunnen waarschuwen zodat die een oogje in het zeil kon houden.'

'O jee,' jammerde de andere vrouw. 'Ik had helemaal niet gedacht dat ik zo lang weg zou blijven. En ik was anders helemaal niet gegaan, behalve dat tantetje deze keer zo anders klonk. Helemaal niet zichzelf, ze klonk bijna angstig...'

Claire deed een stap naar voren. 'Het geeft niet, mevrouw Hodge. Ik neem het u helemaal niet kwalijk. Is uw tante weer in orde?'

'Ja, dank je. Het was nogal raar, gisteravond werd ze opeens stukken beter en vandaag was ze bijna weer zichzelf.'

'Misschien omdat u bij haar was,' opperde Claire. *Of omdat de heksenmeesters en hun daemonen niet langer aan haar geest knutselden,* dacht ze. Dat maakte deel uit van het complot, dat wist ze zeker, om Claire alleen in het huis achter te kunnen laten.

'Ja, ik ben bang dat tante soms wat op een hypochonder lijkt.'

Zilverhavik startte haar auto weer. 'Mooi. Dan laat ik jullie tweetjes maar,' zei ze. 'Dag Claire. Je kunt me altijd bellen, hoor.'

'Dag,' riep Claire terug. 'En bedankt!'

Zilverhavik reed weg en Claire liep achter mevrouw Hodges auto aan de oprijlaan op.

De huishoudster was de rest van de avond zenuwachtig en putte zich ondanks Claires geruststellingen uit in excuses. Toen ze het gebroken raam in de keuken zag, begon ze wanhopig te jammeren. Claire legde uit dat een klasgenootje dat had gedaan om haar te pesten. Maar dat kalmeerde de vrouw niet, ook niet toen ze haar ervan verzekerde dat de boosdoener haar verdiende straf niet zou ontlopen. Nu voelde mevrouw Hodge zich nog schuldiger, het was immers allemaal gebeurd nadat zij de boel in de steek had gelaten. Tijdens het avondeten zei ze weinig, daarna trok ze zich in haar logeerkamer boven terug en deed de deur dicht.

Claire ging weer naar de bibliotheek en haar aanwinsten uit Boeken & Magie. Ze vroeg zich af of 'Er' een waargebeurd verhaal was. Uit de tijdruimte tussen haar huidige en vorige leven kon ze zich niets herinneren van een toewijzing van het lot of veroordeling, maar dat wilde niet zeggen dat er niets was gebeurd. Misschien wist ze het eenvoudigweg niet meer. Ze pakte het boek over natuurlijke magie. Ze keek door de inhoudsopgave en zag dat er een hoofdstuk was gewijd aan 'Het oproepen van de gids-geest'. Ze sloeg die pagina open en opgekruld in haar stoel begon ze te lezen. De auteur noemde een paar moderne rituelen die op sjamanistische gebruiken gebaseerd waren. Daarbij werd gebruikgemaakt van diepe meditatie en probeerde men de spirituele helper in dierengedaante te visualiseren. Er werden ook droomreizen beschreven, traditionele overgangsriten voor Noord-Amerikaanse Aboriginalstammen zoals de Ojibwa. Dit waren rituelen voor jonge knapen; ze werden in poelen of kreken ondergedompeld en moesten daarna een periode alleen in de wildernis zien te overleven.

Diep in gedachten deed Claire het boek dicht. Misschien verging het de meeste mensen zoals deze man Er, die hun daemon-huisgeest nooit tegenkwamen, totdat ze stierven en de fysieke wereld achter zich lieten. Maar anderen konden wel tijdens hun aardse leven met hun persoonlijke beschermgeesten in contact komen, en daar kwamen al die rituelen vandaan. Als je die rituelen maar volgde, kwam je eigen geest misschien in hogere sferen, zodat je makkelijker met de geesteswezens kon communiceren. Ze moest weten waarom Leo zich op de achtergrond hield, of hij zich werkelijk schuldig voelde over wat er met Alice was gebeurd, of dat hij om een andere reden geen direct contact met haar wilde hebben. Als hij niet naar haar toe kon komen, kon ze misschien naar hem toe gaan.

De telefoon in de keuken ging over en voor de derde keer die dag maakte ze een sprongetje. 'Halloooo!' trilde een vrouwenstem toen ze de hoorn van de haak pakte. 'Even horen hoe het met je gaat.'

In een verwilderd ogenblik dacht Claire erover om Myra alles te vertellen wat ze te weten was gekomen... over daemonen en sjamanen, de Van Burens, en over haar eigen identiteit. Als ze het met iemand kon delen, zou het allemaal een stuk makkelijker zijn. Maar dat betekende ook dat ze het gevaar zou delen.

'Prima, Myra.' Claire wist het op ongedwongen, besliste toon uit te brengen. 'Alles gaat hier prima.'

'Ik ben zondag ergens in de middag weer thuis, misschien een beetje later. Je hoeft niet te blijven, hoor, als je dat niet wilt. Je vader zal ook wel gauw thuiskomen van zijn zakenreis, hè?'

'Ja, maandagmiddag.' Claire huiverde een beetje bij de gedachte. Even werd het beeld van pap, met zijn bril en dunnende donkerblonde haar, overschaduwd door het beeld van een andere man, bebaard en zwaargebouwd, uitgedost in kleding uit de tijd van Shakespeare, in wambuis en korte pofbroek. De vader van Alec Ramsay. Met enige inspanning duwde ze dat beeld naar het verleden terug. 'Ja, ik kan niet wachten.' *Is dat wel zo?* vroeg ze zich plotseling ongerust af. Zou haar relatie met pap nog wel hetzelfde zijn, nu de schaduw van dit vreemde, duistere geheim tussen hen in stond? Een geheim over reïncarnatie, heksen en heksenmeesters, en geesten die hen te hulp komen... dingen die haar vader met zijn gedisciplineerde, rationele geest nooit zou accepteren.

'En om weer in je eigen bed te kunnen slapen, natuurlijk.

Nou, ik vind het geweldig dat je op mijn huis past en Doris gezelschap houdt. Ik zie jullie gauw. Tot later!'

'Doei,' zei Claire en ze legde de hoorn op de haak. *En haar kan ik het ook niet vertellen, niet omdat ze me niet gelooft, maar juist omdat ze dat wel doet. Zolang zij, Zilverhavik en de anderen hier niet bij betrokken raken, zijn zij en hun familie veilig voor de heksenmeesters.* Claire was vastbesloten, maar voelde zich tegelijk verschrikkelijk eenzaam.

Ze deed deuren en ramen op slot en klom de trap op naar haar logeerkamer. Er scheen nog licht onder de deur van mevrouw Hodge door, en ze vroeg zich af wat ze ermee aan moest, nu de huishoudster weer terug was. Haar tante was plotseling weer beter, dus kon ze teruggaan naar Willowmere en was Claire niet langer alleen. Zouden de heksenmeesters vanavond dan toch niet aanvallen? Of kon het ze niet schelen dat er een pottenkijker bij was? Ze hoopte maar op het eerste.

Claire ging haar kamer binnen, liet zich op bed vallen en sloot haar ogen. Haar hoofd bonsde van de spanning en haar ogen waren zo moe dat ze begonnen te steken. Ze deed haar bril af en legde hem op het nachtkastje. Haar hand voelde koel metaal... natuurlijk, de dolk. Die kon ze maar beter weer aan de muur terug hangen, voordat mevrouw Hodge merkte dat hij weg was en vragen ging stellen. *Later,* beloofde ze zichzelf. Voorlopig voelde ze in al haar ledematen een doffe vermoeidheid en ze moest er niet aan denken te moeten opstaan. Zelfs haar gedachten gingen traag en apathisch, ze had het gevoel dat ze in een duisternis wegzonk.

En toen herkende ze die duizeligheid, die was haar al eerder overkomen, steeds wanneer een krachtige herinnering uit haar vroegere leven opdook. Deze keer zag ze hitte en licht, een beeld van een uitgestrekte, gele vlakte... Geen Schotland. Ergens anders, veel verder weg, zowel qua afstand als in tijd. Een naamloze plek...

Ze voelde een enorme hitte om zich heen, het licht sloeg verblindend neer uit de hemel. Zonlicht, dat was het, maar helderder en feller dan ze ooit op de heetste zomerdag had meegemaakt. Ze kende het landschap om zich heen niet, het was bruin en bezaaid met door de zon gebarsten richels. Ze keek naar omlaag en zag dat het lichaam waar ze in zat niet van haarzelf was. Het was donker, diep bruinzwart alsof het in de felle zon had liggen bakken. Er hing alleen een stuk dierenhuid om haar heupen, verder had ze niets aan. Vlak in de buurt stonden een paar andere mensen, ook donkergebruind en schaars gekleed in dierenhuiden.

Ze hoorde in de verte een zacht gerommel, ze draaide zich om en keek naar de donderwolken die aan de verdorde horizon opdoemden. Ze rezen in de lucht op en schitterden in de avondzon, aan de onderkant waren ze dofgrijs van samengepakt vocht. Daaronder vormde de verticale, neervallende regen strepen in de lucht. Opnieuw barstte het onweer uit hun diepten naar buiten, een bries beroerde het droge stof van de vlakten en verspreidde het door de lucht.

Ze stond daar met haar familie dolblij en opgelucht naar de op handen zijnde storm te kijken. Regen, ze voelden het bijna op hun gebarsten lippen. Vogels cirkelden boven in de luchtstromingen en kreetten het uit van opwinding. De oude verweerde tovenaar Mamba kakelde en huppelde in het rond, zwaaiend met zijn benen staf. 'Zien jullie nou wel? Heb ik niet gezegd dat ik voor regen kon zorgen?' kraaide hij. 'Jullie hebben me gehoorzaamd en nu ga ik jullie belonen. Zelfs degenen die mijn macht niet erkennen.' Zijn ogen spraken zijn woorden tegen, ze stonden kwaadaardig en hij wendde zich tot haar.

Ze keek hem strak aan en zei: 'En toch geloof ik het niet.'

De volwassenen en kinderen van haar stam begonnen verschrikt te mompelen, en de enige baby die het had overleefd begon te huilen. Ze trokken zich allemaal van haar terug, min of meer onbe-

wust gingen ze haar en de woedende tovenaar uit de weg.

Ze sprak weer. 'Als je voor regen kunt zorgen, oude man, waarom heb je er dan zo lang mee gewacht? Ons volk heeft honger en dorst geleden, twee kinderen zijn gestorven, en al die tijd heb je niets gedaan. Als jij regen kunt maken, dan zeg ik dat je niet deugt omdat je ons zo lang in onzekerheid hebt gelaten. En nu zijn zij dood. Maar ik geloof niet dat jij er iets mee te maken hebt. Je bent slechts een man, een kleine oude man, en de hemel is groter dan jij. De winden en wolken zijn machtiger dan jij. Hoe kun jij ze beheersen? Vertel me dat maar eens.'

Mamba kwam op haar toe, hij hield zijn staf met de schedel van de mangoeste voor zich uit. Ze zette haar hakken in het zand toen haar pleegfamilie het uitschreeuwde van angst. Ze moeten zien dat ik het tegen hem durf op te nemen, *dacht ze,* misschien durven zij het dan ook.

'Bloem-van-de-droogte,' jammerde haar pleegmoeder. 'Alsjeblieft, alsjeblieft, dit kun je niet doen. De hitte is in je bol geslagen. Wijze man, vergeef het haar!' zei ze tegen de tovenaar. 'Ze heeft een zonnesteek. Ze weet niet meer wat ze zegt!'

'Dat weet ze heel goed,' raspte de oude man. Zijn stem kraakte van de dorst, zijn lippen waren net zo gebarsten als de gespleten grond onder zijn voeten. 'Deze hier heeft nooit ontzag voor me gehad, nooit! Maar wees op je hoede, droogbloem, of ik zal je laten verwelken. Dan hou ik de regen tegen. Ja, ja... als ik me kwaad maak, kan ik hem zelfs nu nog wegjagen, dan valt er helemaal niets!'

'Bloem!' jammerde haar pleegmoeder. 'Alsjeblieft, doe het voor ons! Bied je excuses aan!' De kinderen huilden.

Haar hart liep over van medelijden voor hen. Maar hun angst sloeg nergens op, dat moest ze hen laten zien, anders zouden ze zolang hij leefde naar de pijpen van die oude duivelse man moeten dansen. 'Dan hou je het maar tegen,' zei ze tegen Mamba, terwijl ze de kreten en uitroepen van de anderen negeerde. 'Laat maar eens zien wat je kunt. Tot nu toe hebben we alleen maar mooie praatjes gehoord. Laat je magische kunsten maar zien.'

Er viel een stilte, slechts onderbroken door de rollende stem van het naderende onweer. De storm was bijna bij hen. Bij de opgedroogde waterpoel vlakbij stonden de dieren niet meer met hun poten in de modder te roeren maar liepen nu rond: hyena's, jakhalzen, wrattenzwijnen, een paar buffels en antilopen, enkele grote katachtigen, ze hingen er allemaal rond en snoven in de lucht. Het leek wel alsof ze de energie van de komende storm in zich opnamen. Het ging regenen, dat kon de oude man niet tegenhouden. De stam zou zien dat hij geen echte macht had.

Zijn donkere ogen flakkerden op, hij wist het ook. Want hij zei: 'Ik zal het niet tegenhouden. Niet iedereen mag de dupe worden omdat jij me niet gelooft.'

Ze stak haar kin naar voren. 'Je hebt geen magie. Als je die wel had gehad, zou je de regen laten ophouden, ook al was het maar om ons te laten zien hoe machtig je bent.' Een donderklap volgde, alsof die haar woorden kracht wilde bijzetten. De rest van de stam keek beurtelings van haar naar Mamba en weer terug.

Hij staarde haar een ogenblik met machteloze haat aan. Toen zei hij met schrille stem: 'Ik zal je mijn macht laten zien!'

Hij wees met de benen staf naar het modderbed. Op de rand lag een luipaard, hij stak zijn kop omhoog, stond op en liep op de groep toe.

'Dood haar!' gilde de tovenaar en hij wees naar Bloem-van-de-droogte.

Het luipaard gromde diep, zijn gele ogen schitterden. Hij liep naar Bloem toe. Ze bleef staan, het bloed suisde in haar oren, haar hart ging als een razende in haar borst tekeer. Maar ze leek zich niet te kunnen bewegen.

Het is waar: hij heeft wel magie, *dacht ze in de trage seconden waarin het luipaard zich schrap zette om te springen, zijn spieren spanden zich onder zijn vacht, hij had dezelfde vijandige ogen als die van zijn meester.* Ik had ongelijk, hij is toch een tovenaar, en nu ga ik dood... *De lucht was zwaar van hitte en stof, ze kon geen lucht krijgen. Een verscheurend gebrul sneed door de lucht.*

Maar het was niet het luipaard.

De grote kat sprong verschrikt uit zijn starthouding op. Aan de andere kant van het modderbed dook een gele gedaante op, vol moddervlekken van het bed waarin hij had gelegen. Het was de jonge leeuw met de half volgroeide manen. Haar ogen overbrugden de afstand en ontmoetten zijn blik. Help me, *smeekte ze inwendig.*

De leeuw brulde opnieuw, schudde zijn gehavende kop en deed een stap naar voren. Het luipaard draaide zich om om het tegen het grotere dier op te nemen, daagde hem grommend uit. De tovenaar schreeuwde en zwaaide gefrustreerd met zijn staf.

Toen viel de leeuw aan. Hij rende over de dode, verdroogde resten van de poel, zijn oren plat, zijn ogen schoten vuur en zijn enorme muil stond wijd open zodat zijn vergeelde snijtanden zichtbaar waren. Het luipaard wachtte de aanval niet af, maar maakte dat hij wegkwam, als een zwart-met-gouden vlek vluchtte hij in paniek over de vlakte weg. De leeuw liep door, maakte geen aanstalten om achter zijn vluchtende tegenstander aan te gaan, maar liep regelrecht naar Bloem-van-de-droogte.

Ze stond daar nog altijd bewegingsloos. Er was geen tijd voor angst of verbazing. Het reusachtige dier kwam recht naar haar toe, vertraagde zijn pas en ging toen met opgetrokken flanken naast haar staan. Hij liet zijn tanden niet langer zien.

Wees niet bang, *zei een stem in haar gedachten.* Ik ben je vriend.

Verwonderd legde Bloem-van-de-droogte haar hand op de dikke leeuwenmanen en het enorme dier liet zich door haar liefkozen. De verslagen tovenaar vluchtte met een woedende kreet het luipaard achterna. De rest van de stam stond als aan de grond genageld te kijken hoe zij de leeuw over zijn kop streelde, en dacht er niet aan om te vluchten.

Mijn vriend, mijn geest, *dacht ze.* Ik heb altijd geweten dat we bij elkaar hoorden...

Met nog een rollende donder veegden de wolken boven hun hoofd langs de hemel en sloten de zinderende zon buiten. En toen viel de regen over het verdorde land...

Claire kwam met een schok weer tot zichzelf. Een ogenblik lang keek ze verwilderd om zich heen, haar lichaam languit op bed, de beelden vertroebeld aan de randen van haar gezichtsveld. Toen zonk haar hoofd in het kussen terug.

Een andere herinnering, een ander leven. Hoe vaak had ze geleefd en waar allemaal? *Wie ben ik?* vroeg ze zich weer af, en haar gedachten gingen uit naar haar vriend, de enige die in al die levens en landen bij haar was geweest. 'Hebben we elkaar toen voor het eerst ontmoet? Is het zo allemaal gebeurd?'

Er kwam geen antwoord. Maar ver weg in de nacht hoorde ze de krassende roep van een uil.

4

Tot Claires grote opluchting gebeurde er in het weekend niets. Geen visioenen meer of andere verontrustende verschijningen, en de heksenmeesters hielden zich gedeisd. Het was mooi en helder weer op haar laatste twee dagen op Willowmere, en er stond bijna geen wind. Er scheen een warm zonnetje en de bomen in de tuin zaten vol kleur. Gouden en rode bladeren dreven op de poel boven de rondzwemmende karpers en lagen overal verspreid op het grasveld. Het meer had de kleur van de Middellandse Zee, met hier en daar een witte vlek van wat plezierjachten. Een paar plaatselijke zeilers hadden het abnormaal warme herfstweer aangegrepen en nog even gewacht om hun schepen op de wal in de jachthaven te stallen. Claire was bijna de hele dag buiten, ze speelde met de hond en liep langs de kust. Boven het terrein van de heksenmeester cirkelden tientallen krassende kraaien, zag ze. Zo nu en dan vlogen een paar bij de wervelende massa vandaan naar Willowmere, en keerden dan weer naar de hoofdgroep terug. Ze dwong zichzelf ze te negeren. De Van Burens mochten best zien dat ze een volkomen normaal leven leidde, bedacht ze. Dat was op zichzelf al een overwinning: ze liet zich niet intimideren en dat zouden ze weten ook.

Maar in haar gedachten was niets normaal. Ze dacht veel na over die nieuwe herinneringen van gisteravond. *Waar was dat eigenlijk? Het leek wel op Afrika. Maar wanneer?* Op de een of andere manier was ze ervan overtuigd dat dit andere, oudere leven de sleutel vormde waardoor ze haar latere leven in Schotland en haar huidige bestaan beter kon begrijpen. Maar in Al Ramsays geschriften stond er niets over. Teleurgesteld ging ze naar het gedeelte waarin hij beschreef hoe Alice in een nieuw leven en lichaam wordt geboren, hier in het voorstadje Willowmere. In de aantekeningen werden geen namen genoemd – misschien was Al Ramsay bang dat de vijand ze ooit onder ogen zou krijgen – maar bepaalde details vertoonden overeenkomsten met Claires gezin: de kat die dood was gegaan na een aanval van een wilde hond (Claires eigen kat, Whiskers, was net zo aan zijn eind gekomen), en de moeder die haar gezin in de steek had gelaten. 'Ik begrijp dat ze de stad heeft verlaten en dat haar gezin niet met haar mee is gegaan. Misschien heeft ze haar man hetzelfde verhaal verteld als ik haar heb verteld, en wilde hij het niet geloven. Daardoor zijn ze misschien uit elkaar gegroeid, of is ze haar eigen daemon-huisgeest gaan ontdekken.' Haar moeder en de oude meneer Ramsay hadden elkaar ontmoet. Waarom heeft ze Claire daar nooit iets van verteld? Ze zeiden altijd alles tegen elkaar. Was ze misschien te bang geweest om erover te praten? Hoe had meneer Ramsay haar trouwens weten te overtuigen dat zijn buitenissige verhaal waar was en haar dochter gevaar liep? Claire moest nog zo veel meer te weten komen. Ze las verder: 'Ik ben erg verdrietig, want de herboren Alice is nu op een leeftijd waarop meisjes hun moeders het meest nodig hebben. Onwillekeurig voel ik me er schuldig over. Als ik zeker wist dat haar beschermgeest Leo nog steeds over haar waakte zou ik me zelfs ongerust maken. Maar sinds de moord op de kat is hij een stuk voorzichtiger met zijn dierengastheren geworden.'

Leo... Ja, hij waakte over haar. Als hij maar met haar wilde praten! Ze had een vriend nodig, een vertrouweling, en ze durfde andere mensen niet aan de boosaardige heksenmeesters bloot te stellen.

Myra kwam zondag vroeg in de middag thuis. Toen ze met haar gele Kever vrolijk toeterend de oprijlaan op reed, renden Claire en Angus haar buiten tegemoet. Myra kwam uit de auto en zag er gekreukt maar gelukkig uit, en de collie liep haar bijna omver, zo blij was hij dat zijn bazinnetje er weer was.

'Af, Angus MacTavish, af... ik heb zo'n heerlijke tijd gehad, liefje, iedereen was zo aardig voor me. Ja, help me alsjeblieft even met de bagage... ik had gezworen dat ik voor deze trip niet te veel mee zou nemen, maar het is heel anders dan in de jungle, je komt er niet met twee of drie gemakkelijke outfits... Af, Angus! En natuurlijk heb ik onderweg ook het een en ander gekocht, niet dat ik veel tijd had om te winkelen met al die interviews enzo... Angus, ga af!'

Terwijl ze naar de voordeur liepen keek Claire haar zijdelings aan. Ze zag er ontspannen en gelukkig uit... helemaal geen vrouw die een vreemd en afschrikwekkend geheim met zich meedroeg, of zich bewust was van geesten en de verschrikkelijke machten die ze op andere mensen botvierden. Maar misschien liep ze al zo lang rond met die kennis, dat het geen invloed meer op haar had, was ze er eenvoudigweg aan gewend geraakt. Hoe dan ook, ze gaf niet de indruk dat ze meer gewicht mee torste dan de koffer in haar hand.

'Ik ben terug, Doris! Je mag gaan hoor, liefje,' riep Myra toen ze de hal binnenliep. Mevrouw Hodge kwam de trap af, ze had haar koffertje in de hand en keek Claire schaapachtig aan. Het meisje zei niets. Ze moest de gebroken ruit verklaren, maar dat zou ze pas doen als Myra het zag. Het arme mens mocht toch zeker wel eerst haar bagage naar binnen brengen en even rustig gaan zitten, besloot Claire, voordat ze haar met van alles zou overvallen.

Claire liep met een paar winkeltassen in de hand de hal door en haar oog viel op het portret in de zitkamer. Even leek het alsof de geschilderde ogen zich aan haar vastklampten, en ze voelde een rilling door haar heen gaan. Het verleden probeerde met een hand door de eeuwen heen naar het heden te reiken, leek het wel. Alice en Myra waren bloedverwanten... heel in de verte, door vele generaties gescheiden, maar toch afstammelingen van dezelfde clan. *Laat Myra alsjeblieft niets overkomen*, leek het portret te zeggen. *Ze is familie...* En Claire wist dat het waar was, hoewel er geen genetische band was met haar huidige lichaam en Myra, toch voelde ze een grote genegenheid voor de oudere vrouw, een band die verder ging dan vriendschap. Ze voelde zich verantwoordelijk voor haar veiligheid.

Ze laadden de auto uit en brachten alle tassen en koffers naar Myra's kamer boven. 'Ziezo!' zei Myra. 'Ik ga nog niet uitpakken. Ik ben uitgeput en jij vast ook. Zullen we nog een kop thee drinken voor je gaat? Kom op, we gaan in de keuken zitten!'

Claire haalde diep adem. 'Myra, ik moet je iets vertellen.' Terwijl ze de trap afliepen legde ze alles uit over Josie en de inbraak. 'Ik vermoed dat ze niet ver kwam met die vervloekingen en hekserij van haar, dus heeft ze praktischer intimidatietechnieken bedacht.'

' O jee,' zei Myra toen ze het raam zag. 'Het gaat nu toch wel een beetje te ver. Zei je dat dat meisje dat heeft gedaan?'

'Nou ja, ik heb het haar niet zien doen,' zei Claire. 'Ik was boven. Ze heeft ingebroken en is binnengekomen, en ze... stuurde aan op een confrontatie. Ze probeerde me bang te maken.'

'Wat vreselijk! En waar was Doris dan? Heeft ze niet tegen het meisje gezegd dat ze moest verdwijnen?'

Claire aarzelde. 'Mevrouw Hodge was hier niet. Ze moest naar haar oude tante. Deze keer was het echt een noodgeval, dus ze kon niet anders.'

'Bedoel je dat je al die tijd alleen bent geweest?' Myra keek geschrokken.

'O, dat gaf niet, hoor.' Claire haalde haar schouders op. 'Thuis was ik ook alleen geweest.'

'Maar hoe wist die Josie dat je hier helemaal alleen was? Het lijkt wel alsof ze je heeft bespioneerd.'

'Dat deed ze ook. Geloof me, Josie is echt shit. Maar deze keer is ze te ver gegaan. Ik ga ervoor zorgen dat ze haar verdiende loon krijgt en dat raam gaat ze betalen.'

'Jammer dat Doris er niet was, als extra getuige. Niet dat ze jou niet op je woord zullen geloven, want dat doen ze heus wel. Iedereen ziet zo dat jij een veel betere meid bent.'

'En er zijn natuurlijk vingerafdrukken. O, Myra, het spijt me zo dat ik al die problemen heb veroorzaakt. Ik vind het echt verschrikkelijk dat het hier is gebeurd. Josie heeft niks gestolen, hoor, tenminste... ik heb gecontroleerd en er is niets weg.'

'Hemeltjelief, Claire, jij kunt er toch niets aan doen. Ik moet een inbrekersalarm in dit huis laten installeren. Er zitten behoorlijk waardevolle dingen tussen de verzameling van Al, en de papegaaien zijn ook een hoop waard. Angus is niet genoeg om ze af te schrikken. Mijn oom heeft nooit de moeite genomen om een veiligheidssysteem te installeren, maar het is duidelijk dat ik er iets aan moet gaan doen. Nou, wat dacht je van een kop thee? En misschien ook iets te eten... ik ben uitgehongerd.'

Ze kletsten nog een tijdje en na de thee met sandwiches pakte Claire haar spullen bij elkaar en fietste naar huis. Haar vader zou maandagochtend met een vroege vlucht terugkomen, gelijk doorgaan naar zijn werk en laat in de middag thuis zijn. Dus was ze nog een nacht alleen thuis. Maar ze betwijfelde het of Josie iets zou proberen, ze had de angstige blik in de ogen van het meisje gezien.

De Donkere Cirkel was echter iets heel anders. Ze keek door het raam naar de esdoorn. Er zat geen uil in... maar dat kon ook niet, niet bij klaarlichte dag. Waarschijnlijk zou hij een andere gedaante hebben aangenomen, iets kleins, wat de spionnen van de heksenmeester niet zou opvallen. Maar ze wist zeker dat Leo over haar zou waken. Als hij maar met haar wilde praten!

Ze ging naar haar kamer en staarde om zich heen. Raar, als je bedacht dat ze nu een heel ander meisje was dan het meisje dat begin deze week uit deze slaapkamer was vertrokken. Niets, dacht ze troosteloos, zou ooit meer hetzelfde zijn. Ze keek naar haar nachtkastje. Er lag een boek van een van haar lievelings fantasyschrijvers, nog precies waar ze het had neergelegd toen ze nog Claire Norton was en haar avonturen in boeken beleefde. Ze pakte het op en bekeek een ogenblik de kaft. Het was een maanverlichte scène: een meisje in een wolk van tule danste met een knappe prins op een grasveld vol bloemen. Op de achtergrond spuwde een marmeren fontein in de vorm van een draak een mistige pluim de lucht in en in de verte stond een verlicht paleis met puntige fantasietorentjes. De titel stond er in een middeleeuwse letter boven: *Een feeënprinses.* Claire was vooral op de omslag afgegaan toen ze het kocht en had het verhaal wel leuk gevonden. Nu legde ze het neer en vroeg zich af of ze het ooit nog zou uitlezen. Waarom zou je over allerlei feeën, ridders en queesten lezen, als ze maar saai waren vergeleken bij je eigen leven?

Plotseling moest ze aan woorden uit een ander boek denken, over natuurlijke magie, dat ze bij Boeken & Magie had gekocht: 'De droomreis begon met een reinigingsritueel, meestal in een rivier of meer. Wanneer hij de onderdompeling in het koude water had doorstaan, ging de jongen alleen de wildernis in, ver van de nederzetting van zijn familie en gemeenschap, om te vasten, wat wel dagenlang kon duren. Volgens de traditie zou aan het eind van de vastenperiode de beschermgeest tot hem spreken of wellicht in de gedaante van een dier aan hem verschijnen.'

Een droomreis. Ze wist wat een queeste was, dat had ze in al die fantasyverhalen gelezen. Dan ging je naar iets op zoek... zoals de ridders van koning Arthur die de Heilige Graal gingen zoeken. In een droomqueeste ging je op zoek naar een vorm van spirituele verlichting. Net als de gids-geest... een gids die je hielp je weg te vinden. Dat klopte ook met het verhaal over Er, en met wat Myra had verteld over de oude Grieken en hun idee van een *daemon*: een wezen dat je naar je juiste lotsbestemming begeleidde. Was er wérkelijk iets waar van die oude verhalen? Zou haar beschermgeest gedwongen worden met haar te praten, naar haar toe komen, wanneer ze een ritueel zou uitvoeren, net als de Ojibwa? Claire bekeek dat idee van alle kanten. Ze had er alles voor over, besloot ze ten slotte wanhopig, als ze Leo's raad en leiding maar terug kon krijgen. Iemand tegen wie ze kon praten, iemand die veilig was voor de heksenmeesters...

Een reinigingsritueel... in koud water baden en in de wildernis vasten... hoe moeilijk zou dat zijn? Ze voelde zich een beetje dwaas, maar ze klemde haar kaken opeen en ging naar de badkamer.

In plaats van haar normale, snelle warme douche, nam ze nu een lange koude. Doel van de onderdompeling in het koude water van een meer of rivier was volgens het boek om je uithoudingsvermogen te testen, te kijken of je controle had over je eigen lichaam. Vasten had hetzelfde effect. Wanneer het lichaam ondergeschikt werd gemaakt, nam de geest het over, en soms kreeg je daardoor een heilig visioen. Misschien werkte het wel, wie zou het zeggen? Tegenwoordig zocht bijna niemand meer de grenzen op van zijn lichaam, nou ja, ze deden zo nu en dan wat oefeningen. Iedereen was gewend aan comfort, vertroetelde het lichaam, at zoveel hij wilde, en maakte een hele toestand van huid en haar. Claire gaf daar lang zoveel niet om als haar leeftijdgenoten, maar toen ze onder de koude douchestralen stond, kostte het haar meer moeite dan ze dacht om niet onder de straal uit te springen en een handdoek om te slaan.

Ten slotte draaide ze de douchekraan dicht en stapte ze klappertandend op de badmat, haar hoofd deed pijn van de kou. Ze bedacht dat door dat 'negeren van het lichaam' ze zich er tot nu toe alleen maar meer van bewust was geworden. Maar bij het afdrogen begon haar huid te tintelen en voelde ze hoe een warmte zich diep door haar ledematen en romp verspreidde. Toen ze zich weer aankleedde, leek die inwendige straling haar hele lichaam te vullen. Hadden die oude droomreizigers dit ook gevoeld?

Ten eerste: reiniging door middel van water. Ten tweede: vasten... dat hoefde geen problemen op te leveren, hoewel ze hoopte dat het niet al te lang hoefde te duren. Het zou pap opvallen dat ze niets zou eten en dan ging hij zeker weer overbezorgd zemelen over anorexia enzo. Ze had niet zo lang geleden geluncht, dus besloot ze tot vijf uur te wachten, toen de eerste hongersteken zich in haar maag roerden. Ze trok een licht jasje aan, sloot het huis af en liep de straat door.

Na een huizenblok verder naar het westen lag Birch Street, de hoofdweg die van noord naar zuid door het stadscentrum liep. Ze liep over de stoep langs een laantje naar de oostkant van Birch. Aan de overkant van de straat was het ravijn met op de bodem de Willowkreek. Aan de rand van het ravijn waren de huizen heel populair en duur. Ze keken over de kreek uit en sommige hadden een houten trap naar beneden. Sinds Claires jeugd waren er huizen bij gebouwd, maar boven aan Birch lag nog steeds een stuk braakliggend terrein. Claire was daar vaak met haar beste vriendin Ainsley Waine geweest. Vroeger fietsten ze er vanuit hun vroegere huis aan Elm Street naartoe, lieten hun fietsen bij de weg achter en struinden dan door de bomen en het wilde struikgewas de heuvel op. Op de bodem was aan de oever van de brede, traag bewegende kreek een vlakke, modderige strook grond. 's Zomers, wanneer de bomen getooid waren met een dicht bladerdak, kon je de huizen aan weerskanten van het ravijn niet zien en zelfs de hoogste gebouwen in het westen van de stad werden aan het zicht onttrokken. De plek leek wel op de wildernis. Ainsley en zij hadden eens vlak bij de kant een muskusrat zien zwemmen en op een rietbed midden in de stroom had een zwanenpaar genesteld.

Sinds de verhuizing van Ainsley vier jaar geleden was ze hier niet meer teruggeweest. Nu keek ze bedachtzaam om zich heen. Het was wel niet de echte wildernis, maar dichter kon ze die in het voorstadje Willowville niet benaderen. Het ravijn was in de herfst op zijn mooist. De vallende gordijnen van de treurwilg veranderden van groen in goud, de eikenbladeren waren net geslagen koper en de esdoorns droegen elke schakering van botergeel via oranje tot het diepste rood. Hun kleuren weerspiegelden op de oppervlakte van de kreek. De rietbedden hadden inmiddels hun levendige zomergroen verloren en kleurden met dezelfde doffe bruine tint als de moddervlakte eronder. Maar de looiersbomen langs de oevers waren helderrood. Veel bomen lieten hun bladeren al vallen, waardoor rondom hun stam de grond in een veelkleurige lappendeken was veranderd. De berken waren hun bladeren inmiddels kwijt en hun takken contrasteerden als kale beenderen zo wit met de heldere herfstkleuren. Maar er was nog genoeg groen over dat de huizen erachter aan het zicht onttrok, zodat je je nog in de wildernis waande. Er was niemand aan het kanoën of kajakken vandaag. Niets op het water bewoog behalve een troep Canadese ganzen die langzaam stroomafwaarts peddelden. Het was alsof ze terugging in de tijd en ze honderden jaren geleden naar de kreek stond te kijken.

Niet ver van de waterkant vond Claire een omgevallen boom en ze ging op de rottende stam zitten. Ze had geen idee hoe je moest mediteren, maar ze wist dat het meer inhield dan alleen maar zitten nadenken. Je moest je geest leegmaken en je tegelijk volkomen ontspannen... proberen in een soort trance te komen. Claire vroeg zich af wat vasten daarmee te maken had. Toen ze haar geest afsloot, kon ze alleen maar aan haar lege maag denken. Ze huiverde in de koele bries die over het water waaide. De innerlijke gloed was uit haar lichaam verdwenen en de schors van de dode boom voelde klam aan door haar jeans.

Je moet je concentreren, dacht ze. *Neem jezelf als middelpunt.* Ze probeerde haar aandacht van zichzelf en haar lichamelijk ongemak te verleggen naar de geluiden van het ravijn: het stromende water, de trillende bomen in de bries, het getsjirp van mussen en andere kleine dieren. Overal rook de lucht naar verrotting, maar dat had juist een heilzame uitwerking: rijk, gronderig, organisch, het aroma van bladeren die tot aarde vergingen. Ze ademde het in, voelde de warmte van de zonnestralen op haar opgeheven gezicht. Het was zo moeilijk om de wereld buiten te sluiten. Misschien moest ze het maar niet eens proberen. Misschien moest ze haar bewustzijn ermee vermengen... er deel van uitmaken, elke sensatie ervaren maar er niet echt op letten. Ze moest zich op slechts één gedachte richten.

Leo, riep ze inwendig uit. *Leo, kom terug. Praat met me. Ik wil je zien. Ik heb een vriend nodig.* Ze probeerde zich haar beschermgeest voor de geest te halen, net als de verschillende dieren waarin hij had gewoond: haar oude grijs-met-witte kat

Whiskers, de gestreepte uil, de witte kat uit de tijd van Alice, de leeuw op de Afrikaanse vlakte. Vroeger geloofden de mensen dat heksen-huisgeesten gedaantenwisselaars waren, in staat om elke menselijke of dierlijke vorm aan te nemen. Maar Leo had haar lang geleden uitgelegd dat hij zelf geen lichaam bezat en tijdelijk in het lichaam van levende wezens huisde, dus leek het alsof hij zijn eigen gedaante veranderde. Zou hij in het lijf van een uil of een ander wezen naar haar toe komen? En zou ze hem dan herkennen?

Er kwam geen antwoord, ze hoorde alleen het geruis van de bladeren en het gezang van de vogels. In de verte klonk dreunende verkeer op de brug en op de weg boven haar.

Dit heeft geen zin... totaal geen zin! Claire deed haar ogen open en sprong van de boomstam op. *Ik zit hier mijn tijd te verdoen...*

Toen stond ze als aan de grond genageld.

Hij was heel klein en had bijna dezelfde kleur als de bladeren, roodgoud, ze zag hem pas toen hij zachtjes miauwde. Ze hapte naar adem en staarde ernaar. Zou dit... Was dit het antwoord op haar ritueel? Claire ging tussen de bladeren op haar hurken zitten en stak haar hand uit. Het katje trok zich niet terug en kwam ook niet naar haar toe, hij bleef gewoon waar hij was en nam haar met zijn grote amberkleurige ogen op. Toen miauwde hij nogmaals en ten slotte deed hij een stapje naar haar hand en snuffelde aan haar vingers. Hij was niet verlegen of verdwaald, maar had geen naamplaatje of halsbandje. Misschien hoorde hij wel thuis in een van de huizen aan het ravijn. Maar wie liet nou een klein katje loslopen zonder naamplaatje, helemaal met al die vossen en coyotes die de bossen langs de kreek afstroopten? Het katje miauwde opnieuw en Claire stond weer met beide benen op de grond. Haar huisgeest was dan misschien teruggekeerd in een dierlijke gastheer of gewoon bij toeval opgedoken, maar dit beestje was helemaal alleen en had eten en onderdak nodig.

'Kom jij maar met mij mee, katje,' zei Claire. 'Als je hier blijft, ben je nog voor het donker wordt een lekker hapje voor het een of ander. Nou, laat me een beetje bij je in de buurt komen... zo gaat ie goed...'

Ze zei het op geruststellende toon, en toen ze hem voorzichtig met beide handen optilde, slaakte het katje een zacht mauwtje, van pret of protest, dat kon allebei. Maar hij stribbelde niet tegen en toen ze hem dicht tegen haar borst hield, voelde ze dat zijn kleine lijfje lag te spinnen. Ze begon de heuvel op te klimmen, terug naar de weg, met een hand hield ze zich aan twijgen en boomstammen vast en met de andere koesterde ze hem.

Tot haar opluchting vond het katje het allemaal goed, ze was bang geweest dat hij zich uit haar greep zou loswerken en weglopen. Toen ze het ravijn uit was, hield ze hem met beide handen vast, praatte geruststellend tegen hem toen ze de straat overstak en op huis aanging.

'Wat een schatje!' riep een vrouw die haar op de stoep passeerde.

'Hij is eigenlijk niet van mij,' zei Claire. 'Ik heb hem bij de kreek gevonden toen ik door het ravijn wandelde. Ik vroeg me af of hij misschien van iemand in de buurt is.'

'Nou, ik woon hier in de buurt en ik heb hem nog nooit gezien,' zei de vrouw. 'Misschien is hij weggelopen, dan kun je hem beter naar de dierenbescherming brengen.'

Claire knikte en liep door. De dierenbescherming zou tot morgen moeten wachten, dan was haar vader terug en kon hij haar erheen brengen. Voorlopig zou ze zelf voor het katje zorgen. Als niemand om hem kwam vragen, zou ze hem zelf houden. Ze wist op de een of andere manier zeker dat hij van niemand was. Dit kon geen toeval meer zijn... het was te magisch... dit was onderdeel van een plan van Leo.

Thuis zette ze het katje op de grond. Hij bleef een ogenblik met trillende oren en snorharen staan en ging toen op onderzoek uit. Hij liep elke kamer door, snuffelde aan het tapijt en de meubels, sprong in de zijkamer op de bank. Toen wipte hij op een vensterbank en begon belangstellend naar het uitzicht te kijken.

'Had je gedacht,' zei Claire. 'Je blijft mooi binnen, knul.'

Ze ging de keuken in, hij sprong op de grond en ging achter haar aan. Ze vroeg zich af wanneer hij voor het laatst had gegeten en of ze wat te eten voor hem kon vinden. Hij was erg mager, in haar armen had ze zijn ribbetjes kunnen voelen. Maar hij had meer dan genoeg energie en leek niet ziek. Morgen zou ze hem door een dierenarts laten onderzoeken, maar als hij er nu ziek uit zou zien, zou ze een taxi bellen en hem er onmiddellijk naartoe brengen.

Hij had in elk geval een gezonde eetlust. Toen ze een blikje tonijn had opengemaakt en dat in een oude aardewerken asbak op de grond zette, dook hij er meteen op af en schrokte het gulzig op. Ze was even bang dat ze hem te veel had gegeven en dat hij alles er weer zou uitgooien, maar hij hield het binnen en leek nergens last van te hebben. Claire zette een bakje water voor hem neer, maar dat negeerde hij, in plaats daarvan begon hij in de keuken rond te snuffelen. Ze opende het gootsteenkastje en hij schoot naar binnen, opgetogen dat er een nieuwe grot te ontdekken viel.

Claires vader bestrooide 's winters het besneeuwde pad aan de voorkant van het huis en de oprijlaan altijd met kattengruis, dus ging ze uit de kelder het laatste beetje van de wintervoorraad halen. Hij was vast nog niet zindelijk, dat was waarschijnlijk te veel gevraagd, maar ze vulde toch een ondiepe kartonnen doos met kattenbakkorrels en zette die in de buurt van zijn etensbakjes op de grond.

Inwendig moest ze glimlachen. Hij had al dingen van 'zichzelf'. Het wás een katertje, zoveel wist ze wel. Ze had ergens gelezen dat die egale oranje kleur alleen bij mannetjes voorkwam. Ze zou later wel een naam voor hem bedenken. Toen Claire haar eigen eten in de magnetron stopte, liep ze in haar hoofd alle mogelijke argumenten na: 'Om te beginnen, pap, zwierf hij rond, dus hij is gratis... Ja, ik weet dat er geen "gratis" katjes bestaan, hij kost evengoed geld, de dierenarts, inentingen enzo, maar ik betaal je van de zomer terug, zodra ik een baantje heb gevonden... en hij kan prima de hele dag alleen zijn, katten blijven in en om het huis en je hoeft ze niet uit te laten... En hij kan me leuk gezelschap houden...'

De kat zat naast haar stoel terwijl zij haar macaroni zat op te eten. Hij probeerde op de tafel te springen, maar ze had hem snel te pakken en zette hem resoluut weer op de grond. Hij keek haar zo smekend aan, dat ze hem uiteindelijk een stukje macaroni gaf, waar hij aan snuffelde en het vervolgens walgend links liet liggen. De hele tijd praatte ze zachtjes tegen hem, ook al kon hij geen antwoord geven. Met een beest om je heen kon je je onmogelijk eenzaam voelen. Na het eten en de afwas volgde de kat haar naar de zijkamer waar hij op de paperassen ging zitten en zij haar huiswerk probeerde te doen. Daarna ging ze tv kijken, hij sprong op haar schoot en begon hard te spinnen, veel te hard voor zo'n klein lijfje, leek het wel.

Ze deed alle lichten uit. Hij ging achter haar aan naar boven en sprong op haar bed. 'Uh-uh,' zei ze en ze veegde hem eraf. 'Pas als je zindelijk bent.' Maar ze gaf ten slotte toe omdat hij zo zielig jankte toen ze de deur voor hem dichtdeed. Hij kroop warm en geruststellend spinnend in het holletje van haar rug.

Maar de slaap kon ze niet vatten, ondanks dat zijn aanwezigheid haar troostte. Ze lag nog maar een paar tellen in bed toen ze een merkwaardige sensatie kreeg: het leek alsof er een fel licht tegen haar oogleden duwde. En ze had het rare gevoel dat ze niet meer plat lag, maar door de ruimte zweefde. Haar bed was voor haar gevoel onder haar verdwenen evenals haar dekbed. Na een poosje had ze de stellige indruk dat ze rechtop op een harde ondergrond stond. Het licht op haar oogleden werd feller.

Geschrokken deed ze die open... en staarde in een andere wereld.

Dit was geen herinnering, opgediept uit een vroeger leven, maar het was ook geen droom. Ze stond helemaal alleen op een plek die ze nog nooit eerder had gezien. De grond was geplaveid en zo glad als een schaakbord, en strekte zich in drie richtingen uit naar een vlijmscherpe horizon. Vaalgeel-bruine vierkanten van een paar meter in doorsnee waren in een patroon met donkergrijze lijnen gelegd. Vlak voor haar stond een gebouwencomplex. De gebouwen waren allemaal in ouderwetse stijl opgetrokken, met klassieke pilaren en gebogen zuilenrijen, maar ze leken wel pasgebouwd, er zat geen smetje of krasje op. Het hele tafereel was zo perfect, dat ze er ongemakkelijk van werd. Er miste geen enkele dakpan, er zat geen vlekje of barstje op de muren, er was geen spoor te bekennen van slijtage of beschadigingen en er lag geen spatje vuil op het keurige, vierkante plaveisel. Voor de gebouwen stonden twee ronde stenen constructies die eruitzagen als waterputten, waar een trap naartoe liep. Ze waren exact hetzelfde en zodanig geplaatst dat ze elkaar perfect in evenwicht hielden. Slechts een paar grijswitte wolkjes dreven in de donkerblauwe hemel. Ze bewogen niet en van de zon was geen spoor te bekennen. Ergens aan de linkerkant scheen een zacht, diffuus licht dat grijze schaduwen wierp.

Claire moest slikken. Ze wilde iets roepen, maar durfde niet. De stad, of wat het ook was, was helemaal verlaten, geen teken van menselijk leven, geen hond, duif of wat voor levend wezen dan ook, op een paar stijve, kunstmatig uitziende planten in een paar bloempotten na. Er stonden geen bomen, er waren geen begroeide lanen, de zuilengangen en galerijen van de gebouwen waren slechts door bestrating omgeven. In het onnatuurlijke landschap bewoog niets en er klonk geen geluid.

Claire begon in de richting van de gebouwen te lopen. Tot haar opluchting hoorde ze wel haar voetstappen op het stenen oppervlak, ze was al bang dat ze doof was geworden. Ze liep langs de ronde waterputten het brede plein op. Precies in het midden van de groep gebouwen stond een bouwsel van twee verdiepingen, het leek wel een reusachtige bruidstaart. De onderste laag was het hoogst en had pilaren met daarbovenop bladvormige, Korinthische kapitelen. De bovenverdieping was niet zo hoog en kleiner in diameter, de pilaren die eromheen stonden waar korter en het ronde, schuine dak mondde uit in een soort puntig koepeltje. Binnenin scheen wat licht, een 'lantaarn' misschien. De bovenverdieping had ramen, maar beneden waren die er niet, daar was alleen een door hoge pilaren geflankeerde ingang waarvan de deuren naar binnen toe op een kier stonden.

Claire stond bij de deuropening stil en vroeg zich af of de openstaande deuren soms een uitnodiging betekenden. Binnen leek het heel donker. Ze keek om zich heen naar de omliggende gebouwen, daar stonden de ramen ook naar de duisternis open. Ze kon de stilte niet langer verdragen.

'Hallo?' riep ze uit. 'Is daar iemand?'

Er kwam geen antwoord, haar stem echode angstaanjagend tegen de stevige stenen muren om haar heen. Toen hoorde ze een zacht geluid. Ze draaide zich weer om naar de duistere ingang. Er kroop iets op de drempel, dat was er eerst niet geweest.

Het was een katje. Hét katje, met de marmeladekleurige vacht.

Ze staarde ernaar. Oké, dit betekende dus iets. Als dit geen droom was – en zo voelde het niet – dan moest het katje wel iets te maken hebben met haar ritueel van die middag.

Net als bij het ravijn ging ze op haar hurken zitten en stak haar hand naar het diertje uit. 'Zo,' zei ze, 'waar gaat dit allemaal over, hè? Kun jij me dat vertellen? Waar zijn we en hoe zijn we hier beland?'

De kitten miauwde en stond op. Luid spinnend liep hij naar haar hand toe en wreef er met zijn flank tegen, ze voelde zijn warme en zachte vacht, net zo echt als daarstraks. Maar dit kon toch niet echt zijn? Was dit een soort visioen of hallucinatie? Of soms een illusie? Daemonen konden zulke dingen oproepen, had Al Ramsay geschreven, door middel van suggestie. Ze konden je alles laten zien, horen of voelen wat ze wilden.

Het katje kuierde, nog altijd spinnend en met de staart in de lucht, weer weg. Ze zag hem niet meer en stond op, draaide zich om en keek waar hij was gebleven. Maar hij was verdwenen. Daarvoor in de plaats stond een andere figuur, menselijk, iets langer dan zij. Het was een jongen van ongeveer haar leeftijd, misschien iets ouder, uitgedost in merkwaardige, middeleeuws uitziende kleren: een soort knielange, gerende tuniek die bij zijn middel bijeen werd gehouden, een broek en korte leren laarzen, allemaal in goud- en geeltinten. Hij had gemberkleurig haar, een massa zachte krullen hing op zijn schouders en zijn grote ogen waren bijna amberkleurig, zo lichtbruin waren ze. Hij staarde haar met een bevreemde blik aan, hij had één wenkbrauw opgetrokken en zijn volle lippen krulden in een glimlachje. Hij zag er haast – ze kon zo gauw niet op het woord komen – kwajongensachtig uit, ondeugend, menselijk, maar er zat ook iets anders bij, iets buitenaards waar ze de vinger niet op kon leggen.

'Wie ben jíj?' vroeg ze terwijl ze iets terugdeinsde.

De glimlach werd breder waardoor een rij perfecte witte tanden zichtbaar werden. 'Volgens mij weet je dat wel.' Hij had een prettige, lage, vriendelijk klinkende stem. Ze kreeg het idee dat hij haar probeerde te lijmen, zoals zij met het katje in het ravijn had gedaan.

Maar dat was niet aan Claire besteed. 'Geen spelletjes, alsjeblieft! Daar ben ik niet voor in de stemming.'

'Maar je weet het echt al,' hield hij vol. Hij liep naar de trap die naar de deur leidde en ging erop zitten. 'Je zoekt ook voor alles een verklaring, dat vond ik altijd al zo leuk aan je. Je vindt het heerlijk om je hersens te gebruiken, tegenwoordig begint dat een zeldzaamheid te worden. Vertel míj maar eens wie ik ben.'

Claire bleef een ogenblik zwijgend staan. 'Net was je nog een kat. Je bent van vorm veranderd.'

'Inderdaad. En dus?'

'Om te beginnen dat je niet menselijk bent. Een mens kan... zo niet veranderen.'

'Allebei waar,' zei de jongen met een snaakse grijns. 'Ik ben niet menselijk, nee... en mensen kunnen in wat jij de echte wereld noemt niet van vorm veranderen. Dus mijn gedaantewisseling bewijst dat ik niet menselijk ben, maar daar ben je per ongeluk achter gekomen.' Zijn amberkleurige ogen lachten haar toe. 'Nou, wat is je conclusie?

Ze staarde naar hem terug. 'Je zegt dat deze plek niet echt is,' zei ze langzaam, 'in elk geval niet tot mijn werkelijkheid behoort.'

'Precies.'

'Maar... waar ís het dan?'

'Nergens. Het woord "waar" is iets uit jouw dimensie, waar je fysieke afstand moet overbruggen. Jij bent, nou ja, je zou kunnen zeggen, naar een werkelijkheid overgestoken die totaal anders is dan jouw eigen. Een onstoffelijk, onsterfelijk domein.

'Onsterfelijk? Dit is toch niet...' Claire begon bang te worden. Ben ik dan... dood?'

'O ja,' zei de jongen. 'En dit is niet de eerste keer, hoor, je schijnt er een gewoonte van te maken. Maar je moderne lichaam is springlevend. Je bent niet in de hemel, als je dat bedoelt.'

Claire ging naast hem op de trap zitten. Hij leek anders behoorlijk levensecht, alleen een beetje te perfect: er zat geen enkel vlekje op zijn kin en verder leek hij wel een modepop, zo volmaakt waren zijn gelaatstrekken. Ze raakte de traptree aan, die voelde koel en hard aan, heel echt.

'Jij bent Leo, hè?' zei ze.

'Natuurlijk.' Hij glimlachte.

'Maar in het echt zie je er niet zo uit.' Ze gebaarde met haar hand naar zijn figuur en kleding. 'Het is een soort vermomming... een kostuum.'

'Alweer in de roos. Feitelijk lijk ik in mijn dimensie nergens op. Maar voor jou moet ik in een lichaam zitten, anders kun je me niet zien, een tastbaar oppervlak waar lichtstralen op vallen zodat jij een beeld op je netvlies kunt vormen. Ik heb geen eigen lichaam. Ik ben een en al geest, een en al bewustzijn. Mijn bestaansdimensie bestaat uit gedachten die ik met talloze levensvormen deel. Volg je me nog?'

'Ja, hoor, volgens mij wel. Je zegt dat deze plek hier,' ze wuifde met haar hand naar de onnatuurlijke lucht, de spookachtige, volmaakte gebouwen en eindeloze vlakte, 'alleen in ons hoofd bestaat?'

'Zo is het. Vind je dat eng?'

'Nee, maar... Kun je het niet een beetje levensechter maken? De hemel is zo raar, en de gebouwen... nou, die lijken net een schilderij.'

'Het ís ook een schilderij. Dit tafereel is door de Italiaanse renaissanceschilder Piero della Francesca geschilderd, het heet *De ideale stad*. Veel schilders uit die tijd maakten dit soort dingen om te laten zien hoe goed ze met perspectief konden werken, dat was toen behoorlijk modern. In deze schijnwereld zijn we met dat concept van de imaginaire ruimte nog een stap verdergegaan, we hebben aan de oorspronkelijke twee dimensies een derde toegevoegd. Er bestaan nog andere schijnwerelden. Die kun je niet van je eigen wereld onderscheiden, zoveel aandacht is er aan de details besteed. Maar het was beter voor je, dacht ik, als je in eerste instantie kennismaakte met een schijnwereld die overduidelijk kunstmatig is, dan was het makkelijker te accepteren dat het allemaal niet echt was. Ik wilde je niet meteen te veel in de war brengen.'

Claire kneep zichzelf. 'Au!' riep ze uit. 'Hoe kan ik nou pijn voelen als dit niet de echte wereld is?'

'Je géést voelt pijn. Als bij iemand bijvoorbeeld een been is geamputeerd, denkt het onderbewuste soms dat het er toch nog aan zit, het tovert als het ware een fantoombeen tevoorschijn, en daar kan iemand echt pijn aan hebben, ook al zit het been er niet meer aan. Je kunt wel tegen hem zéggen dat de pijn alleen in zijn hoofd zit, maar hij voelt het toch. Je geest is weliswaar nu hier bij mij, in deze dimensie, maar wel nog steeds met je tastbare lichaam en hersens verbonden.'

Claire raakte even zijn lange, losse mouw aan, die ruisend bewoog. 'Je voelt heel echt aan. De stof, ik... kan het bewégen.'

'Dat is je mentale ruimte,' zei Leo tegen haar. 'Daarin reageert je geest net zoals je in de fysieke wereld op lichamelijke prikkels reageert. Maar omdat dit een gedachtewereld is, is het... flexibeler dan materie.'

Ze stond op en begon om het ronde bouwwerk heen te lopen. 'Hoe groot is het hier eigenlijk? Zie ik daar in de verte heuvels?'

'Ja... we noemen ze de Ideale Heuvels, omdat ze zo gestileerd en kunstzinnig geschilderd zijn. Eigenlijk is het een improvisatie omdat op het schilderij van Della Francesca de gebouwen het grootste deel van het achterliggende landschap aan het oog onttrekken. In jullie wereld ligt het in het noorden, als dit tenminste een planeet met polen was geweest. De geplaveide oppervlakte strekt zich tot in het oneindige in alle andere richtingen uit. Op schilderijen zie je ook nooit waar iets eindigt, maar we hebben er een kromming in aangebracht zodat het op de vorm van de aarde lijkt.'

'Is er ook nog iets binnen in die gebouwen?'

'O ja. In de geestelijke ruimte bestaan geen fysieke grenzen, zoals in jouw tastbare wereld. Bij sommige van onze creaties kan de binnenkant van een gebouw groter zijn dan de buitenkant, bijvoorbeeld. We hebben ook een paar leuke voorbeelden die geïnspireerd zijn op de etsen van Escher. Maar in dit schilderij van Della Francesca houden we ons strikt aan het originele schilderij en streven we naar ultiem realisme.'

Claire draaide zich naar hem om. 'Leo, vertel me eens meer over jezelf... over daemonen. Zijn jullie echt alleen maar losse, dwalende geesten zonder lichaam?' vroeg ze terwijl ze weer ging zitten.

'Zo zou je het kunnen zeggen,' zei Leo. 'Waarom vind je dat vreemd? Van oudsher dacht of wist de mensheid immers al dat ze de wereld met andere entiteiten – onsterfelijke en onzichtbare wezens – deelde. Wij zijn de demonen uit jullie folklore en mythologie: Jinni, elfen, totemgeesten, huisgeesten. Menselijke vrienden van daemonen behoren ook tot de mythologie, zoals sjamanen, tovenaars en heksen. Veel verhalen zijn overdreven, andere verzonnen, maar in al die tradities zit een kern van waarheid.'

'En dat Ojibwa-achtige ritueel dat ik vandaag heb gedaan... was dat echt magie? Móést je naar me toe komen omdat ik dat had gedaan?'

'Nee. Weet je, wij daemonen hebben lang geleden besloten dat we ons niet met de mensen of hun leven bemoeien. Maar we hebben afgesproken dat we wél naar degenen gaan die zich op ons en de geestelijke dimensie richten. En dat doe je bij zulke rituelen: je verheft je geest naar een hoger plan en daar kan jouw soort contact maken met het mijne.

We kunnen niet rechtstreeks in jullie tastbare universum binnentreden, dus projecteren we een illusie van onszelf, of gebruiken het lichaam van een dier als gastheer. We nemen geen bezít van dieren, zoals die duiveldemonen in jullie folklore, het is een pure, symbiotische relatie. Het dier biedt de daemon een fysieke vorm waarmee hij zich in jullie materiële wereld kan bewegen en met zijn vijf zintuigen informatie kan uitwisselen. Wij daemonen zijn gefascineerd door jullie lichamelijke universum en raken er nooit op uitgekeken. Wij zorgen op onze beurt weer voor onze gastdieren, we helpen ze gevaren uit de weg te gaan, brengen ze naar een schuilplaats en voedselplekken, dat hebben we weer van andere daemonen geleerd...

Maar zo is het niet altijd geweest. In het begin hadden we genoeg aan onszelf. We hadden geen echte identiteit, geen persoonlijkheid en we leken allemaal op elkaar. We dachten slechts in abstracte concepten, mathematisch. We wisten natuurlijk alles van getallen. Vooral onmeetbare getallen vonden we fascinerend.'

Ze moest onwillekeurig glimlachen. 'Arme jij. Ik ben niet slecht in wiskunde, maar ik wil het niet mijn hele leven blijven doen. Dus jullie daemonen zweven een beetje rond in jullie geestelijke universum, en zijn alleen maar bezig met dingen als pi berekenen en de Mandelbrotformule uitvogelen?'

'We filosofeerden ook wel, hoor. Je kunt het vergelijken met die uitspraak van een van jullie grote denkers. *Cogito ergo sum*: ik denk dus ik ben. Maar toen gebeurde er iets merkwaardigs. We vingen signalen op van geesten die we niet konden thuisbrengen... vage impressies waar we geen wijs uit konden worden. Er waren ook beelden, van donker en licht, van zielloze voorwerpen. We wisten helemaal niet dat zoiets bestond. We voelden de eerste bewustzijnssignalen in jouw universum, van de eerste bewuste wezens. In onze dimensie brak toen een hevige discussie los. Er was nóg een universum, zo bleek, anders dan het onze. Maar we konden pas een brug slaan toen de eerste primitieve geesten ontstonden. Een *fysiek universum*. Hoe was dat mogelijk? Dingen als rotsen en planten zeiden ons niets. Hoe kon iets bestaan als het zichzelf niet eens van zijn eigen bestaan bewúst was, zelfs niet wist wat het zelf wás? Maar uiteindelijk zijn we jullie wereld gaan accepteren, observeren en onderzoeken.'

Hij stond op en zij kwam ook overeind. 'Ben ik hier al eens eerder geweest?' vroeg ze. 'Niet dat het me bekend voorkomt, hoor, ik vroeg het me alleen maar af. Het hoort niet bij de periode waarin ik Alice Ramsay was, daar kan ik me niets van herinneren.'

'Je bent wel eerder in mijn dimensie geweest,' zei hij en hij liep over de geplaveide ruimte tussen de gebouwen door. 'Niet hier, maar wel ergens anders. Tussen je wedergeboortes in was je bewustzijn bevrijd van zijn fysieke beperkingen, en je genoot ervan om in onze schijnwerelden rond te dwalen.'

'Ik weet er niets meer van.'

'Geheugenverlies is heel normaal voor een *revenant*. Fysieke hersenen kunnen zich natuurlijk niets herinneren uit de tijd dat ze zelf nog niet bestonden.'

Ze bleef staan en staarde hem aan. 'Hóé noemde je me?'

'Een revenant.'

'Wat is dat?'

'Die term hebben we uit jouw taal en cultuur geleend. Technisch gesproken slaat het op volksfiguren zoals spoken, of op levende doden: mensen die terugkeren uit het graf om wraak te nemen of nog losse eindjes willen afronden. Ik geloof dat het woord heel goed past bij mensen als jij: je bewustzijn keert naar de fysieke dimensie terug en nestelt zich in een nieuw lichaam.'

'Je bedoelt reïncarnatie?'

'Zo kun je het ook noemen. Wij gebruiken revenant omdat dat woord van het Franse *revenir* – terugkomen – komt, en omdat het suggereert dat er een specifieke reden is om terug te komen. Revenants komen eigenlijk helemaal niet zo vaak voor, voor zover wij tenminste kunnen beoordelen. Het komt zelden voor dat een gereïncarneerde geest zich zijn vorige levens nog kan herinneren. In dat geval moet je je daemon deelgenoot maken van je herinneringen, hij bewaart al je vorige ervaringen. En er zijn maar weinig mensen die met hun daemonen kunnen communiceren. De meeste revenants komen niet zomaar terug, ze hebben een doel.'

'Bedoel je dat er nog anderen zijn, zoals ik? Wie zijn dat dan?'

'Dat mag ik je niet vertellen. Sorry. Over sommige dingen mag ik niet praten, we moeten andermans privacy respecteren.'

'Ik durf te wedden dat Al Ramsay er ook een was.'

'Nu zit je te vissen.' Hij lachte.

'Maar hij is dood. Privacy doet er dan niet meer toe.'

'Hij zit tussen twee levens in. Voor zover wij weten, komt hij net als jij weer terug.'

'Nou, wat voor levens heb ik dan gehad? Kom op, dat kun je me wel vertellen. Dat gaat over mezelf.'

'Natuurlijk. Afgezien van dit leven, nog twee. We hebben elkaar voor het eerst ontmoet toen je Bloem-van-de-droogte was. Dat was je allereerste naam, in een tijd voordat de geschiedenis begon, voor de mythen en legenden. Je woonde in de verre woestijnen in Afrika, die heetten toen nog niet eens zo. Je had daar de duivelse, oude sjamaan Mamba en zijn daemon-bondgenoot te pakken. Phobetor wilde je door middel van een luipaard, dat hij in zijn macht had, vermoorden. Maar je riep me op en ik heb je verdedigd.'

Ze knikte, dat kon ze zich herinneren. 'In het lichaam van een leeuw.'

'Ja. Phobetor kon niets uitrichten omdat ik zijn luipaard-gastheer wegjoeg en Mamba sloeg doodsbang op de vlucht. Jouw volk was toen ook niet meer bang voor hem, omdat ze zagen dat jij sterker was. Het meisje met de leeuwengeest! Je werd leider van je volk, en dat ben je tot je dood gebleven. Je was zesentwintig jaar.'

'O ja? Leo, ik vind dit eng. Waarom ga ik altijd zo jong dood?'

Hij glimlachte. 'Nou, zesentwintig was in die tijd behoorlijk oud. En je had veel kinderen, gezonde, sterke kinderen die het net als jij hebben overleefd en ook weer prima kinderen hebben gekregen. Jouw bloedlijn was zelfs zo sterk dat die tot op de dag van vandaag doorloopt. In jouw wereld lopen er talloze mensen rond, van verschillende rassen en in allerlei landen, die uiteindelijk genetisch afstammen van Bloem-van-de-droogte. Je bent de moeder van miljoenen mensen. Misschien heb je daarom zo'n sterke aandrang om je eigen soort te beschermen.'

Een moeder. Verbijsterd liet Claire de woorden stilletjes op zich inwerken. Ze was ooit moeder geweest, had man en kinderen gehad. Sterker nog, ze had afstammelingen die nu nog leefden, niet slechts een kennis zoals Myra Moore, maar directe afstammelingen van haar vroegere lichaam...

'Bloem-van-de-droogte leefde in een voor het mensenras gevaarlijke tijd,' vervolgde Leo. 'De klimatologische omstandigheden op het Afrikaanse continent waren bar en boos en daardoor zijn velen van de nog piepjonge homo sapiens omgekomen. Sterker nog, op een bepaald moment waren er nog maar een slordige tienduizend mensen over, het scheelde niks of je soort was tijdens die droogte uitgestorven. Maar jullie hebben het gered, dankzij je sterke wil om te leven en het enorme aanpassingsvermogen van de overblijvers. Dat is de reden waarom over de hele wereld de mensen genetisch zo op elkaar lijken. Ze stammen allemaal af van die paar overlevenden in het prehistorische Afrika.

Jouw eigen genetische bloedlijn – van Bloem-van-de-droogte – is in rechte lijn doorgegaan, dwars door de massamigraties en de bonte geschiedenis heen. En toen, vele duizenden jaren later, gebeurde er in de zeventiende eeuw iets heel merkwaardigs. Een jonge Schotse vrouw, Anne Strachan genaamd, zei tegen haar familie dat ze een visioen had gehad waarin een stem haar had verteld dat ze een kind zou krijgen met "de geest van een leeuw"...'

Plotseling begreep Claire het. 'Mijn moeder in Schotland... lady Anne! Natuurlijk. Nu snap ik het: Malcolm Ramsay moet van haar profetie hebben gehoord en dacht dat haar kind koning van Brittannië zou worden. Leeuwen staan symbool voor het koningshuis. Dus daarom is hij met haar getrouwd!'

Leo knikte. 'Hij droomde dat een erfgenaam van hem op de troon terecht zou komen. Maar feitelijk was het "visioen" een boodschap van Annes daemon, die daar eigenlijk mee bedoelde dat Bloem-van-de-droogte opnieuw zou worden geboren... het meisje wier daemon voor het eerst in de gedaante van een leeuw aan haar was verschenen.'

Even zat Claire verwonderd dit alles zwijgend te verwerken.

'Waarom,' vroeg ze kort daarna aan Leo, 'heb je me dit niet eerder verteld?'

'We bemoeien ons niet graag met dit soort zaken. Jij moest zelf je herinneringen ontdekken, het is normaal dat ze langzamerhand naar boven komen. Maar een deel van je wist het, of vermoedde het... want toen je Alice was, noemde je me Leo, leeuw.' Er viel een stilte, toen vervolgde hij: 'Na jouw dood heb ik de familie Ramsay eeuwenlang in de gaten gehouden. Je halfzusters trouwden en hun lijn stierf uit, alleen de bloedlijn van je halfbroer, Wallace Ramsay, bleef over... het broertje dat je nooit hebt gekend. Zijn afstammelingen zijn de oceaan overgestoken met de symbolen van hun oude landgoed, inclusief jouw portret. Ze vestigden zich in de Nieuwe Wereld, in het stadje Willowville dat pas in 1821 werd gesticht. Jij was toen bij mij in het daemonenrijk, en weemoedig vertelde je me toen dat je bloedverwant een lange wens van je had vervuld, namelijk een bestaan in het westen. Je zei dat je heel graag in dat stadje opnieuw geboren wilde worden, vlak bij de mensen die jij als je familie beschouwde. Maar je bleef in deze dimensie ronddwalen in de hoop dat op een dag William Macfarlane opnieuw zou worden geboren, waar dan ook, zodat je naar hem terug kon. Terwijl jij op hem zat te wachten, zag ik de Ramsay-generaties opgroeien. Ik zag hoe de jonge Alfred Ramsay een wereldreiziger werd en uiteindelijk een volwaardige sjamaan die in volledig contact stond met zijn daemon. Zijn zuster Edith trouwde met een man, Moore genaamd, en had één kind, een dochter die nooit is getrouwd. Alfred is ook nooit getrouwd, en toen hij en zijn nicht Myra ouder werden, stelde ik je voor om tijdens hun leven de wereld weer in te gaan, aangezien zij nog je enige familieleden waren. En Alfred had je misschien verder kunnen helpen.'

'Waarmee? Waarom ben ik teruggestuurd? Wat moet ik dan doen?'

'Je bent niet teruggestúúrd. Een revenant kiest zelf of en wanneer hij terugkeert. Sommigen willen een bepaald doel bereiken, anderen willen de mensheid onderwijzen en begeleiden. Jij kiest altijd een interessant tijdsgewricht uit, lijkt wel: een tijd van groei, innovatie, gestage ontwikkeling van kennis en verleggen van grenzen. In jouw moderne tijd wordt de ruimte verkend, genen worden ontcijferd en elke dag worden er nieuwe ontdekkingen gedaan. In je tweede leven werd de Nieuwe Wereld ontdekt en gingen mensen zich daar vestigen. Wetenschappen als geneeskunde, fysica en astronomie kwamen tot bloei. Maar helaas was de renaissance ook een tijd waarin achterdocht hoogtij vierde.'

'De heksenprocessen,' verklaarde Claire.

'Ja. Je koos ook een gevaarlijke periode uit, ongetwijfeld omdat je jouw soort het rechte pad op wilde sturen en ze wilde helpen vergissingen te voorkomen. Het boeddhisme spreekt van *bodhisattvas* – mensen die uit het gelukzalige nirvana terugkeren en voor reïncarnatie kiezen omdat ze de levenden willen helpen begrijpen. Jij lijkt daar wel wat op. Tijdens de renaissance balanceerden kennis en onwetendheid in een wankel evenwicht en jij keerde naar de aarde terug om tegen die onwetendheid te vechten. Daar had je in het oude Afrika ook met succes tegen gevochten. In Schotland werd het helaas je dood. Na je dood heb je eeuwenlang gewacht in de hoop dat jouw William weer ergens zou opduiken, je kon nergens anders aan denken. Maar uiteindelijk liet je die hoop varen en koos je toch voor een wedergeboorte in deze tijd, zodat je je wetenschap met anderen kan delen. Want ook in deze eeuw steekt angst de kop weer op. Misschien niet zo wijdverspreid en opvallend als de heksengekte, maar hij is er toch.'

'De Van Burens en hun daemonmaatjes,' zei Claire. 'Nu begrijp ik het. Ik ben teruggekomen om het tegen hen op te nemen, om hun snode plannen met mijn wereld te verijdelen.'

Weer viel er even een stilte tussen hen. Toen zei ze: 'Leo... denk je dat William opnieuw geboren zal worden? Zal ik hem ooit weer zien?'

'Dat is moeilijk te zeggen. Ik weet dat je nog steeds van hem houdt, ook al is hij al lang dood. Maar je hebt nu een nieuw leven, in het hier en nu. Als er een nieuwe liefde op je afkomt, moet je daar open voor staan. Misschien heb je het helemaal niet nodig, krijg je net zo'n leven als Myra Moore, reis je de hele wereld over en krijg je een briljante carrière. Daar ga je helemaal zelf over. Als je al die kansen had gehad toen je Alice Ramsay of Bloem-van-de-droogte was, zou je een gat in de lucht hebben gesprongen. Denk daar maar eens aan. In die levens had je maar een fractie van de vrijheid die je nu hebt.'

Claire zweeg een poosje. Ze keek weer naar het ronde gebouw. 'Is daarbinnen ook iets?' vroeg ze wijzend. 'Of is het gewoon leeg?'

'We hebben bij het ontwerp van het gebouw een interieur verzonnen,' vertelde Leo haar. 'Het decor is natuurlijk geïmproviseerd, maar we hebben wel de schildersperiode aangehouden. Een van mijn collega's zit er vaak.' Hij stak zijn hand uit. 'Wil je het zien?'

Ze pakte zijn hand – van echt vlees en bloed, zo voelde het, tot aan het stevige bot vanbinnen toe – en liep met hem naar de ingang van het gebouw. Het was uiteindelijk toch niet zo donker als eerst had geleken. Licht van de donkerblauwe hemel scheen door de ramen van de bovenste verdieping en vanuit lampen aan het plafond. Het was één groot, rond vertrek. 'We noemen het hier de Rotonde,' zei Leo. 'Misschien ken je de bouwkundige term wel. Het betekent gewoon rond.'

'Uh-huh... net als in "rondom".' Claire bekeek het interieur. Het was een bibliotheek met ronde planken vol boeken, allemaal op het oog oude boekwerken, kennelijk in kalfsleren kaft die bij hun tijd paste. Er stonden houten ladders waardoor je bij de hogere, minder goed bereikbare planken kon komen. De geplaveide vloer was met witte en gouden tegels in concentrische cirkels gelegd. In het midden van de ruimte stond een bureau van donker, bewerkt hout en een bijpassende stoel.

Op een van de ladders stond een oudere man met lang, warrig grijs haar tot op zijn schouders, een nog langere baard en een hoog, geleerd voorhoofd. Hij was gekleed in een somber, middeleeuws uitziend gewaad in bedekte beige- en bruintinten. Een ronde pince-nez klampte zich vast aan zijn neus. Hij was een boek aan het lezen en keek fronsend op toen ze naderbij kwamen. Claire moest plotseling aan de oude meneer Brown uit de boekwinkel denken.

'Jij weer!' gromde hij naar Leo. 'Kom je alweer mijn rust verstoren? En wie heb je meegenomen?'

'Dit is... nou ja, op dit moment heet ze Claire.'

De frons verdiepte zich. 'Breng je nu alweer je beschermeling mee naar onze dimensie? Je weet dat dat niet normaal is.'

'Je bent zelf niet normaal! Je weet heel goed dat ze een speciaal geval is, Vecchio.'

De oude man snoof en klom de ladder af. 'Goed dan, zeg dan maar meteen waarvoor je hier bent en stoor me niet langer dan nodig.' Hij liep met zijn boek naar het houten bureau en ging op de stoel zitten.

Leo giechelde. 'Let maar niet op hem. Hij mag je graag... altijd al.'

'Kent hij me dan?'

'Van je vorige bezoekjes. Dat ben je vergeten, maar je hebt Vecchio echt eerder ontmoet, in andere schijnwerelden, maar daar zagen jullie er allebei anders uit. Hij mag je graag omdat je graag dingen onderzoekt.'

'Hij noemde me iets...'

'Mijn beschermeling. Zo noemen we dat, in jullie taal althans. Een beschermeling is...'

'Ik weet het. Bij de wicca's is het een beschermende bezwering. Maar het betekent ook dat je voor iemand zorgt, hem beschermt. Zoiets als het adopteren van een wildvreemd kind... dat kind is dan je 'beschermeling'. Doe jij dat ook, Leo... zorg je voor me?'

'Ik probeer het wel. Maar een huisgeest mag niet te veel ingrijpen. We willen vooral de geest van onze beschermelingen bewaken, zodat andere daemonen daar niet in kunnen inbreken. We hebben privacy hoog in het vaandel staan. De gedachten van een menselijk wezen zijn persoonlijk en heilig. Wij staan als het ware bij de poort en jagen elke daemon die probeert te spioneren weg. Niet alle daemonen zijn zo gewetensvol als wij, moet je weten.'

'Maar jij kunt wel in mijn geest kijken, toch?'

'Nee,' legde hij uit. 'Dat zou voor mij net zo verkeerd zijn als voor welke andere daemon ook. Als je je voor me openstelt, me roept, dan kan ik mijn geest bij de jouwe voegen en delen wat je met me wilt delen. Maar zoals ik al zei, mensen die zich van hun huisgeesten bewust zijn en gewetensvol proberen in contact met hen te komen, zijn heel zeldzaam.'

Ze keek nieuwsgierig naar de boeken langs de muren. Geschiedenis, poëzie, wiskunde, reisboeken... het deed haar denken aan de riante en uitgebreide bibliotheek van Al Ramsay. Leo glimlachte toen hij haar een boek zag uitkiezen en erin begon te lezen. 'Dit is Vecchio's kleine hobby. Hij beschouwt boeken als een soort archief, dus in deze schijnwereld rangschikt hij al zijn kennis in boekvorm. Niet alle daemonen hebben beschermelingen, weet je. Vecchio praat liever met andere daemonen en luistert graag naar hun verhalen. Hij vindt, net als wij allemaal trouwens, jouw wereld geweldig en wil er alles van weten. De menselijke vorm is maar een van de vele gedaanten die hij in onze schijnwerelden aanneemt, maar wel zijn favoriete en de Rotonde is zijn lievelingswereld geworden.'

Claire keek om zich heen. 'En in deze boeken staan zijn gedachten? Dus eigenlijk lees ik letterlijk wat hij denkt?' Haastig zette ze het boek weer op de plank.

'O, maak je over de privacy van ons daemonen maar niet ongerust,' lachte Leo. 'Voor ons ligt het anders, wij zijn eraan gewend om onze gedachten met anderen te delen. De oude Vecchio wil je van harte deelgenoot maken van zijn kennis. Hij doet wel alsof hij een zuurpruim is, maar eigenlijk is hij behoorlijk dol op je.'

'Ik wilde dat ik me er meer van kon herinneren. Leo, dit is echt heel raar. Het is net als in die verhalen waarin de hoofdpersoon aan geheugenverlies lijdt en alles over zijn verleden van anderen te weten moet komen.'

Leo keek haar liefdevol glimlachend aan. 'Ik heb je gemist.'

'Ik heb jou ook gemist. Nou ja... sinds ik weer wist dat je bestond.' Ze keek in zijn ogen. Ze zag de flinterdunne weerspiegeling van zichzelf in zijn irissen... *Ze hebben zelfs weerspiegelingen gecreëerd!* dacht ze verwonderd. 'Leo, waarom heb je me buitengesloten? Ik moest echt met je praten.'

'Ik ben er nu toch,' zei hij. Een ontwijkend antwoord, dacht Claire.

'Maar eerder niet... nou ja, behalve dan dat je met de uil Josies rat hebt aangevallen. Dat was briljant. Maar toen trok je je weer terug. Je hebt toch niet een of ander achterlijk schuldcomplex, hè? Het was heus niet jouw schuld, hoor, in Schotland.'

'O nee?' zei hij zachtjes. 'Ik kwam veel te dicht bij je. In die tijd was dat absoluut niet veilig en daarom werd je van hekserij beschuldigd. Juist om deze reden willen de meeste daemonen niet te nauw bij stervelingen betrokken raken... wij hoeven de gevolgen niet te dragen, maar jullie wel. En daardoor kunnen jullie geen normaal leven leiden. Ik had in Schotland voorzichtiger moeten zijn. Ik was te ongeduldig, wilde je in je nieuwe leven te graag helpen. Maar zoals je al zei, dat is nu verleden tijd. In dit leven wilde ik eigenlijk alleen maar over je waken... totdat je werkelijk in gevaar zou komen. Maar nu kun je toch niet meer een volslagen normaal leiden, dus kon ik mezelf net zo goed aan je tonen.'

'Dus, van nu af aan blijven we bij elkaar?'

'Als jij dat wilt.'

'Natuurlijk!' zei Claire. 'Ik ben zo lang alleen geweest, en tegen mijn vader kan ik het niet vertellen – die denkt meteen dat ik gek geworden ben – en ik wil ook niet dat Myra er te veel van weet. Met die heksenmeesters in de buurt is dat gevaarlijk voor d'r, ze wantrouwen haar nu al. Ik moet er niet aan denken dat ze haar iets aandoen of bang maken. Maar als ik met jou kan praten, Leo, en je zo nu en dan om raad kan vragen, nou, dat zou een hoop schelen.'

'Prima. Als je met me wilt praten, moet je me roepen – inwendig, natuurlijk, niet hardop – en dan geef ik je antwoord. En als je me ook nog wilt zien, laat me dat dan weten, dan leen ik de ogen van het katje.'

'Jij hebt hem naar me toe gestuurd, hè?'

'Natuurlijk. Dat heb ik ook met de zwerfkat Whiskers gedaan. Toen ik wist dat je bijna geboren zou worden, heb ik hem meteen naar het huis van je ouders gestuurd. En hetzelfde gold voor de witte kat van Alice. Daemon-huisgeesten hebben een voorliefde voor een kat als gastheer, omdat ze vaak halfwild zijn, ze horen bij een huis maar struinen ook buiten rond. Wanneer een daemon over zijn beschermeling wil waken, maar ook de zaken buitenshuis in de gaten wil houden, biedt een kat het beste van twee werelden. In alle gevallen vond ik een verdwaald dier en heb het een veilig thuishaven geboden in ruil voor het gebruik van zijn zintuigen. Dat kleine, marmeladekleurige ding dwaalde al weken in het ravijn rond. Ik heb gezorgd dat hij voedsel kon vinden en hem uit de klauwen van roofdieren gehouden.'

'Gelukkig kwam ik op het idee om naar het ravijn te gaan.'

'Ik had hem toch wel naar je toegebracht. Maar je voelde me goed aan en bent me halverwege tegemoet gekomen. Ja: jij voelde *míj*. Want feit blijft dat ik jouw gedachten niet lees, jij leest de mijne. Jij voelde mij aan. Ik wilde dat je naar Alfred Ramsays huis zou gaan en zijn notities zou lezen, dat je alles over je vorige leven te weten zou komen... waarom denk je dat je altijd zo naar Willowmere verlangde?' En weer glimlachte hij zijn perfecte glimlach.

Het begrip brak plotseling door en ze staarde hem aan. Maar voordat ze iets kon zeggen, vervaagde het interieur van de Rotonde met zijn planken, boeken en stoffige licht, de contouren werden onduidelijk en stierven uit het zicht weg. Claire knipperde met haar ogen en merkte dat ze weer thuis in bed lag. De marmeladekat lag naast haar te spinnen.

Claire ging de volgende dag met een lichter gemoed naar school. Haar wereld was onherroepelijk veranderd, maar ze was er nu aan gewend en vond het zelfs spannend als ze dacht aan wat dat allemaal kon betekenen. En nu Leo weer bij haar terug was, had ze het gevoel alles aan te kunnen. Op weg naar de bushalte floot ze een deuntje. Het katje was op de kattenbak geweest – daar had Leo vast iets mee te maken gehad – dus kon ze hem veilig alleen thuis laten, vond ze. Maar ze wist dat ze vandaag vroeg thuis moest zijn, anders zou haar vader binnen komen wandelen en het diertje vinden voordat Claire hem alles kon uitleggen. Daarom ging ze liever vóór de lessen naar mevrouw Robertson, in plaats van na schooltijd – als ze tenminste terug was.

Ze werd nog woedend toen ze terugdacht aan Josie. Hoe die op het kantoor achterover geleund in haar stoel had gezeten en Claire zo had uitgelachen toen ze in het briefje van mevrouw Robertson las dat ze naar haar zieke moeder moest. Het meisje had spottend gezegd: 'Gek, dat al die oudere familieleden de laatste tijd ziek worden. Je vraagt je af of het besmettelijk is.' Josie en de heksenmeesters met hun daemonenmaatjes hadden drie mensen ziek gemaakt, door middel van telepathische suggestie: de tante van mevrouw Hodge, mevrouw Robertsons moeder en een collega van Claires vader. Daarom moesten ze alle drie de stad uit, de huishoudster en decaan om hun familieleden te verzorgen en meneer Norton om zijn collega te vervangen tijdens een conferentie. Claire was toen helemaal op zichzelf aangewezen geweest – er was geen volwassene in de buurt geweest die haar kon helpen – toen Josie haar 'magische' aanvallen op haar afvuurde. Ze wist nu dat die magie niet echt was, dat de lange vlammentongen uit Josies vingers slechts een illusie waren. Maar eerst was ze doodsbenauwd geweest, tot grote voldoening van Josie. Als ze zich niet Al Ramsays aantekeningen had herinnerd, waarin hij uitlegde dat daemonen mensen konden laten hallucineren, had ze nu waarschijnlijk nog in doodsangst gezeten. Ze besloot dat ze ook met Mimi en de andere meisjes zou praten. Die waren bij de bijeenkomsten van de Donkere Cirkel geweest en ze wilde zo veel mogelijk te weten komen over wat er in het huis van de Van Burens was gebeurd.

Claire ging eerst naar het kantoor van de decaan. Ze zag dat het lichtje aan was en de deur op een kier stond. Josie moest het eens wagen daar nu weer te zijn, bedacht ze grimmig toen ze de deur opendeed en naar binnen keek.

Mevrouw Robertson zat aan haar bureau wat papieren te lezen. Toen ze opkeek en Claire zag, glimlachte ze. 'Hallo, Claire.'

'Hallo. Hoe gaat het met uw moeder?'

'Veel beter, lief dat je ernaar vraagt. Kom binnen en ga zitten.' Claire deed de deur achter zich dicht en ging zitten. De decaan schoof een stapel papieren opzij en keek haar recht aan. 'Volgens je leraren heb je de laatste tijd nogal wat lessen verzuimd, dat is niets voor jou, Claire. Je bent altijd een goede leerling geweest, wat er ook met je leven aan de hand was. Het duurt nog even voor de huiswerkklas begint, dus als je erover wilt praten...'

'Nou,' zei Claire, 'er is inderdaad iets waarover ik het graag met u wil hebben, maar als u het te druk hebt, kan het ook wel wachten.'

'Helemaal niet. Laat me raden. Gaat het over Josie Sloan?'

Claire staarde haar aan. 'Weet u daarvan?'

'Vrijdagmiddag ben ik nog op school geweest om te kijken of er boodschappen waren, Josie en haar moeder stonden op me te wachten. Ze hebben me het hele verhaal verteld... tenminste, Josies moeder heeft me verteld wat haar dochter tegen haar heeft gezegd. Ik weet zeker dat jij er ook wel het een en ander over te zeggen hebt. Om kort te gaan, ze schrijft een excuusbrief en laat je van nu af aan met rust. Haar moeder heeft me gevraagd om als het even kan niet de politie erbij te betrekken, maar daar ga jij natuurlijk over.'

'Nou, eigenlijk niet,' antwoordde Claire. 'Uw vriendin, dr. Moore, is het feitelijke slachtoffer. Josie is ongevraagd haar terrein binnengedrongen, heeft haar raam ingeslagen en haar telefoonlijn doorgesneden.'

'Ik heb Myra gisteravond telefonisch nog gesproken en zij zegt dat met een excuusbrief van Josie voor haar de kous af is. Ze maakte zich meer zorgen om jou, en dat doe ik ook. Claire, hoe lang is dit al aan de gang?'

'Ik ken Josie pas sinds afgelopen herfst. Het boterde al vanaf het begin niet tussen ons, en daarna is het alleen maar erger geworden.'

'Josie zei dat je haar uitlachte vanwege haar godsdienst.'

'Haar wat?'

'Volgens haar en haar moeder doet ze aan wicca.'

'Wéét haar moeder daar dan van?' riep Claire ongelovig uit. 'Maar... dat kan ze niet weten, in elk geval niet alles. Josie is geen wicca, nooit geweest ook. Ze heeft zich ingelaten met... met een of andere beweging, geen sekte, maar ook geen hekserij. Ik heb bij Myra echte wicca's ontmoet en die zijn totaal anders dan Josie en haar vrienden. Hoe dan ook, die groep had hier op school meisjes overgehaald om zich bij hen aan te sluiten... hoewel die er nu mee zijn gestopt. Ik heb nog geprobeerd om ze ervan af te brengen, maar uiteindelijk zijn ze allemaal uit zichzelf opgestapt. Ze zeiden dat het heel anders was dan ze dachten. Als Josie slim is, houdt zij er ook mee op. Ik geloof niet dat het erg aardige mensen zijn.'

Mevrouw Robertson tikte bedachtzaam met haar pen op haar bureau. 'Er komt heel wat meer bij deze zaak kijken dan ik dacht, dat merk ik nu al. Kun je me iets van die... beweging vertellen, zoals jij het noemt?'

'Nee.' Claire keek recht in de ogen van de andere vrouw. 'Ik wou dat ik het kon, maar nee.' Ze hoopte dat de decaan er niet al te ver op door zou gaan. Haar bejaarde moeder had al moeten boeten omdat mevrouw Robertson iets met Claire te maken had. De decaan moest een heel eind bij de heksenmeesters vandaan blijven.

Mevrouw Robertson keek Claire lange tijd aan. 'Niet kunnen... of niet willen?'

'Er is nog heel veel wat ik zelf niet weet,' zei Claire, de vraag ontwijkend. 'Josie kan u er vast meer over vertellen. Maar ik denk niet dat ze veel loslaat.'

Weer een lange stilte. 'Oké, ik ga er nu niet verder op in... voorlopig althans.' Mevrouw Robertson rechtte haar schouders en zuchtte. 'Josies moeder heeft gevraagd of zij en haar man je vader kunnen ontmoeten, met jou en Josie erbij. Een soort familievergadering na schooltijd. Ik heb gezegd dat ik dat aan jou overlaat en dan contact met haar opneem. Ik denk dat mevrouw Sloan de lucht wil klaren om een eventuele schadeclaim op haar dochter te voorkomen. We kunnen het proberen, maar het hoeft niet... wat jij het prettigst vindt.'

Claire dacht er even over na. Het had totaal geen zin om de politie erbij te halen, dat wist ze wel zeker, maar zo'n bijeenkomst zou in haar ogen ook geen bal uitmaken. Josie wilde het helemaal niet goedmaken, ze wilde wraak nemen. Maar misschien zorgden haar ouders er nu voor dat ze met dat gedoe ophield. Als Josie huisarrest kreeg kon ze niet meer naar die bijeenkomsten met de heksenmeesters en de andere Cirkelleden. En haar ouders werkten vast beter mee als Claire en haar vader geen schadeclaim indienden.

Ze stond op. 'Oké. Ik praat er met mijn vader over en laat het u weten. Hij komt vanavond thuis.'

Claire wilde per se alle lessen van die dag volgen. Zo kon ze onder andere naar de dagelijkse realiteit terugkeren, haar leven weer oppakken. Ze luisterde naar de leraren en maakte aantekeningen, en merkte dat ze verbazingwekkend eenvoudig al het andere naar haar achterhoofd kon schuiven. Als Leo nu naar haar keek, zou ze daar niets van merken... geen uil in de bomen buiten. Zo te zien was Josie vandaag ook niet op school, Claire zag haar althans nergens in de gangen of in de buurt van de kluisjes.

In de pauze ging ze naar de bibliotheek en bekeek een boek over kunstenaars tijdens de renaissance. Ze wist niet meer de naam van de schilder die de stad had gemaakt, dus moest ze op schilderijnaam zoeken. Ze verwachtte half dat hij er niet bij zou staan, maar daar stond hij in de index: *Ideale stad*, pagina 41. Ze sloeg die pagina open en staarde lange tijd naar de foto van de geschilderde gebouwen, het ronde bouwwerk in het midden en het lege plein. Het was in kleur en alles was precies zoals ze zich het van de avond daarvoor herinnerde, zelfs de tinten van het plaveisel en het diepe blauw van de hemel. Maar dit was allemaal plat, tweedimensionaal, je zag het maar vanuit één hoek. Ze huiverde even en sloeg het boek dicht.

Mimi en de Chelseas waren nergens te bekennen, tot de biologieles later die ochtend. Ze gingen kikkers ontleden, in groepjes van twee omdat er niet genoeg gepreserveerde exemplaren waren. Een van de drie bleef dus over en aangezien Mimi en Chelsea naast elkaar zaten, glipte Claire op de stoel naast Chel. Praten zou ze wel, makkelijk zat. Mimi en de Chelseas de mond snoeren, dat was een heel stuk lastiger.

'Jemig,' merkte Mimi op toen de kikkers werden uitgedeeld. 'Waarom moeten we dit altijd voor lunchtijd doen?'

'Beter dan na de lunch, neem ik aan,' zei Chel en ze trok haar neus op bij de formaldehydestank. 'Als we iets in onze maag hadden, zouden we het hele lab onder kotsen.'

Claire keek op van haar diagram met kikkerorganen. 'Het kan nog erger. Ik hoor dat we volgend semester met ratten gaan werken. Over ratten gesproken, heeft iemand Josie gezien?' De meisjes schudden allemaal hun hoofd. 'Maar goed ook. Ik vroeg me af of jullie me wat meer willen vertellen over dat Donkere Cirkel-gedoe. Hoe dat in zijn werk ging enzo.'

Chel draaide zich verrast naar haar om. 'Wat kan jou dat nou schelen? Ik bedoel, we zijn er allemaal uitgestapt.'

'Ik vroeg me alleen af hoe Josie erbij betrokken is geraakt en of ze zich daardoor zo raar gedraagt. Wat voor dingen deden jullie daar?'

'Nou, zoals we al zeiden, Nick deed hypnosetests om te zien hoe onze vorige levens waren geweest. Hij zei dat de meeste mensen reïncarneren, alleen weten ze daar niets meer van. En de oude man heeft eens een praatje gehouden over magie en de spirituele wereld. Eerlijk gezegd werd het na dat reïncarnatiegedoe nogal saai.'

'Weet je nog wat de oude... wat meneer van Buren heeft gezegd? Over geesten enzo?'

Chel opende haar mond om antwoord te geven, maar op dat

moment keek de biologieleraar hun kant op. 'Wat dachten jullie van een beetje werken in plaats van praten?' zei hij.

De meisjes hielden hun mond en gingen verder met hun ontledingsoefening. Toen aan het eind van de les eindelijk de bel ging, begon Claire al snel weer over de Donkere Cirkel. 'Weet je helemaal niets meer van de Van Burens en wat je daar hebt opgestoken?' vroeg ze aan Chel toen ze de klas uitliepen.

'Ben bang van niet.'

'O, nou ja, dat hele Donkere Cirkel-gedoe klinkt behoorlijk als slappe hap. Logisch dat je ermee bent gekapt.' Op dat moment liep Donna Rees met haar vriendin Linda langs en Claire had expres wat harder gepraat, zodat zij het zouden horen.

Donna draaide haar hoofd om. 'Nou, ik ga er nog steeds heen,' zei ze met fronsend voorhoofd.

'Denk je echt dat ze je kunnen helpen met je' – Claire zocht naar een tactvol woord voor overgewicht – 'probleem?' zei ze ten slotte.

Donna haalde haar schouders op. 'Dat weet ik niet. Maar het maakt eigenlijk niet meer uit. Als ik nu niet dun kan zijn, kan ik altijd in iets fantastisch reïncarneren. Meneer van Buren zegt dat in de toekomst iedereen er hetzelfde uitziet: lang, dun en prachtig. Ik kan niet wachten.' Zij en Linda liepen verder.

'Misschien ga ik wel weer naar de Cirkel terug,' zei Chelsea.

Claire draaide zich om en keek haar aan. 'Teruggaan? Maar ik heb je toch gezegd dat dat hele gedoe pure nep is.'

'Oké, Josie heeft inderdaad gelogen over haar magische krachten,' zei Chelsea. 'Maar dat betekent nog niet dat de andere Cirkelleden ook hebben gelogen. Misschien kunnen ze de zaken tussen Dave en mij weer repareren.'

Claire schraapte haar keel. 'Eh... Chelsea? Je hebt mot met Dave gekregen juist omdát je bezweringen op hem hebt losgelaten.'

'Dat weet ik wel. Maar ik heb al van alles geprobeerd. Hij wil niet met me praten. En ik vind hem echt heel leuk.' Chelseas lip trilde en even was Claire bang dat ze midden in de gang in huilen zou uitbarsten. 'Als jij verliefd op iemand was, zou je dat begrijpen.'

Onwillekeurig moest Claire aan William Macfarlane denken, zijn gezicht, zijn stem en zijn aanraking. Wat zou zij doen om hem terug te krijgen? vroeg ze zich af. *Alles*, antwoordde haar Alice-zelf. *Alles...*

'Ik weet iemand die Claire leuk vindt,' zei Chel en ze keek haar slinks aan.

'Wat?' zei Claire, losgerukt uit haar overpeinzingen. 'Wie dan?'

'Brian Andrews.' Ze wees.

Claire wierp een blik naar Brian, die bij zijn kluisje stond. Ze kende hem alleen van naam en gezicht. Hij had zandkleurig haar, droeg een bril en was nogal stil. Een A-student die al zijn pauzes in de bibliotheek zat te studeren, net als zij. Maar voor zover ze wist hadden ze nog nooit een woord met elkaar gewisseld. Toen ze hem aanstaarde, keek hij net haar kant op, zag haar kijken en wendde snel zijn blik af naar zijn kluis. Onverschillig... of verlegen? 'Echt niet,' zei ze onzeker.

'Echt wel. Ik heb hem naar je zien kijken, in de klas en in de gang. Jullie zijn allebei slim, dus waarom zou hij je niet graag mogen?'

Met moeite dwong Claire haar gedachten terug naar het vorige onderwerp, de Cirkel. 'Hebben ze jullie niet geleerd over vervloekingen... of illusies oproepen? Ik heb het over de Van Burens.'

'Nee, totaal niet. Wat betekent dat trouwens... illusies oproepen?'

'Laat maar.' Wat de Van Burens hun ook hadden geleerd, het

was duidelijk dat de meisjes er weinig van hadden meegekregen. Voor hen was dat waarschijnlijk prima, maar Claire schoot er niets mee op. Ze had nog steeds geen duidelijk idee over waar de heksenmeesters precies op uit waren. Ze hoopte maar dat Chelsea niet meende dat ze weer terug wilde, en ze moest Donna ervan zien te overtuigen dat ze ermee zou kappen. Wat bedoelde Van Buren met die rare opmerking van hem, dat iedereen er ooit hetzelfde uit zou zien? Hield hij Donna soms een worst voor? Hij had immers niet echt de macht om haar in dit leven lang en slank te maken. Of bedoelde hij er iets anders mee?

Om kwart over drie ging ze naar huis, nadat ze bij een buurtwinkel op Lakeside melk en een paar blikjes kattenvoer had gehaald. De kat lag languit op haar bed. Zodra hij haar zag sprong hij overeind en begon te spinnen.

'Zo, hoe is het met jullie gegaan vandaag?' vroeg ze.

'De kat heeft het prima naar zijn zin, dank je,' zei Leo's stem in haar gedachten.

'Jij ook bedankt. Jij hebt hem immers bij me gebracht.' Claire aaide over de rug van de kat en hij begon dubbel zo hard te spinnen. Ze gooide haar rugzak op de grond en ging naast hem op het bed zitten.

'En hoe gaat het met jou?'

'O... gaat wel.' Ze vertelde hem over haar gesprekjes met mevrouw Robertson en de meisjes. 'Leo, hoe hebben de Van Burens Mimi en de Chelseas kunnen wijsmaken dat ze reïncarnaties zijn? Waren die "herinneringen" eigenlijk een soort illusie?'

'Zou kunnen. Ze zijn vast niet allemaal revenants, dat lijkt me onwaarschijnlijk... en een daemon kan heel gemakkelijk iemand laten hallucineren, dat weet je zelf maar al te goed.'

Ze vertelde hem van de geplande ontmoeting met Josies ouders. 'Het helpt vast niet, maar we kunnen het in elk geval proberen. We kunnen haar niet bij de daemonen weghouden, maar er wel een stokje voor steken dat ze bij die clan van de Donkere Cirkel rondhangt. Dan kunnen ze haar ook niet het vuile werk laten opknappen.'

'Er zijn altijd daemonen geweest die samenwerking met mensen zochten om dood en verderf te zaaien. Heb je je ooit weleens afgevraagd waarom er zo veel verhalen bestaan over tovenaars en medicijnmannen die als duivels worden afgeschilderd? Dat meisje Josie is natuurlijk geen echte sjamaan. De Van Burens hebben ervoor gezorgd dat ze haar geest aan de daemon aan haar witte rat uitleende. Naast corrupte sjamanen zijn er altijd mensen geweest die zich door hen en hun daemonen lieten beetnemen, in ruil voor macht. Net als die zogenaamde heksen van Berwick, die letterlijk een privégesprek citeerden van koning James I met zijn bruid aan boord van hun schip. Voor een foute daemon was het makkelijk zat om in een scheepsrat te gaan zitten en hun gesprek af te luisteren, vervolgens zoekt hij contact met een menselijke samenzweerder en geeft de informatie door. Wij denken dat daar zoiets gebeurd is, hoewel we er nooit zeker van kunnen zijn, natuurlijk.

Gelukkig zijn de meeste daemonen zo niet. Wij willen dat jouw wereld zich frank en vrij kan ontwikkelen, zonder dat wij ons ermee bemoeien. We willen graag het experiment observeren, niet ermee knoeien en de uitkomst beïnvloeden.'

'Dus dát zijn we voor jullie!' riep Claire uit. 'Gewoon één groot experiment?'

Het katje snuffelde aan haar hand. *'Natuurlijk niet. Zodra jullie soort opdook, wisten we dat we naar iets speciaals zochten. We vinden vooral jullie aanpassings- en innovatieve vermogen zo geweldig. Maar daardoor zijn we er des te meer van overtuigd dat we ons niet met jullie moeten bemoeien, dat zou alles maar bederven.'*

'Maar hadden jullie ons niet een beetje kunnen helpen? Jullie zijn superintelligent, jullie hadden een hoop problemen voor ons kunnen oplossen.'

'Waarom zouden we? Jullie doen het prima zelf. Voor jullie lijkt het een heel lange tijd, maar het menselijk ras bestaat nog maar tweehonderdduizend jaar, jullie geschiedenis is vanuit kosmisch oogpunt slechts een vonkje. En kijk eens hoe ver jullie al zijn gekomen. Ondanks oorlogen en andere problemen zijn jullie op een punt aanbeland waar idealen als vrijheid, samenwerking en vrede hoog in het vaandel staan. Heel soms hebben we bepaalde mensen een hint gegeven, maar het meeste hebben jullie op eigen kracht bereikt. Wij zijn er vast van overtuigd dat het zo heeft moeten zijn.

Hoe dan ook, we kunnen jullie sowieso niet helpen met ziektes, want we nemen jullie wereld slechts waar via de dierlijke zintuigen van onze gastheer, dus wij weten niet meer dan jullie. Daarom willen we juist zo graag dat jullie verder onderzoeken en op ontdekkingsreis gaan. Als jullie meer te weten komen, leren wij daar weer van. We wilden bijvoorbeeld dolgraag dat jullie naar de maan gingen, we waren heel benieuwd hoe die eruitzag. Niets of niemand anders kon het ons laten zien, daar zijn geen levende wezens. Dankzij jullie Apollomissies hebben we nu een heel gedetailleerde maan-schijnwereld, met maanzwaartekracht en al. Ik neem je er wel een keer mee naartoe...'

'Maar jullie weten toch veel meer dan wij? Ik bedoel, jullie hebben ons verleden al gezien. Julius Caesar, Shakespeare en Socratres. Jullie weten hoe een dinosaurus eruit heeft gezien. Leo!' Ze slaakte een opgewonden kreet. 'Jullie weten of er leven is op andere planeten!'

'Sorry.' De kat gaapte en strekte zijn voorpoten. *'Geheime informatie. Als we jullie mensen zomaar alles over het heelal zouden vertellen, waar gaat het dan nog om? Jouw soort gaat misschien wel tijdmachines en ruimteschepen ontwikkelen om sneller dan het licht te kunnen reizen, maar dan moeten we jullie honger naar kennis wel in stand houden.'*

'Je kunt het míj toch wel vertellen,' vleide Claire. 'Ik zal het aan niemand doorvertellen. Beloofd.'

'Regels zijn regels. Trouwens, hoe weet ik nou dat jij niet zo'n machine gaat uitvinden?'

Ze ging achterover op het bed liggen en staarde naar het plafond. Het duizelde haar bijna, zoveel kwam ze te weten. Haar hele universum was een stuk groter geworden en haar ideeën over het zelf en haar identiteit waren behoorlijk veranderd. De hele dag had ze naar mensen gekeken – in de bus, op straat, op school – en zich afgevraagd of zij afstammelingen waren van Bloem-van-de-droogte. *Misschien ben ik mijn eigen afstammeling wel... idioot toch?* Maar ze wilde nog zo veel meer weten. En één vraag overheerste alle andere. 'Leo, je moet me één ding vertellen. Waarom heeft mijn moeder me in de steek gelaten? Heb je daar enig idee van?'

'Ik denk het wel. Ik heb natuurlijk niet haar gedachten kunnen lezen, net zomin als ik de jouwe kan lezen. Maar ze stond waarschijnlijk dicht bij haar eigen daemon, hoewel ze zich er niet zo sterk van bewust was als jij van mij. Als jonge vrouw heeft je moeder haar verloofde verteld waarom ze kinderen wilde: ze geloofde namelijk dat ze al eerder had geleefd, in het verleden moeder was geweest en ze had het gevoel dat het was voorbestemd dat ze weer een kind kreeg. In haar beide vroegere levens, zei ze, was ze jong gestorven en had haar kind haar niet goed gekend. Die opmerking was door een aantal daemonen opgepikt, en mij viel het onmiddellijk op. Want ik wist dat jij op dat moment had besloten weer in het leven terug te stappen, en ik vroeg me af of je moeder in jouw twee vorige levens ook je moeder was geweest... een revenant die steeds maar weer terugkeert omdat ze haar kind wil zien en leren kennen. Je moeders verloofde vond het prachtig wat je moeder zei... in zijn jonge jaren was je vader nog niet zo fel tegen dit soort dingen, en hij was natuurlijk verliefd. Ze trouwden en ik zorgde dat de kat Whiskers in jullie huis kwam, zodat ik een oogje in het zeil kon houden wanneer je geboren werd. Maar een paar daemonen die... minder

gewetensvol waren dan de rest van ons, hielden haar ook in de gaten.'

Claire ging weer rechtop zitten. 'Begrijp ik het goed dat mijn familie door slechte daemonen in de gaten werd gehouden?'

'Ja. Zij wisten ook nog niet dat je een revenant was. Maar zij hadden hun oog op je moeder laten vallen – zij wisten dat je moeder in jouw beider vorige levens was gestorven voordat je haar kon leren kennen – bovendien woonde ze in Willowville, waar ook de laatste afstammelingen van Alice Ramsays familie woonden. Phobetor heeft het jou en mij nooit vergeven dat je hem in Afrika zo hebt vernederd. Wat betekent een slordige honderdduizend jaar nou voor een daemon? Hij bleef wrok koesteren en sindsdien is hij altijd naar je op zoek geweest. Dus zolang je moeder bij je in de buurt was, waren ook jij en je vader doelwit van een heel onaangename waakhond. Ten slotte werd mijn kat door een van hun honden vermoord. Dat was als dreigement bedoeld maar ook als een waarschuwing. Toen vond ik dat je moeder moest weten in welk gevaar haar gezin verkeerde. Al Ramsay had dit allemaal van zijn daemon gehoord, zoals je in zijn aantekeningen hebt kunnen lezen, en hij besloot om contact met je moeder op te nemen. Ik denk dat ze uiteindelijk het gevoel had dat ze geen andere keus had dan weg te gaan, om de aandacht van die kwaadaardige daemonen af te leiden en zo ver mogelijk bij je vandaan te zijn. Daarmee deed ze alsof ze zich had vergist, dat het toch niet haar lotsbestemming was om jou te krijgen... het kind dat wellicht de wedergeboorte was van Alice.'

Claire bleef stil. *'Je moeder houdt van je,'* zei Leo. *'Daar mag je nooit aan twijfelen. Ik doe dat ook niet en ik ken haar veel langer dan jij. Kijk!'*

Claire kreeg plotseling een beeld voorgeschoteld: haar moeder, veel jonger, haar gezicht omlijst door haar lange haar, zat in de woonkamer van hun oude huis aan Elm Street. Het tafereel zag er merkwaardig uit: tweekleurig, helemaal in bedekte geel- en blauwtinten, net een vergeelde foto die aan te veel zonlicht blootgesteld was geweest. Haar moeder hield rustig wiegend een wit bundeltje in haar armen en zong zachtjes.

'Dat ben jij,' zei Leo. *'Dit is een van mijn eigen herinneringen, door de ogen van Whiskers de kat... vandaar het beperkte kleurenspectrum. Maar je ziet hoeveel ze van je houdt.'*

Het beeld verdween weer. 'Dat was toen. Maar nu... ze schrijft me niet meer enzo...' Ze kon bijna niet voorkomen dat haar stem trilde.

'Hoe weet je dat nou?'

'Er komt nooit meer wat... geen brieven, geen pakjes, niets. Zelfs niet op mijn verjaardag.'

'Dat betekent heus niet dat ze niets heeft gestuurd. De schurkendaemonen zijn maar wat geïnteresseerd in alles wat ze aan je schrijft.'

Claire stond versteld. 'Kunnen daemonen ook met mijn póst knoeien?'

'Nee. Maar mensen die voor hen werken wel.'

'Maar dan... dan denkt ze dat ik haar brieven krijg, maar dat ik háár niet meer terugschrijf. Dat ík geen contact meer met haar wil.' Ze sprong overeind en begon te ijsberen. 'Dat is afschuwelijk! Hoe kan ik haar bereiken? Ik weet niet eens waar ze is!'

'Dat weet ik momenteel ook niet. Je zult moeten afwachten. Voor zover ik je moeder ken, zal ze het niet veel langer meer kunnen uithouden, zelfs als ze denkt dat jij haar niet meer wilt zien. Ze móét je gewoon zien.' Het katje tilde zijn kopje op en draaide met zijn oren. *'Ik hoor iemand het pad naar de voordeur op komen.'*

Claire ging de kamer uit en liep de gang door, haar hart ging als een razende tekeer. Er klonken inderdaad voetstappen op het betonnen pad buiten, ze liepen naar de voordeur. Toen klonk het geluid van een sleutel in het slot. Opgelucht sprong ze naar voren.

'Pap!'

De deur ging open en daar stond hij, verkreukeld en moe... maar veilig en zo vertrouwd. Hij glimlachte toen hij haar zag en wilde naar voren stappen om haar te begroeten. Toen bleef hij plotseling stokstijf staan, nog met zijn aktetas in de hand staarde hij niet naar haar, maar naar iets achter haar. Claire draaide zich om en zag midden in de gang het katje staan, hij wuifde vriendelijk met zijn marmeladestaart. Ze schraapte haar keel.

'Eh... er is het een en ander gebeurd terwijl je weg was,' zei ze.

De volgende ochtend werd Claire wakker bij de geur van toast en bacon. Ze liep naar de keuken en zag haar vader aan tafel zitten met de kat naast zijn stoel. Pap had lang niet zo erg tegen het nieuwe gezinslid geprotesteerd als ze had verwacht. Sterker nog, hij zat de kat stukjes bacon te voeren. Vanaf de drempel bleef ze even naar hem staan kijken. Claire had er een hekel aan dat ze geheimen voor haar vader had, maar ze wist ook dat het geen zin had. Hij zou haar verhaal nooit geloven, zou het niet kúnnen geloven. Hij zou denken dat ze zat te liegen – ook al wist hij wel beter – in elk geval zou hij denken dat ze het niet meer allemaal op een rijtje had. Hij zou zich zorgen maken en erdoor van streek raken.

Ze ging bij hem aan tafel zitten. 'Goedemorgen,' mompelde hij, als altijd 's ochtends.

'Goedemorgen.' *(O ja, pap, ik heb ontdekt dat ik een sjamaan ben.)*

'Ik ga eieren bakken. Zal ik er voor jou ook een bij doen?'

'Nee, blijf zitten. Ik doe het zelf wel.' *(Ik heb een huisgeest, die heet Leo, en dit is mijn derde leven al.)*

'Ga je dit weekend nog wat doen?' vroeg hij toen ze naar het fornuis liep.

'Ik heb geen plannen.' *(Nou ja, een beetje kwaad bestrijden, misschien. Je moet weten dat er heksenmeesters in Willowville zijn, die aan zwarte magie doen...)* Nee, het was hopeloos. Hij zou het nooit begrijpen.

Claire brak een ei en liet hem in de pan glijden. Ze wierp een snelle blik op haar vader, zoals hij daar alleen aan tafel zat. Het vroege zonlicht glansde op zijn dunner wordende haar terwijl hij de kat over zijn rug aaide. *Katten doen ons aan haar denken...* Ze voelde diep vanbinnen een knijpende pijn, hij wist het niet, hij had Leo's troostende woorden niet. En toen flapte ze het er plotseling uit, de woorden barstten er zonder nadenken vanzelf uit:

'Pap, mama is niet weggelopen.'

Hij bevroor. Ze was verbijsterd, niet in staat om de uitgeflapte woorden terug te nemen. Het had geen zin, nu moest ze verdergaan. 'Niet bij ons, bedoel ik. Ze is niet bij ons weggelopen.'

Hij zei nog steeds niets. Na een tijdje keek hij op. 'Je ei brandt aan.'

Claire schoof snel de pan van de gaspit en draaide haar gezicht naar hem toe. 'Pap, ik wil hierover praten. Ik móét erover praten. Ik weet zeker dat mam ons niet in de steek heeft gelaten. Het was iets anders, wat ze niet in de hand had, ze wilde het eigenlijk helemaal niet.'

'Hoe weet je dat?' vroeg hij met onheilspellend kalme stem.

'Ik... weet het gewoon. Ik kén haar.'

Hij stond op en begon zijn bord af te ruimen. 'Je moeder,' zei hij nog altijd met die lage, effen stem, alsof hij het over het weer had, 'koos er zelf voor om weg te gaan. Zonder enige aanleiding was ze zomaar, in een oogwenk, helemaal veranderd. Ze kreeg paranoïde fantasieën over dat ze in de gaten werd gehouden, maar ze kon niet vertellen door wie. In die tijd heeft ze er tegen jou niets over gezegd, ze wilde je niet van streek maken. Maar mij heeft ze het verteld. Ik had haar voorgesteld om in therapie te gaan, maar dat wilde ze niet. Toen begon ze met die rare figuren om te gaan: heksen, zieners, mystieke types. Ten slotte vertrok ze naar de westkust waar ze in een sjamanencommune is gaan wonen. Een sekte.'

Sjamanen!... 'Pap, sjamanisme is geen sekte. Er is niets nieuws aan... het is een van de oudste godsdienstvormen.'

'Misschien het traditionele sjamanisme wel. Maar dit waren newage-idioten.'

'Hoe weet je dat? Heb je ze ooit ontmoet?'

Eindelijk keek hij haar aan. 'Claire, met ontkennen schiet je niks op, er zijn grenzen aan. Mevrouw Robertson heeft het daar een jaar geleden al met je over gehad. Sommige dingen van het leven moeten we nou eenmaal aanvaarden. De waarheid is altijd het beste, ook al is die nog zo pijnlijk.'

'Dat weet ik wel, pap. Maar ik weet ook dat mam er nooit voor heeft gekózen om weg te gaan. Dat is de waarheid, een feit, ik ben er absoluut zeker van.' Haar hart ging als een razende tekeer. Ze werd er bijna ziek van. Waarom was ze er ook over begonnen? Ze kon pap helemaal niet troosten, ze had juist extra spanning tussen hen veroorzaakt. Haar geheim zweefde voor haar uit, een voor het oog onzichtbare barrière, maar bijna voelbaar. Als ze nou maar door die barrière kon heen breken, hem alles kon vertellen wat ze wist!

'Ze belt niet en schrijft ook niet.'

Het was nutteloos, ze groef zich alleen maar verder in, maar ze kon zichzelf niet tegenhouden, leek het wel. 'De telefoon kan zijn afgetapt en brieven kunnen worden onderschept.' Het werd steeds erger, ze zag hoe hij een hand over zijn gezicht streek.

'Nu ook al een complottheorie? Denk je dat je moeder op de vlucht is voor de georganiseerde misdaad of zoiets? Claire, sorry hoor, maar je ziet zelf toch wel waar dit allemaal op uitdraait? Je verklaringen slaan gewoon nergens op. Je houdt van je moeder en je wilt niet geloven dat ze iets verkeerds heeft gedaan. Ooit zul je het wel leren begrijpen, maar voorlopig...' Hij rechtte zijn rug. 'Op dit moment kan ik er niet over praten. Ik kom anders te laat op mijn werk en jij op school. Eet je ontbijt op, dan geef ik je een lift.'

Tijdens de rit zeiden ze weinig en al helemaal niet over mam. Toen ze in de buurt van school kwamen, draaide haar vader zich ten slotte naar haar toe en zei: 'Het is mijn schuld. Ik had kunnen weten dat je zo'n trauma niet zomaar een-twee-drie verwerkt. Je hebt het alleen maar opgepot.'

Claire kon geen antwoord geven. De tranen prikten in haar ogen, ze zat tussen haar eigen frustratie en het verdriet om haar vader ingeklemd. *Ik kan het hem nooit uitleggen. Nooit. Hij zal het nooit begrijpen. En nu maakt hij zich alleen maar zorgen om me. Ik heb er een puinhoop van gemaakt.* Ze probeerde de brok die in haar keel opkwam weg te slikken.

Na een poosje sprak hij opnieuw. 'Wil je een afspraak met de decaan? Ik wil je graag helpen, Claire, maar met dit soort dingen loop ik ook tegen grenzen aan. Misschien kan mevrouw Robertson een professionele therapeut aanbevelen.'

Ik hoef niet in therapie! Ik wil dat je wel naar míj luistert, naar mam heb je immers niet willen luisteren! Je moet geloven wat ik je te vertellen heb... Toen herinnerde Claire zich haar laatste gesprek met de decaan. Ze slikte moeizaam de brok weg en zei: 'Pap... nu we het toch over mevrouw Robertson hebben... Ik was vergeten je te vertellen dat ze op school een afspraak met ons wil regelen. Dat meisje over wie ik je heb verteld, Josie, heeft me weer lastiggevallen. Mevrouw Robertson vond het een goed idee om een gesprek met haar ouders te hebben, met ons erbij, en het uit te praten.'

Hij zuchtte. 'Ja, je hebt het over dat meisje gehad. Ik wist niet dat het zo erg was. Goed. Zeg maar tegen mevrouw Robertson dat ik deze week elke avond kan. We kunnen niet ook nog problemen op school gebruiken.'

Hij zag er uitgewoond en uitgeput uit, en oud... ouder dan ze hem ooit had gezien. Alle lijnen in zijn gezicht leken dieper te zijn geworden en het haar bij zijn slapen werd al grijs. Claire wilde weer wat zeggen, maar kon nergens op komen. Ze viel wanhopig in haar stoel terug.

Hij zette haar rond tien voor half negen bij school af. Op dat tijdstip waren al veel leraren aanwezig, maar nog niet zo veel leerlingen. Ze liep door de halflege gang naar haar kluisje, toen ze stemmen uit het computerlokaal hoorde opklinken. Ze bleef even staan luisteren.

'En deze dan? Zal ik die proberen?'

'Nee, nee man... niet die deur! Daar zit een trol met een strijdbijl achter. Die heb ik al eerder geprobeerd. Neem die andere, de linker.'

Toen ze de opgewonden stemmen hoorde, voelde ze zich eenzamer dan ooit. Na enige aarzeling deed ze de deur open en gluurde naar binnen. Onmiddellijk draaiden de studenten zich naar haar om, duidelijk opgelucht toen ze zagen dat zij het was. *Dachten ze soms dat ik een leraar was?* vroeg Claire zich af. *Wat zijn ze aan het doen?* Donna Reese en haar vriendin Linda Kwan waren er, samen met Earl Buckley, Jaswinder Singh, Brian Andrews en nog een paar andere leerlingen informatica. Ze stonden allemaal om een monitor heen. Claire zag dat ze een videospelletje aan het doen waren. Het scherm toonde een lange, stenen tunnel waarlangs schilden, toortsen en andere middeleeuwse voorwerpen stonden. Aan weerskanten zaten houten deuren. Earl zat over zijn volgende zet te overleggen en door het hele tafereel werd Claires aandacht van haar zorgen afgeleid.

Earl dubbelklikte met de muis op de linkerdeur waarachter een enorme schat tevoorschijn kwam... gouden bekers, edelstenen, goudstaven, ga zo maar door. 'Ha! Bingo! Maar ik kan vast niet alles meenemen!'

'Je moet een magiër zien te vinden die een krachtbezwering over je uitspreekt,' stelde Brian voor, over zijn schouder leunend.

Een paar toeschouwers keken nogmaals op toen Claire binnenkwam en de deur achter zich dichtdeed. Donna fronste haar voorhoofd. 'Oké,' zei ze, 'steek maar van wal.'

'Wat bedoel je?' vroeg Claire.

'Je gebruikelijke preek. Dat we geen schoolspullen mogen gebruiken voor computerspelletjes, dat we onze tijd zitten te verdoen, en dat we iets met onze hersens moeten gaan doen, of zoiets. Toe maar, zeg het dan.'

Claire haalde haar schouders op. 'Waarom? Je bent me al voor geweest, je bent trouwens nog beter dan ik. En trouwens, dat wilde ik helemaal niet zeggen.' Ze aarzelde weer, trok toen een stoel bij de computertafel en ging zitten. 'Heb je echt zo'n beeld van me? Dat ik iedereen altijd maar de les lees?'

'Niet soms?' Donna draaide zich weer naar de monitor om.

Claire moest dat even verwerken en keek toen weer op. 'Wat is dat voor spelletje? Ik ben dol op fantasy.'

'Warrior Quest,' antwoordde Brian terwijl hij zich naar haar omdraaide. 'Earl speelt het met een jongen in Californië.'

Ze ontmoette zijn ogen en zag voor het eerst dat die achter zijn brillenglazen helder grijsblauw waren. Er lag een vriendelijke uitdrukking op zijn gezicht, helemaal niet verlegen of zo. *Je wordt bedankt, Chel... nou voel ik me bij deze jongen nooit meer op mijn gemak, zit ik me altijd af te vragen of hij me werkelijk... mag.* Ze kon het nog steeds niet echt geloven, maar zei op gemaakt achteloze toon: 'Bedoel je dat je online speelt? Met z'n tweeën?'

'Niet alleen met z'n tweeën. Er doen wel honderden spelers mee. Je kunt elk personage kiezen dat je wilt. Een dwerg, een reiger, een tovenaar, maakt niet uit. Je kiest een avatar uit – een beeld of personage – en dat zien de andere spelers op hun scherm. En jij ziet die van hen.'

'O, ik begrijp het. Dus als je een dwerg, tovenaar of wat ook ziet, maakt dat geen deel uit van de achtergrond? Die worden werkelijk ergens door een andere speler aangestuurd?'

Hij knikte. 'Ja. Het is helemaal interactief.'

Hij keek weer naar het scherm. De scène was nu veranderd in een open groen veld. In de verte galoppeerde een kudde centauren over het grasveld, ze sloegen met lange houten polohamers tegen een bal. Op de voorgrond stond een groep personages met elkaar te delibereren: ridders, Vikingachtige krijgers, een dwerg, een lange blonde vrouw met een strakke, witte jurk die haar onnatuurlijk perfecte lichaamsmaten schitterend deden uitkomen.

'Zie je dat? Dat ben ik,' zei Donna tegen Claire en ze wees naar de vrouw. 'Dat is mijn avatar, Laradonna van Kirinor. Voor de spelers die me nog nooit in het echt hebben gezien: dat ben ik, de perfecte, prachtige vrouw. In cyberspace kunnen ze me niet op mijn uiterlijk beoordelen. Zij leren me kennen als Laradonna, en wanneer ik ze op een dag tegenkom, zullen ze me gewoon accepteren omdat ze me al uit het spel kennen.' Ze richtte haar blik op Claire. 'En wees maar niet bang: ik spreek géén eenzame date af met een of andere weirdo via het internet. Mijn vrienden gaan met me mee. Ik hou me niet meer bezig met dat Donkere Cirkel-gedoe. Ik heb mijn eigen groep gevonden. Zo, nog meer vragen?'

Claire schudde haar hoofd. 'Die polospelende centauren vind ik wel leuk,' opperde ze. Er schoot haar opeens iets te binnen. 'Vertel me eens, jongens, wat zouden jullie doen als je een echt cool spel zoals dit op het internet zou tegenkomen maar je kunt niet meespelen? Zelfs als je dat dolgraag zou willen?'

Earl wendde zijn bleke, met acne bezaaide gezicht van het scherm af en grijnsde haar aan. 'Dan probeer ik natuurlijk een ingang te forceren, te hacken,' zei hij. 'Vervolgens neem je iemands avatar over en dan kun je daarmee meespelen. Het enige wat je nodig hebt is hun wachtwoord.'

'*Onze wereld hun speelterrein,*' citeerde Claire mompelend de woorden van Al Ramsay over de daemonen. Ze staarden haar allemaal aan.

'Wat zei je?' vroeg Linda.

'Niks. Ik praatte alleen maar in mezelf,' zei Claire.

'Je bent maar raar, hoor, Claire,' zei Linda met dat nerveuze lachje van haar.

'Ja,' zei Donna, 'en als wíj dat al zeggen, moet je je toch echt zorgen gaan maken.'

Ze richtten hun aandacht weer op het scherm. Claire stond op en ging het lokaal uit, ze deed de deur achter zich dicht. Als Donna door dit spel bij de Van Burens wegbleef, was dat maar goed ook. Maar het had haar gedachten wel op een ander spoor gezet. De rest van de dag dacht ze niet meer aan Brian en de anderen, en zelfs niet aan het moeilijke gesprek met haar vader, ze peinsde over de daemonen en hun wereld.

'Waarom noemen ze het eigenlijk een stad?' vroeg Claire. Ze lag achterover op haar ellebogen in het zachte, springerige gras... zachter en groener dan gras ooit kon zijn. Ze wees naar het groepje gebouwen in het midden van de geplaveide grijs-metgele vlakte onder haar. 'Het is hartstikke klein. Het is zelfs geen groot dorp.'

Ze lag op de helling van een van de Ideale Heuvels, onder de perfecte, onveranderlijke blauwe hemel. Ze keek om zich heen, beeldde zich bijna in dat ze de kwaststreken in het landschap terugzag. Leo, opnieuw in zijn menselijke gedaante, lag onderuitgezakt een stukje bij haar vandaan. Hij rekte zich lui uit en spande zijn denkbeeldige spieren. 'Zo noemde de schilder het ook, dat hebben wij gewoon overgenomen,' legde hij uit. 'We hadden natuurlijk meer gebouwen kunnen neerzetten, deze heuvels hebben we voor het merendeel ook ingetekend, maar we wilden het beeld van Della Francesca zo veel mogelijk intact laten.'

Claire ging plat op haar rug liggen en keek naar de hemel. Het was een perfecte dag, maar zo was het hier natuurlijk altijd. Hier regende het nooit, was het nooit winter, zelfs de nacht bestond er niet. Er stond geen zon aan de hemel waartegen ze haar ogen moest dichtknijpen waardoor ze gingen tranen, het licht kwam altijd van één kant, geen idee waarvandaan, maar zoals ze nu zat scheen het van rechts. En het was hier altijd rustig en merkwaardig stil. Er zongen geen vogels in het gestileerde groen van de bossen en geen bries beroerde de bomen. Er was verder helemaal niemand. Ongetwijfeld struinde Vecchio in zijn bibliotheek rond, in de Rotonde... vanaf hier kon ze het ronde dak van het centrale bouwwerk zien glanzen in het zachte licht. Maar hier leken geen andere daemonen te komen. Misschien was het voor hen niet interessant genoeg.

Toen ze uit school thuiskwam, had ze Leo gevraagd haar nog een keer mee te nemen naar zijn geestelijke dimensie, voor een deel omdat ze met hem wilde praten zonder dat ze bang hoefde te zijn dat ze zouden worden gestoord, en voor een deel omdat – moest ze eerlijk toegeven – ze even wilde ontsnappen.

Ze ging weer rechtop zitten. 'Leo, je zei dat er andere... schijnwerelden bestaan, en sommige zien er echter uit dan deze. Mag ik die ook zien?'

'Natuurlijk.' Hij stond op, stak zijn hand uit en hielp haar opstaan.

'Hoe komen we daar?' vroeg ze... en toen stierven de woorden op haar lippen weg, want plotseling veranderde de omgeving. In een oogwenk waren Leo en zij uit de onberispelijke heuvels van de schilder gestapt en in een dik en heel echt bos beland. Er stonden groepen bomen die ze wel kende – eiken, esdoorns, zilverberken – maar ook dik struikgewas van varens en jonge boompjes. Zonlicht stroomde door de gaten in het zomergroene bladerdak boven hen. Overal klonken vogels en je hoorde een rivier in zijn bedding murmelen. Ze keek om zich heen, een windvlaag blies door de boomtakken en ze voelde hoe haar haar opdwarrelde.

'Dit is zo echt!' riep ze uit. Ze liep naar een boom en legde haar hand op zijn stevige, compacte stam. De schors voelde ruw aan onder haar spookhand. 'Tot in elk klein detail... ik zou zweren dat dit werkelijk in een bos was! Wat hebben jullie hier een hoop werk van gemaakt!'

'We vinden jullie wereld ook heel fascinerend,' zei Leo. Ze zag nu dat hij in een modernere outfit gekleed was, een spijkerbroek en wit shirt, en zijn gezicht was nog steeds aantrekkelijk maar vertoonde een paar sproetjes en andere kleine gebreken. 'Feitelijk kun je zeggen dat we er inmiddels echt naar verlangen, we zien hem immers altijd van een afstand. Weet je nog hoe je altijd door de heg van het landgoed Willowmere gluurde en wenste dat het van jou was?'

Claire knikte. Dat wist ze nog heel goed, en ook hoe blij ze was geweest toen ze met Myra Moore had kennisgemaakt. Daardoor had ze eindelijk toegang tot het felbegeerde huis en zijn tuinen. Ze begreep maar al te goed dat de daemonen naar een plek verlangden waarvan ze wel een glimp konden opvangen, maar er nooit heen konden.

Leo vervolgde: 'We zijn stomverbaasd dat er zoveel verschillende landschappen zijn, en overal zijn wezens wier zintuigen we mogen lenen om dat allemaal mee te kunnen maken. Voor elke gebied en geologisch kenmerk op die planeet van jou hebben we een schijnwereld gemaakt. Sommige zul je maar raar vinden, omdat ze vanuit het perspectief van een dier en niet van een mens zijn ontstaan. Eén schijnwereld hebben we bijvoorbeeld helemaal in zwart-wit opgetrokken. Daar heeft de schepper gebruikgemaakt van de zwart-witbeelden van een kleurenblind dier. Anderen gebruiken weer geluiden die het menselijk oor niet kan horen. Er zijn nog veel meer werelden, ook waarmee jij niet vertrouwd bent.'

Claire herinnerde zich haar gesprek met de spelers van het videospelletje, ze draaide zich om en keek hem recht aan. 'Leo, je hebt me verteld dat niet alle daemonen in onze wereld zo gewetensvol zijn als jij en je vrienden. Dat er ook veel... kwaadaardige tussen zitten. Zoals degene die me haat, die de oude Mamba hielp... hoe noemde je hem ook weer?'

'Phobetor.' Leo's opgewekte uitdrukking vervaagde en zijn gelaatstrekken werden somber. Ze vroeg zich af of deze schijnbare, menselijke stemmingswisseling vanzelf ging of dat hij dat expres deed. 'Ik vrees van wel. Weet je, toen we in het begin in jullie universum op verkenning uit gingen, waren er nog geen echte intelligente, zelfbewuste wezens. We dachten aan levende organismen zoals primitieve schepsels, niet te vergelijken met onszelf, en dus maakte het niet zoveel uit als we er gebruik van maakten, of ze soms zelfs in gevaarlijke situaties brachten. We begrepen natuurlijk het woord gevaar niet echt, we zijn zelf immers onsterfelijk en onstoffelijk. Toen er tekenen van intelligentie begonnen te ontstaan, kregen we een ander idee over hoe we met levende dingen moesten omgaan, en sommige daemonen waren het daar niet mee eens. Voor hen was het universum alleen maar één grote speeltuin, en nog een interessante ook...'

'Onze wereld hun speelterrein,' mompelde Claire opnieuw ter-

wijl ze aan Donna en de andere spelers dacht.

'... dus lapten ze de nieuwe regels aan hun laars, die bepalen dat daemonen voorzichtiger en met meer respect moesten omgaan met de wezens van wie ze de geestelijke domeinen verkenden. Sommige van die daemonen waren heel onvoorzichtig... wreed zelfs. Soms brachten ze hun gastheer met opzet in gevaar, omdat ze gefascineerd waren door pijn en dood... dingen die daemonen zelf nooit kunnen ervaren. Sommigen beweerden dat het andere universum niet echt bestond, dat het slechts een illusie was, en kon het al helemaal niets schelen. Anderen, zoals Phobetor en zijn volgelingen, geloofden wel dat hij echt was, maar zagen geen reden waarom ze er niet mee konden doen wat ze wilden. Deze daemonen begonnen samen te zweren om het tastbare universum over te nemen. Dus raakten we verdeeld, terwijl we altijd één waren geweest. Dat gaat helemaal terug naar de begintijd dat we gastheren uit levende wezens kozen.'

'*Daemon*, uit elkaar gaan, verdelen, splitsen, toebedelen,' citeerde Claire.

'Ja, de definitie uit het woordenboek slaat inderdaad op ons. Nou, talloze eeuwen is het zo gegaan, totdat jouw soort ten tonele verscheen. We noemen die schurkendaemonen het Legioen, omdat ze met zoveel zijn en wel op een leger lijken. Ze willen de wereld onder de voet lopen en bezetten. Wij proberen het kwaad dat ze aanrichten teniet te doen en erachter te komen wat ze van plan zijn. In onze dimensie bespioneren we elkaar.'

'Goed en slecht,' zei Claire en ze leunde achterover tegen de stam. 'Net als in die fantasyboeken die ik vroeger las. Ik las ze alleen maar om aan de werkelijkheid te kunnen ontsnappen, helemaal nadat mam was vertrokken. Ik kon de echte wereld niet aan en dus stortte ik mezelf als het ware in een denkbeeldige wereld. Draken, elfen, ridders en kastelen... goede en slechte mensen. Ik dacht altijd dat goed en kwaad hetzelfde waren als magische krachten... verzinsels van de verbeelding. Maar nu...' Ze keek haar daemon lang en bedachtzaam aan. 'Ik geloof dat jij goed bent, Leo. Dat jij voor alles staat wat in mijn ogen... nou ja, juist en eerlijk is. Ik mag je en ik wil graag aan jouw kant staan.' Ze zweeg even en schonk hem toen een meesmuilend glimlachje. 'Of heb ik dat al eens eerder gezegd?'

Hij beantwoordde haar glimlach. 'Niet met zoveel woorden, maar ja, wel zoiets ja. Je hebt altijd voor eerlijkheid gevochten, voor de waarheid, voor het goede zoals jij het noemt... ook als Bloem-van-de-droogte en Alice Ramsay. En er was altijd wel iemand die het tegen je opnam. Twee personen hebben het vooral op jou voorzien, elke keer weer. Phobetor, de leider van de schurkendaemonen en Mamba. Je moet weten dat de sjamaan ook een revenant is. Niet alle revenants zijn goed, helaas. Duivelse sjamanen keren ook terug. Toen je Alice was, heb je hem ook ontmoet, evenals Phobetor. Morley en King, de heksenjagers... zo noemden ze zichzelf althans, maar dat was slechts een dekmantel. Morley was Mamba die opnieuw in deze wereld was teruggekeerd; en Anthony King was Phobetor in mensengedaante.'

Claire hapte naar adem. 'Kunnen ze dat? Mensen overnemen? Ik dacht dat daemonen alleen maar dieren gebruikten.'

'De meesten van ons gebruiken geen intelligente wezens als gastheer. Daarom fungeren we ook als huisgeest, beschermgeest, om over jullie gedachten te waken en ervoor te zorgen dat andere daemonen die niet over kunnen nemen. Maar wanneer een mens onze dimensie wil betreden, kan hij zijn beschermgeest omzeilen en een schurkendaemon tegenkomen. Hij kan de waarschuwingen van zijn goedaardige huisgeest in de wind slaan en vallen voor macht die de schurk hem aanbiedt... en zo wordt hij zijn slaaf. Meneer King was een zogenaamde tovenaar, hij is op die manier overgenomen. Een bezeten man. Phobetor kon via hem zijn krachten bundelen met de revenant Morley, en samen deden ze alsof ze op heksen en hun huisgeesten jaagden, net als hun wantrouwige collega's. Maar ondertussen hadden ze hun eigen privécampagne, ze zochten naar goede daemonen en hun beschermelingen, en vernietigden hen. Van andere daemonen hebben ze gehoord dat je opnieuw in de wereld was, in Schotland. Vervolgens hebben ze een plan gesmeed om wraak op je te nemen, omdat je ze zo lang geleden in Afrika hebt ontmaskerd en vernederd. Je was niet makkelijk te vinden, je wist zelf immers niet meer dat je Bloem-van-de-droogte was geweest. Maar uiteindelijk lukte het toch omdat ik ze onbedoeld naar je toe heb geleid.' Hij streek met een hand over zijn ogen. 'Ze hoorden de mensen praten over je buitengewone gaven – wat althans voor andere mensen gaven waren – en ontdekten dat je je dierlijke huisgeest Leo noemde, lééuw. Zo raadden ze je werkelijke identiteit... en dus ging je dood.'

'O, Leo. Ik heb je al gezegd dat je jezelf daar niet de schuld van moet geven.'

'Ik geef mezelf wel de schuld. En nu ben je hier weer... en ben je opnieuw in gevaar. Want de sjamaan is teruggekeerd, en zijn daemon ook.'

Ze keek hem aan. 'Meneer van Buren... hij was vroeger zeker Mamba, hè?' Leo knikte. 'En de slechte daemon, Phobetor... hij is zeker de bezeten zwarte wolfshond Rex. Hé, Rex is Latijn voor koning, toch?'

'Alweer een grapje van ze, ja. Zij – en de rest van het Legioen – kijken al jaren naar je uit, zitten op je terugkeer te wachten. Ze wisten dat je in deze tijd wilde terugkeren om hun spelletjes een halt toe te roepen, en ze hebben zich in Willowville gevestigd – de thuishaven van de huidige bloedverwant van Alice – omdat ze dachten dat je zeer waarschijnlijk hier herboren zou worden.'

'Maar ze weten nog niet wie ik ben.'

'Nee. Waarschijnlijk hebben ze wel hun verdenkingen, maar zeker weten doen ze het nog niet. Ik wil je niet bang maken, Claire, maar uiteindelijk komen ze echt te weten wie je bent. Misschien heb ik je weer in gevaar gebracht, met dat kleine tafereel op het dak van Myra's huis. Ze weten nu in elk geval dat je een sjamaan bent met een daemon als bondgenoot... hoewel je niet per se een revenant hoeft te zijn. Ze mogen er absoluut niet achter komen dat jij Alice bent.'

'Ik ben niet bang, Leo. Ik ben boos. Je hebt er geen idee van hoe kwaad ik ben. Ik kan alleen maar zeggen dat ze zich maar beter niet met dit leven van mij moeten bemoeien. Want deze keer ben ik van plan terug te vechten.'

'Nou, laat je emoties niet met je op de loop gaan en ga geen overhaaste dingen doen. Houd je hersens bij elkaar! Je zult ze nodig hebben.'

Een poosje zeiden ze allebei niets. Toen zei Claire op kalmere toon: 'Dat hele gedoe... het lijkt wel een krankzinnig complot...'

'Alleen bestaat dit echt. De grootste samenzwering ooit, waarbij het lot van jouw wereld en jouw soort op het spel staat. Want als het de daemonen van het Legioen lukt om jouw universum aan zich te onderwerpen, eindigen jullie hoogstwaarschijnlijk als slaven... maar veel erger dan mensen elkaar ooit hebben aangedaan. Ze nemen niet alleen je lichaam in bezit, maar ook je geest. Jullie worden marionetten, speelgoedjes, zonder zelfs maar te kunnen dromen van vrijheid. Als ze jullie al laten voortbestaan.'

Zelfs in haar schijnlichaam moest Claire huiveren. 'En wat kan ík daaraan doen?'

'Dat weet ik nog niet. Maar je bent absoluut om deze reden teruggekomen... om ze tegen te houden.'

Ze zuchtte en ze liepen verder. 'Weet je, jij hebt maar geluk dat je een daemon bent. Ik bedoel, jij bent onsterfelijk... echt onsterfelijk. Jij hoeft niet te reïncarneren of zoiets, jij kunt gewoon altijd jezelf blijven. Niets kan je pijn doen. Je kunt nooit van je geliefde worden gescheiden...' Haar stem bleef in haar keel steken. 'Jij bent nooit eenzaam.'

'En toch zijn we jaloers op jullie. Dat is het nou juist, jullie kúnnen alleen zijn, genieten van je eigen, persoonlijke gedachten. Jullie kunnen pas écht jezelf zijn. Er bestaat geen werkelijk individu wanneer iedereen zijn gedachten met elkaar deelt. Wij kunnen als het moet onze gedachten voor de kwade daemonen afschermen, ze uit onze geest weren en zo onze eigen plannen voor ze geheimhouden. Theoretisch kan een daemon elke andere daemon buitensluiten en zo volslagen afzondering ervaren. Maar dat heeft nog nooit iemand gedaan, daar kunnen we krankzinnig van worden. Jouw soort daarentegen heeft het beste van twee werelden. Jullie kunnen elke dag met elkaar praten, met elkaar communiceren, maar tegelijk je gedachten voor jezelf houden. Je bent alleen, maar ook weer niet. Bij ons is het alles of niets.'

Ze waren bij de rivier aangekomen, het was een brede stroom en ze kon de bodem niet zien, zo diep was hij. Ze stonden samen op de bemoste oever in het water te staren. Na een poosje zei Claire: 'Nou, voor een keer vind ik het wel fijn om me grenzeloos voelen. Je hebt me verteld dat een mens in deze dimensie alles kan, Leo. Wat voor dingen zou ik hier kunnen doen?'

Hij gaf geen antwoord, maar produceerde een schalkse glimlach. Ze zag hem van zijn mensengedaante overgaan in een andere vorm... een groot, wit, prachtig hert met een gewei als een vertakte ivoren kandelaar. *'Zie je dit?'* zei zijn verstilde stem in haar hoofd. *'Probeer het ook maar eens.'*

'Ik weet niet hoe dat moet.'

'Je lichaam is hier niet echt. Het lichaam dat je hier ziet en voelt

is slechts een projectie van je geest. Je kunt het in elke vorm veranderen die je wilt, hier bestaat geen fysieke werkelijkheid.'

Ze keek naar haar benen en armen, haar spijkerbroek en T-shirt met lange mouwen, en dwong ze te veranderen. *Dit is niet echt, het is slechts schijn, een beeld in mijn hoofd...* Ze sloot haar ogen en stelde zich een andere vorm voor, een slanke en sierlijke damhinde, net zo wit als het hert.

Ze keek weer naar zichzelf. In plaats van haar eigen lichaam zag ze nu een bleke borst met zachte vacht en twee slanke voorpoten die in een gekloofde hoef uitliepen. Ze bewoog met wat haar rechterarm had moeten zijn en zag dat de rechtervoorpoot zich bij het kniegewricht boog. Ze verplaatste haar voeten en voelde dat ze waren veranderd, het waren de gebogen achterpoten van een hert geworden. Haar ogen keken iets meer zijwaarts terwijl haar oren gevoelige, gespierde organen waren geworden die heen en weer draaiden, schijnbaar hadden ze een eigen wil. Ze draaide haar lange hals om en zag een witte rug en de katoenen pluim van een staart.

'Maar... hoe?' vroeg ze terwijl ze zich over dat detail verbaasde. *'Dit had ik me niet allemaal voorgesteld!'*

'Ik heb je een beetje geholpen... ik weet hoe een hert eruitziet. Wij daemonen hebben een fotografisch geheugen. Jij hoefde alleen de vorm maar aan te geven en ik heb de details voor je ingevuld.'

Claire bewoog de poten die eerst haar armen waren geweest en haar benen die achterpoten waren geworden. Ze liep langzaam naar voren. Het leek wel alsof ze als mens op handen en voeten liep, maar deze poten en de lange, soepele ruggengraat voelden geen spanning, waren gemaakt om zich op vier poten in horizontale houding voort te bewegen. Het leek meer op glijden dan op lopen, het was leuk. Ze sprong veerkrachtig naar de rand van de rivier en keek naar zijn matgroene oppervlak omlaag. Een lange, smalle snoet keek naar haar terug, een gezicht met trillende neusvleugels, donkere, vochtige ogen en brede, fiere oren.

Het hert schreed majestueus naar de rivier en waadde erdoorheen. En toen was er opeens geen hert meer, maar een lange witte kraanvogel die op zijn steltpoten door de ondiepten liep. *'Verander nog maar een keer!'* spoorde Leo's stem haar in haar geest aan.

Dat hoefde hij geen twee keer te zeggen, ze riep een ander beeld op – niet nog een kraanvogel, maar een elegant drijvende zwaan, net zo een als in de eendenvijver in Glengarry Park. En toen wás ze een zwaan, ze dreef onhandig op de stroom, schopte met haar rare korte poten en staarde in het water omlaag naar een zwanenkop met oranje snavel. Haar 'armen' waren naar achteren gebogen en op haar rug gevouwen, wat heel raar aanvoelde: ze spreidde ze naar weerskanten uit en voelde de lange veren van de vleugelpennen naar achteren wapperen. Vleugels, ze had echte vleugels...

'Vlieg!' De kraanvogel spreidde zijn zwarte, gekartelde vleugels en schoot omhoog, het water spatte alle kanten op. Claire probeerde ook op te vliegen, maar merkte dat ze alleen maar rende... ze sloeg op het water totdat het als een glazen vloer onder haar peddelpoten wegviel. Ze sloeg met haar vleugels en strekte haar lange, golvende hals. Wat raar dat haar ármen nu haar sterkste ledematen waren en dat ze vooral daarmee vooruitkwam. Ze klapte er wild mee, trok haar poten op en was in de lucht.

Het was alsof ze weer dat kind was dat zo vaak droomde dat ze vloog. Moeiteloos zweefde ze over de rivier, zag de weerspiegeling van haar zwanengedaante op zijn oppervlak voorbijschieten. De kraanvogel was haar ver vooruit, zijn lange poten in de vlucht achter zich aan. Ze begon driftig met haar vleugels te slaan om hem in te halen, toen ze iets anders in het oog kreeg:

nog een vogelvorm. Hij spiraalde uit de lucht hoog boven haar naar omlaag, het licht glinsterde op zijn uitgespreide vleugels. Het was een reusachtige, verschoten gier, met een zwarte verenbos op zijn lijf en een lange, bleke, kale nek.

Ze kreeg hem in het oog en maakte van schrik een duikeling. Toen ze bij elkaar in de buurt kwamen, kromde de gier zijn slangennek en keek haar met een dodelijk zwart oog aan.

'Weet je nog wie ik ben?' vroeg een spottende, ironische stem in haar hoofd.

Claire raakte in paniek, ze zwenkte weg en riep Leo. Maar nu was haar vogelvorm aan het verdwijnen, hij loste op, ze viel... viel... Ze riep inwendig uit: *'Help me!'*

In haar ooghoek flitste iets langs, een verenvlek in de zon. Ze dacht eerst dat Leo haar te hulp schoot. Maar toen zag ze dat het een kleinere vogel was, een scherp gevleugelde slechtvalk. Zijn grote, donkere oog keek in de hare toen hij langs haar hoofd scheerde. *'Ga terug Claire!'* riep een stille stem. *'Ga terug! Die macht heb je. Ga nu terug naar je eigen ruimte!'* Toen schoot hij omhoog, vouwde zijn vleugels samen en viel de gier in de rug aan.

Het werd haar donker voor de ogen en uit de duisternis klonk een stem die ze zo wanhopig wilde horen. *'Ga terug,'* zei Leo als een echo van de woorden van de valk.

Ze deed haar ogen open. Ze was veilig, weer in haar eigen kamer, in haar echte lichaam lag ze op bed. Ze keek in de amberkleurige ogen van de kat die op haar borst zat, en slaakte een zachte kreet van opluchting.

'Was dat die schurkendaemon, denk je?' vroeg Claire een tijdje later aan Leo, toen ze wat was gekalmeerd. 'Phobetor?'

De kat lag op de beddensprei en keek naar haar op. *'Ik vrees van wel,'* antwoordde Leo. *'Ik weet niet hoe hij wist dat je in die schijnwereld was, maar hij wil natuurlijk je vorderingen in de gaten houden. Hij en Mamba zijn erg nieuwsgierig naar je.'*

Claire keek peinzend. 'En... die andere vogel, die valk...'

'Wie zal het zeggen? Misschien een andere daemon die zag dat je in nood was...'

Claire sloot haar ogen en haalde zich weer dat krachtige beschermende beeld van de valk voor de geest. 'Ik denk,' zei ze, 'ik weet bijna zeker...'

'Ja?' drong Leo aan.

Claire staarde voor zich uit. 'Dat het mijn moeder was,' zei ze toen zachtjes.

Claire zat naast haar vader en keek de klas rond. Die was leeg, op hen, mevrouw Robertson en Josie met haar ouders na. In een hoek zat een rustige politieagent van middelbare leeftijd met een blocnote en pen. De decaan zat voor in de klas en de ouders van Claire en Josie zaten op stoelen tegenover elkaar.

Josie zat met haar armen over elkaar geslagen nors te kijken, haar zwartgeverfde haar viel naar voren zodat bijna haar hele gezicht erachter schuilging. Ze had niet haar normale strakke zwarte kleren aan, maar een saaie bedrukte bloes en rok. *Opgedoft voor de jury*, bedacht Claire. Ongetwijfeld een idee van haar ouders. Claire keek met een zekere morbide nieuwsgierigheid naar meneer en mevrouw Sloan, alsof ze weleens wilde zien uit welk merkwaardig nest Josie kwam. Ze zagen er heel gewoon en onopvallend uit. Meneer Sloan droeg een beige gestreept sweatshirt en broek, en had een grijzende baard. Mevrouw Sloan had een gemakkelijk zittende rok met bijpassend vest en zijden bloes aan. Haar lichtbruine ogen glinsterden achter een bril met gouden montuur en haar steile, muisbruine haar kwam tot haar kraag. Claire bedacht dat Josie van zichzelf ook die kleur haar moest hebben, want ze hadden beiden dezelfde roze gelaatskleur.

Mevrouw Robertson vouwde haar handen samen op de op haar schoot liggende map en keek elk gezin beurtelings aan. 'Goed,' zei ze, 'zullen we dan maar? Voor degenen die niet bekend zijn met deze vorm van conflicthantering, wil ik graag uitleggen dat beide partijen de kans krijgen om hun zegje te doen en dan bekijken we hoe we samen tot een oplossing kunnen komen. Dit kan zo niet doorgaan, dat is wel duidelijk. Wat als een persoonlijke ruzie is begonnen, begint nu uit de hand te lopen en misschien komt het zelfs zover dat een van de partijen in staat van beschuldiging kan worden gesteld. We mogen dit niet licht opvatten, maar misschien kunnen we het nog in de kiem smoren.'

'Zij is begonnen,' gromde Josie achter haar haar.

'Josie, jij mag straks je zegje doen,' zei mevrouw Robertson. 'Niet voor je beurt praten, alsjeblieft.'

'Jammer dat we hier niet een ritueel van kunnen maken,' opperde mevrouw Sloan met haar lichte, levendige stem. 'Net zoals die rechtscirkels bij de Aboriginals. We zouden eigenlijk moeten beginnen met een grasceremonie, om een gevoel van harmonie te creëren, en dan laten we een adelaarsveer rondgaan. Degene die de veer vast heeft, mag zeggen wat hij op het hart heeft. Op die manier kun je nooit voor je beurt praten...'

'Ja, nou ja,' zei mevrouw Robertson, 'die dingen hebben we hier niet, en zolang we ons verantwoordelijk gedragen, zijn ze ook niet nodig. Josie staat hier heus niet terecht, we proberen het alleen maar met elkaar eens te worden zodat ze zich voortaan weet te gedragen. En Josie, als je niet wilt meewerken, kunnen we altijd nog de jeugdrechter inschakelen.'

Josie dook dieper in haar stoel weg en haar ouders keken verbijsterd. 'O, maar dat is toch zeker niet nodig, mevrouw Robertson?' zei mevrouw Sloan en ze leunde met een ernstige uitdrukking op haar gezicht naar voren.

'Dat hangt helemaal van Josie af,' antwoordde de decaan. 'Claire, begin jij maar. Vertel ons eens kort en bondig jouw kant van het verhaal.'

Claire had het gevoel dat het allemaal onzin was, maar ze vertelde het hele verhaal... haar eerste kennismaking met Josie bij haar kluisje, Josies gemene opmerkingen over Claires moeder en de ruzie die daaruit ontstond; haar bedekte bedreigingen en waarschuwingen toen Claire Josie publiekelijk ondervroeg over haar zogenaamde bovennatuurlijke krachten; de rol van Nick van Buren en hoe hij Claire had lastiggevallen toen hij haar op Lakeside was gevolgd, totdat ze het klooster in was gevlucht. Toen beschreef ze kort de beide keren dat ze ongevraagd op Myra's terrein waren geweest: de eerste keer met Nick alleen en daarna Josies inbraak. Daarna hadden ze die confrontatie op het dak van Myra's huis gehad. Ze had het niet over de andere dingen: de nare dromen, de afschuwelijke waanvoorstellingen, dat Nick de hond Angus tegen Claire had opgezet. Dat had geen zin. Niemand zou haar geloven.

Ze zag dat de politieman tijdens haar verhaal notities maakte. Josie zag het ook, haar gezicht trok steeds bleker weg en ze klemde haar kaken op elkaar. Ten slotte zei Claire: 'Ziet u, wettelijk gesproken ben ik niet het slachtoffer. Er is in Myra's huis ingebroken, ze zijn haar terrein binnengedrongen.'

De politieman keek op. 'Iemand lastiggevallen is een behoorlijk ernstig vergrijp. Als Josie een volwassene was geweest, zou haar gedrag niet worden getolereerd en zou ze serieus kunnen worden aangeklaagd.'

Mevrouw Robertson knikte. 'Goed punt. Josie?'

Het andere meisje ging staan, ze wierp een hatelijke blik in de richting van Claire. 'Over Claires moeder. Het enige wat ik heb gezegd, is wat ik van anderen had gehoord. Voor zover ik wist, was dat de waarheid. En je zegt wel dat ik je heb bedreigd, maar ik heb haar met geen vinger aangeraakt.'

'Heb je niet beweerd dat je haar met magie kwaad kon doen?' vroeg mevrouw Robertson.

Josie haalde haar schouders op. 'Dat hoefde ze toch zeker niet te geloven?'

'Je hebt ook vage bedreigingen geuit, als: "Hier zul je spijt van krijgen",' merkte de politieman op met een blik op zijn blocnote.

'Ik heb alleen maar gezegd dat ze me met rust moest laten. Ze roddelde tegen anderen over me. Ze heeft gezegd...' Josie aarzelde.

'Wat heeft ze dan gezegd?' vroeg mevrouw Robertson. Josie zei niets. 'Heb je niets meer te zeggen, Josie?'

Ze schudde haar hoofd en ging weer zitten. Mevrouw Robertson keek Claire aan. 'Heb jij met anderen over Josie geroddeld?'

Claire schudde haar hoofd. 'Ik heb alleen gezegd dat ik er niets van geloofde dat je met magie iets kon uitrichten. Dat was alleen maar mijn mening, over Josie heb ik het helemaal niet gehad.'

'Mijn dochter mag toch zeker wel voor haar mening uitkomen?' zei meneer Norton en hij ging in zijn stoel verzitten.

'Natuurlijk. Dus Claire zei tegen iedereen dat ze niet in magie geloofde en Josie nam dat persoonlijk op,' vatte de decaan samen.

'Het is mijn geloof,' mompelde Josie.

'Ja,' zei haar moeder, 'en wij vinden het heel belangrijk dat ze ergens in kan geloven. We hebben Josephine altijd aangemoedigd om de religieuze kant op te gaan. Het maakt ons niet uit welk geloof ze uitkiest. Ikzelf ben heel erg geïnteresseerd in de verschillende vormen van inheemse spiritualiteit en oosterse tradities als het boeddhisme, mijn man en ik doen samen meditatiecursussen. Dus misschien mag Claire wel een beetje toleranter zijn als het gaat om religies.' Ze straalde welwillend naar Claire. 'Want hekserij – wicca – ís tenslotte een religie.'

'Ja,' antwoordde Claire. 'Daar weet ik trouwens behoorlijk wat van af. Maar Josie beoefent geen wicca.'

'Tegen ons zei ze van wel,' zei mevrouw Sloan.

'Dat is niet waar. Haar... geloof heeft niets met de wiccabeweging te maken. Heeft ze u niets verteld over de Donkere Cirkel en wat ze daar doen?'

Meneer Sloan keek beledigd. 'Wij ondervragen onze dochter niet. We vertrouwen elkaar. Alle jonge mensen moeten de kans krijgen om hun wereld te ontdekken, hun grenzen te leren kennen, fouten te maken en ervan te leren. We leggen haar niets op, we luisteren naar haar. Wij vinden het belangrijk dat ze zelfvertrouwen opbouwt. En we oordelen nooit, dus ze weet dat ze altijd met problemen naar ons toe kan komen.'

'Ja,' zei mevrouw Robertson, 'maar het is ook goed voor jonge mensen als er een zekere structuur in hun leven zit. Doordat er bepaalde regels zijn, zoals bijvoorbeeld op tijd thuis moeten zijn, krijgen ze een veilig, geborgen gevoel.'

'Ik denk dat we verschillend over liefde denken.' Meneer Sloan legde een hand op de schouder van zijn dochter. Met een ruk schoof ze met haar stoel bij hem vandaan en er viel even een ongemakkelijke stilte. Meneer Norton staarde de ouders Sloan ongelovig aan.

'Nou, zo komen we nergens,' zei mevrouw Robertson ten slotte. 'We zijn hier niet om te bespreken hoe ouders hun kinderen moeten opvoeden, hoewel ik zeker geloof dat Josies ouders haar wel een beetje beter in de gaten mogen houden... voordat ze bij de kinderrechter of nog erger belandt.' Ze zweeg even om de woorden te laten inwerken. 'Maar we moeten toch tot een oplossing zien te komen. Meneer en mevrouw Sloan, wilt u ervoor zorgen dat Josie zich beter gaat gedragen? Anders moet ik disciplinaire maatregelen nemen, mogelijk dat ze dan van de reguliere lessen wordt uitgesloten. En ze moet natuurlijk het gebroken raam van dr. Moore vergoeden.'

'Daar zorgen wij wel voor,' zei meneer Sloan. 'Geen probleem.'

'Nee,' zei de politieman, die zijn blocnote dichtklapte en opstond. 'Josie moet het zelf betalen... van haar eigen geld. U kunt het niet zomaar afkopen.'

'Precies,' zei mevrouw Robertson. 'Ze moet hier wat van leren. Huisarrest helpt misschien, later gevolgd door bijvoorbeeld een avondklok. Die kunt u dan langzaam uitbouwen totdat ze uw vertrouwen heeft verdiend.'

'Oké,' zei meneer Sloan, en hij keek van de politieagent naar zijn vrouw, die instemmend knikte.

'Mooi. Claire, ik stel voor dat jij en Josie de komende tijd niet met elkaar praten, zodat jullie een beetje af kunnen koelen. Dan kunnen we nu, als we het er tenminste over eens zijn, de bijeenkomst afsluiten.'

Plotseling stond Josie op. 'Luister, ik wil alleen maar even zeggen dat ik heus wel weet dat ik verkeerd zat.' Haar stem klonk opeens heel anders: zachter, liever, meer zoals die van haar moeder. Ze wierp een blik naar de politieman. 'Het zal niet meer gebeuren. Ik voelde me gekwetst en ben gewoon uit mijn slof geschoten. Ik betaal wel voor het raam en de rest van de schade.'

Claire staarde haar aan. Waar ging dit over? Waarom was Josie nu opeens stroop en honing, terwijl ze in het begin zo vijandig was geweest? Dacht ze werkelijk dat ze iedereen voor de gek kon houden?

'Al goed, Josie,' zei mevrouw Robertson. 'Als Claire en haar vader ermee akkoord gaan, en als jij je voortaan gedraagt, kunnen we de zaak als gesloten beschouwen.' Ze keek naar de Nortons. Claire knikte en haar vader gromde instemmend.

'Zie je nou wel!' riep mevrouw Sloan met een stralende glimlach uit. 'Was dat nou zo moeilijk?'

'Wat een idioten!' snauwde Claires vader toen ze de school uit liepen. 'Achterlijk gewoon! Laten hun dochter volkomen aan haar lot over, geen regels, geen vragen. Geen wonder dat dat kind een verschrikking is.'

'En ze is er helemaal niet blij mee,' opperde Claire. 'Dat is nou juist zo verdrietig. Zag je hoe ze naar hen keek toen ze samen wegliepen? Met zo'n kille, minachtende blik.' Het was nu een week geleden dat ze haar uitbarsting over mam had gehad en er was enige afstand tussen haar en haar vader ontstaan, ze voelden zich niet meer op hun gemak bij elkaar. Haar vader hield zich op de vlakte en Claire voelde zich steeds meer gefrustreerd. Maar nu, nu ze terugdacht aan Josie en haar ouders, ging ze een beetje dichter naast haar vader lopen.

'Nou, het geeft mij heel wat stof tot nadenken. Ik realiseer me nu wat ik als ouder allemaal verkeerd doe,' zei haar vader. 'Het wordt bijvoorbeeld hoog tijd dat ik die mevrouw Moore eens ontmoet.'

Claire draaide zich naar hem toe en staarde hem aan. 'Myra? Waarom? Wil je met eigen ogen zien of ze wel respectabel is of zo? Kom op, pap! Ze is een bekende schrijfster van reisverhalen, ze heeft allerlei universitaire titels en bovendien nog een eredoctoraat. En mevrouw Robertson kent haar ook.'

'Maakt niet uit,' antwoordde hij, 'je bent heel vaak bij haar, je hebt er zelfs gelogeerd. Het wordt hoog tijd dat ik kennis met haar maak.'

'Nou, zolang het er maar niet duimendik bovenop ligt dat je haar controleert. Dat zou ik echt gênant vinden.'

'Dat is goed. Wat vind je ervan als we dr. Moore te eten vragen?'

Claire keek haar vader bezorgd aan. 'Je gaat toch niet koken, hè?'

'Nee. Het is jouw vriendin, dus die eer laat ik aan jou over, dan kun je iets terug doen voor haar gastvrijheid.'

'Lijkt me goed plan. Wat zal ik maken?' vroeg Claire terwijl ze in gedachten haar beperkte repertoire afging.

'Alles behalve ratjetoe.' Ratjetoe was alles wat ze in de kast konden vinden – bliksoep, bonen in blik, groenten in blik – plus nog wat restjes uit de koelkast. Dat gooiden ze allemaal in een pan bij elkaar en warmden dat op.

'Oké, geen ratjetoe. Ik bedenk wel wat.'

Myra Moore zou vrijdagavond komen eten en Claire bedacht dat het misschien een goed idee was om vast het een en ander voor te bereiden. Het huis – een kleine, ouderwetse eengezinswoning – zag er op het eerste gezicht schoon uit, maar als je beter keek, kon je op de boekenplanken, meubels en spulletjes een fijn stoflaagje zien liggen. Het was er rommelig, want Claire en haar vader hadden allebei de gewoonte om boeken, tijschriften en kranten overal te laten rondslingeren. Op een paar tafels en bureaus lagen indrukwekkende stapels die je als geologische ringen kon herleiden. Onderop vond Claire een wetenschappelijk tijdschrift van afgelopen maart. Die week begon ze verwoed op te ruimen en schoon te maken. Ze kreeg opnieuw ontzag voor haar moeder toen ze eraan terugdacht hoe smetteloos schoon het altijd was geweest in hun oude huis in Elm Street. Mam was een opruimfreak geweest, en Claire realiseerde zich dat ze het grootste deel van haar tijd achter haar man en dochter aan had gerend.

De kat volgde Claire waar ze maar ging. Behulpzaam ging hij boven op de stapels tijdschriften zitten, toen ze die probeerde uit te zoeken, hij speelde met haar stoffer en ging achter de bank zitten toen ze die had verplaatst om daar te kunnen stofzuigen. Ze werkte om hem heen en liet zich zo nu en dan maar wat graag van haar taken afleiden. Ze was vergeten hoe speels katjes konden zijn. Whiskers en zij waren met elkaar opgegroeid, hij was een kitten toen zijzelf nog klein was, dus daar kon ze zich weinig meer van herinneren. Ze was verbaasd wat een energie het beestje had en hoe vlug hij was.

Leo liet zich niet zien en gaf haar ook geen boodschappen door. Stiekem was ze daar blij om, want ze moest zich concentreren op wat er stond te gebeuren.

Ze had zich het hoofd gebroken over wat ze zou gaan koken, want ze wilde een goede indruk maken. Mam was nog maar net begonnen Claire in de kookkunsten in te wijden toen ze wegging. Op culinair gebied was ze bepaald geen uitblinker. Haar vader trouwens ook niet, hoewel hij vroeger zijn aandeel wel leverde: hij en mam hadden afgesproken dat de eerste die van zijn werk thuiskwam, zou koken. Jarenlang hadden ze geprobeerd altijd als laatste thuis te komen... het was heel wat keren voorgekomen dat ze wel tien minuten met de auto een blokje om waren gereden totdat een van hen het uiteindelijk opgaf.

Een van mams specialiteiten was kip cacciatore, de kruidige geur van de tomatensaus deed Claire nog steeds heel sterk aan haar denken. Het was het eerste gerecht dat ze had geleerd, maar sinds haar moeder was vertrokken had ze het nooit meer gemaakt. Nu, na haar bezoek met Leo in het virtuele bos en de valk die net op tijd was verschenen, was de pijn minder scherp, en nu ging ze dat recept maken, besloot ze. Ze haalde kippenborstfilet uit de delicatessenzaak op Lakeside, maar wist niet meer hoe ze de saus moest maken en uiteindelijk improviseerde ze met gemalen groene peper en wat pizzasaus uit blik.

Na zijn werk kwam pap thuis met een paar flessen wijn. 'Ik heb witte en rode, voor het geval dat. En deze is voor jou,' voegde hij eraan toe terwijl hij een fles goedkope nepcola omhoog hield. 'Wat ga je maken?'

'Ik noem het pizzakip,' zei Claire en ze deed er een paar plakken mozzarella bij. 'Het is eigenlijk een experiment. Als het lekker is, bedenk ik wel een betere naam.'

'Het ziet er goed uit,' merkte hij over haar schouder kijkend op. 'Zal ik er een salade bij maken? Ik heb nog wat van die kant-en-klaar pakken.'

'Graag. Ik heb ook knoflookbrood gemaakt.'

Ze dekte de tafel terwijl hij de wijnglazen pakte. Het was lang geleden dat ze iemand hadden uitgenodigd, bedacht ze. Eigenlijk was dat nooit meer gebeurd sinds mams tijd. Haar vader wilde niemand zien en hun oude buren waren in Elm Street achtergebleven. Ze waren vooral mams vrienden geweest. Claire vond dit een positieve verandering, een langzame terugkeer naar de goede oude tijd. Misschien was er nog hoop dat ze eindelijk alles achter zich konden laten.

Myra kwam precies om kwart voor zeven, ze droeg een mooi pak van groene tweed en had ook een fles wijn bij zich, die ze bij binnenkomst aan meneer Norton gaf. Pap zette grote ogen op toen hij het etiket las.

'Nog uit de wijnvoorraad van mijn oom Al,' zei ze. 'Hij kreeg vroeger een hoop visite en had een prima wijnkelder. Er is nog een heleboel over.'

Claire nam Myra's jas aan en hing hem op in de garderobe in de hal, de kat kwam van achter de laarzen vandaan gerend. 'O... hier is onze nieuwe aanwinst. Dit is Leonardo.'

'Is hij niet prachtig! Dus je hebt eindelijk een kat voor jezelf gevonden.' Myra stak haar hand uit en het katje snuffelde aan haar vingers.

'Hij is nogal gek op me, moet je weten.'

'Zijn naam doet me denken aan Alice' kat... Leo.'

Claire begon zich zorgen te maken dat de naam er misschien te dik bovenop lag. Had Myra haar soms onderzoekend aangekeken voordat ze het katje ging aaien? 'Eigenlijk is zijn volledige naam Leonardo da Vinci,' legde ze snel uit. 'Ik heb jouw gewoonte overgenomen en hem naar een beroemde iemand genoemd.'

'U hebt een heel slimme dochter,' zei Myra tegen meneer Norton. 'Hoeveel kinderen noemen nou hun huisdier naar een genie uit de renaissance?'

Hij straalde. 'Ja, ze lijkt ouder dan ze is.'

Je moest eens weten, dacht Claire met een grimmig glimlachje.

'Claire verteld me al dat ze graag een huisdier wilde,' vervolgde Myra.

'Ja, jammer dat we die oude Whiskers kwijt zijn geraakt,' antwoordde hij. 'Dat was een bijzonder beest. Toen hij vermoord was, was hij eigenlijk onvervangbaar, dat konden we niet verdragen.'

'Vermoord! O jee, wat vreselijk! Ik dacht dat hij een natuurlijke dood was gestorven.'

'Hij is door een hond te pakken genomen,' legde meneer Norton uit. 'Een of andere onverantwoordelijke klootzak heeft zijn hond los laten lopen, en die heeft hem te grazen genomen.'

Claire schoof hen beiden haastig de eetkamer binnen. Whiskers' dood was geen veilig gespreksonderwerp... niet nu in Al Ramsays aantekeningen over de kat van de gereïncarneerde Alice werd verteld. Het laatste wat ze wilde was dat Myra conclusies ging trekken.

Ze wilde ook graag dat haar vader en Myra goed met elkaar konden opschieten. Ze wilde dolgraag weer een keer naar Willowmere, en had liever dat hij daarmee instemde. *Heb het alsjeblieft niet over wicca, Myra,* dacht ze toen ze samen aan tafel zaten. *Of iets wat erop lijkt. Houd je aan feiten...*

Tot nog toe hield Myra zich goed. 'Ik heb een dubbele graad in de biologie en antropologie,' vertelde ze aan meneer Norton. 'Een paar vrienden van me vinden dat ik me in een van de twee had moeten specialiseren, maar ik vind de menselijke cultuur net zo interessant als zoölogie. Je zou kunnen zeggen dat de mens het belangwekkendste dier van allemaal is.'

'Ja, vertel eens over je eerste onderzoeksreis,' drong Claire aan. 'Dat is echt leuk, pap.'

'Die eerste tocht.' Myra moest glimlachen. 'Ja, dat was fantastisch. Ik zat in mijn laatste jaar op de universiteit en moest met mijn professor en nog een paar studenten op zoek naar onbekende dierlijke specimen in het Zuid-Amerikaanse regenwoud. We hebben inderdaad een paar nog onbekende subspecimen gevonden van amfibieën en ook een nieuw insect. We zijn zes weken bij de Amazonerivier geweest, hebben toen wat rondgereisd, zijn Centraal-Amerika doorgetrokken en hebben door de regenwouden van Costa Rica en Guatemala rondgezworven...'

Ze babbelde verder en meneer Norton luisterde. Het deed Claire plezier dat hij kennelijk echt geïnteresseerd was. Haar gedachten dreven weg terwijl Myra het verhaal vertelde dat ze verdwaald raakte in de jungle van Guatemala.

'... en ik sjokte naar mijn gevoel wel kilometers door totdat ik uiteindelijk bij een paar dorpelingen terechtkwam... een groep kinderen en een oudere vrouw die nooit eerder een blanke vrouw hadden gezien en dachten dat ik een heilig visioen was.' Ze gniffelde. 'Achteraf gezien is het wel om te lachen, maar toen niet. Ik weet nog dat ik de ogen uit mijn hoofd huilde, niet van angst, maar van woede... ik was kwaad dat ik zo stom was geweest om te verdwalen. Gelukkig was er een rijtuig in het dorp en kon de chauffeur me naar ons basiskamp terugbrengen.'

Claire zei: 'Ik zou ook zo graag willen schrijven, net als jij,

Myra. Misschien kan ik ook een dubbele graad halen, wetenschap en journalistiek, en dan artikelen schrijven voor wetenschappelijke tijdschriften. Je moet haar boek lezen, pap, *Een reis door Gaia.* Het is fantastisch. Van alles over ecosystemen en de manier waarop de verschillende volkeren er over de hele wereld naar kijken.'

Myra straalde. 'Dank je wel, liefje. Als je werkelijk in mijn voetsporen wilt treden, zal ik je graag een paar tips geven. De kip is trouwens heerlijk.'

'Fijn dat je het lekker vindt. Ik heb gehoord dat als iemand iets nieuws en exotisch proeft, ze altijd zeggen dat het naar kip smaakt. Is dat waar?'

'Nou, ik weet niet of dat voor alles geldt, maar bepaalde soorten slangen en hagedissen wel... vooral leguaan.'

'Heb je weleens leguaan gegeten?'

'Ja... en nog heel wat meer ook, maar daar heb ik het liever niet over.' Myra trok een gezicht.

'Waar werkt u nu aan, dr. Moore?' vroeg meneer Norton terwijl hij haar wijnglas bijvulde.

'O, noem me alsjeblieft Myra. Ik ben nu bezig met een paar artikelen over milieubehoud, een van mijn stokpaardjes. Als je nu naar die kwetsbare ecosystemen kijkt, regenwouden en koraalriffen, wil ik ze zo wanhopig graag redden. Ik werk ook mee aan een tv-special over cryptozoölogie, schrijven en research enzo.'

'Wat is dat?' vroeg Claire.

'De studie naar bizarre dieren, die wel of niet echt bestaan, zoals het monster van Loch Ness en Sasquatch. Momenteel ben ik over het Beest van Gévaudan aan het lezen. Hebben jullie daar ooit van gehoord?'

Ze schudden allebei het hoofd. 'Komt me niet bekend voor,' zei meneer Norton.

'Het is echt heel interessant,' zei Myra. 'Gévaudan was een achttiende-eeuws Frans dorp dat werd geterroriseerd door een mysterieus dier. Naar verluidt zou hij alles bij elkaar honderd mensen hebben vermoord en tientallen verwond. Mensen die het beest hebben gezien, zeiden dat hij op een wolf leek, alleen veel groter en hij was vreemd, roodachtig gekleurd. Het kan een wolf-hondhybride zijn geweest, want normaal gesproken vallen wolven mensen niet aan of eten ze op. Dat zou de omvang en die vreemde kleur van het beest kunnen verklaren. De mensen waren er als de dood voor, ze verzonnen de wildste verhalen, dat hij vuur zou spuwen en op zijn achterpoten zou lopen, en dat hij op meer dan één plaats tegelijk kon zijn. Sommige mensen dachten dat het de duivel was, of dat een kwaadaardige tovenaar hem als een soort demon had opgeroepen. Het gerucht gaat dat het beest een keer met een man samen is gezien... is dat niet raar? En ooit zijn er zelfs twéé beesten samen gezien.'

'Ik vermoed dat dat de verklaring is waarom hij op twee plaatsen tegelijk kon zijn,' zei Claire.

'Inderdaad. De aanvallen van het Beest van Gévaudan stopten toen twee abnormaal grote wolven in de buurt werden vermoord, dus iedereen concludeerde dat het beest eigenlijk die twee dieren was. Maar het merkwaardigste van alles is wel dat er in Afrika in 1898 iets soortgelijks was gebeurd. Alleen waren het in dat geval geen wolven, maar twee reusachtige leeuwen die als een bezetene een plek hebben aangevallen, Tsavo in Kenia. Ze hebben meer dan honderd spoorwegarbeiders gedood die aan de Oeganda-spoorlijn werkten.'

'O ja, over dat verhaal is een film gemaakt, toch?' zei Claire.

'Ja. Nou, leeuwen doen zoiets normaal gesproken ook nooit. Ik vroeg me af of die twee gebeurtenissen soms iets met elkaar te maken hebben.'

'Hoe dan?' vroeg meneer Norton.

'Ik heb geen idee. Wat hebben wolven en leeuwen met elkaar gemeen? Ik kan niks bedenken. Behalve dat men in beide gevallen dacht dat het om duivelse geesten ging. Ik heb een boek over Tsavo gelezen en daar stond in: "Deze twee afschuwelijke beesten vielen onbevreesd aan, ze wisten steeds weer iets nieuws te verzinnen en waren razend slim in hun tactiek om hun menselijke prooi in de val te lokken. Ze hadden zelfs de valstrikken ontdekt die voor hen waren uitgezet, zodat veel van de doodsbange arbeiders begonnen te denken dat de schepsels helemaal geen leeuwen waren, maar demonen in dierengedaante." Krijg je daar nou niet de rillingen van?'

Onder het praten had ze Claire zitten aankijken. *Ze zit naar me te kijken,* dacht Claire, *wil zien hoe ik reageer. Zou ze me ervan verdenken dat ik alles van daemonen en dierlijke gastheren weet? Of zelfs dat ik Alice ben? Stel dat ze me in vertrouwen neemt? Moet ik dan toegeven en haar alles vertellen wat ik weet... of doen alsof ik er niets van begrijp en haar erbuiten laten?* Met moeite wist ze haar gezichtsuitdrukking licht geïnteresseerd en neutraal te houden.

'En uiteindelijk blijkt er een volkomen rationele verklaring voor te zijn,' zei meneer Norton, zich niet bewust van het dilemma waarin zijn dochter verkeerde. 'Net zoals die Franse beesten uiteindelijk een stelletje wolven bleken te zijn. Nu ik erover nadenk, is er momenteel net zoiets in Willowville aan de gang.'

'O ja?' Claire staarde haar vader verward aan.

'Nou ja, niet zo erg als dat geval in Gévaudan. Maar hier en daar zijn grote wilde dieren gezien die huisdieren aanvallen en zelfs kinderen achtervolgen. Geen van de getuigen kon uitmaken of het nou coyotes of wolven waren, hoewel de beschrijving voor beide te groot was. Een paar nachten geleden is er echt een heel grote in het ravijn gesignaleerd.'

'Waarschijnlijk weer een hybride,' zei Myra. 'Wolf-coyote, coyote-hond of wolf-hond. Misschien zelfs wel een mengeling van alle drie. Dat ze zich met elkaar kruisen.'

Wolf-hond... Claires moest onmiddellijk aan de 'huisdieren' van de Van Burens denken. Het leed geen twijfel dàt Phobetor en zijn daemonvriendjes 's nachts vrij door het ravijn dwaalden, konden ze voor hun plezier op kleinere dieren jagen... daardoor waren die geruchten van wolven en coyotes in de stad natuurlijk ontstaan. 'Dat grote dier... was het soms zwart?' vroeg ze terwijl ze aan de hond Rex dacht.

Haar vader trok zijn wenkbrauwen op. 'Zwart? Nee... bruinachtig, op zijn rug een beetje donkerder. Hoezo? Heb je hem gezien, denk je?'

Claire realiseerde zich verschrikt dat ze het er zonder erbij na te denken had uitgeflapt. Zowel pap als Myra staarden haar nu aan. Had ze zich nu verraden? Wist Myra van de zwarte hond en zou ze raden wat Claire met haar opmerking had bedoeld? Verwilderd probeerde ze met een andere, heel gewone verklaring op de proppen te komen, maar ze kon niks verzinnen. 'Eh... gezien? Nee, ik... ik vroeg het me alleen af. Omdat wolven en coyotes bruin zijn, dacht ik dat als hij een andere kleur had, hij misschien een hybride kon zijn.' Zelfs in haar eigen oren klonk het weinig overtuigend.

'Iemand nog een tweede bordje?' voegde ze eraan toe en ze stond snel van haar stoel op.

Die avond laat, toen Myra was vertrokken en haar vader naar bed was gegaan, sprak Claire in de beslotenheid van haar slaapkamer met haar huisgeest.

'Heb je gehoord wat Myra had gezegd over dat Beest van... hoe heet die plaats ook weer?'

Het katje sprong op haar schoot en rolde zichzelf op in een marmeladekleurige bal. *'Gévaudan. Ja daar weet ik alles van. Ik geloof dat dat het toneel was van de ergste daemon-infiltraties in de geschiedenis.'*

'Infiltraties? Ik begrijp het niet. Wat is daar precies gebeurd? En wat heeft het te maken met die andere plek... Tsavo? Is Myra iets op het spoor?'

De amberkleurige ogen keken naar haar op. *'Ik zal het je laten zien, dan kun je zelf oordelen.'*

Er verscheen een tafereel in haar geest: steile bergweides, bezaaid met zwerfkeien, omzoomd door een donker woud. Het deed haar denken aan het beeld dat hij van haar en haar moeder had laten zien, maar hier waren de kleuren helderder en het geluid van een waterbron klonk op. Ze hoorde de wind door de boomtakken ruisen en in de verte blaatten schapen. Toen kantelde haar gezichtsveld: nu zag ze de lagere berghellingen beter.

Grote kudden schapen waren daar aan het grazen, en te midden van die wollige lijven liepen de schaapherders met hun staf, alsof ze door een rivier van schaapswit schuim waadden. Dichterbij graasde wat aftands vee op het gras terwijl een paar langharige, stevig gemuilkorfde honden waakzaam heen en weer liepen. Vlak in de buurt zat een jonge vrouw er op een rots naar te kijken. Ze droeg net als de herders eenvoudige boerenkleding: een donkerbruine rok en een strak lijfje over een bloes met korte mouw. Opwindend als je bedacht dat dit slechts een herschepping van het verleden was, net een film waarin de actrice volgens die tijd was gekleed. Claire zag de geschiedenis zoals die was, net zoals in haar herinneringen aan Alice en Bloem-van-de-droogte. Maar deze keer herkende ze de plek niet.

Plotseling klonk er een enorm kabaal, het bos dreunde en boomtakken braken krakend af. Uit de schemering onder de bomen kwam stampend een reusachtige gedaante tevoorschijn. Eerst dacht ze dat het een beer was, een slanke, langpotige beer met een rossig-bruine vacht. Maar hij had spitsere oren dan beren en een lange, kwastige staart. Hij rende als een bezetene, sprong over de met rotsen bezaaide berghelling, in de richting van het vee. Dat brulde het uit en rende in paniek alle kanten op. De twee honden renden naar voren om het tegen het grote, roodbruine dier op te nemen, maar dat liet zijn lange, gele tanden zien en haalde woest grommend uit. Ook zij zetten het jankend op een lopen. Het beest bleef aanvallen... niet de koeien en stieren, maar het meisje dat op hen paste.

Het meisje was gealarmeerd door de angstig blaffende honden en zag het naderend gevaar. Ze stond een ogenblik als aan de grond genageld van angst, haar mond in een geluidloze kreet. Toen maakte ze dat ze van de heuvel en de maaiende aanval wegkwam en begon te rennen, worstelend en struikelend in haar lange rokken. Het grote beest zette de achtervolging in, maar werd belemmerd door de massa doodsbange vee. Hij negeerde het en sprong er aan alle kanten overheen. Toen hij dichterbij kwam, zag Claire dat hij op een wolf leek, maar zijn snuit was korter en hij was steviger gebouwd. Hij jankte van woede en hapte naar een stier die het met vooruitgestoken hoorns tegen hem wilde opnemen. In de tussentijd was zijn prooi schreeuwend van angst de bergrug af gevlucht.

Het panorama van weide en berghelling vervaagde en maakte weer plaats voor Claires slaapkamer met de vertrouwde meubels. Claires hart ging als een razende tekeer. 'Wat was dat?' vroeg ze beverig.

'Het Beest van Gévaudan... een ervan althans. Er waren er inderdaad twee, zoals Myra al had opgemerkt. Dit is het enige bekende beeld dat we hebben, geregistreerd door een daemon wiens dierengastheer toen toevallig in de buurt was. Hier deed het schepsel voor het eerst een uitval naar een mens. Daarna gebeurde dat nog veel vaker.'

'Dat meisje... heeft ze het overleefd?' Claire hoorde nog steeds de uitzinnige kreten. Ze wist dat die haar altijd bij zouden blijven.

'Ja. Het vee liep het beest in de weg en daardoor kon ze ontsnappen. De meesten waren niet zo fortuinlijk. Meer dan honderd mensen werden in dat gebied afgeslacht. Het Beest van Gévaudan zocht liever zijn prooi onder de mensen dan bij het vee.'

'Wat waren ze? Dat ding leek wel een kruising tussen een beer en een reuzenwolf.'

'Die beesten waren een kruising tussen een wolf en een hond, dat denken we althans, speciaal gefokt op grootte en kracht. We verdenken de schurkendaemonen van het Legioen er al lang van dat ze de dieren niet alleen aanzetten tot doelgerichte voortplanting, maar ze ook actief stimuleren om dat met taaiere, woestere soorten te doen, zodat het nageslacht nog sterker wordt.'

'Maar waarom? Waarom zouden ze dat doen?'

'Zo krijg je betere jagers, dat heb je net kunnen zien. Zoals ik al zei, zijn deze daemonen geobsedeerd door geweld, dus hebben ze het liefst een roofdier als gastheer. Door de eeuwen heen hebben ze zich op deze soort geconcentreerd en ze zo gefokt dat ze nog groter en angstaanjagender worden... Ik heb me weleens afgevraagd of zij niet achter die prehistorische soorten zaten, die jullie tyrannosaurus rex en de Gruwelijke Vogel noemen.'

Nogmaals maakte het interieur van haar slaapkamer plaats voor een nieuw beeld. Dit keer was het een droog grasland met daarop doornstruiken en kleine bomen, een landschap waarin Bloem-van-de-droogte zich thuis zou hebben gevoeld. Midden in de verte zag ze twee jagende gestalten, ze hadden dezelfde gele kleur als het lange gras waar ze zich door voortbewogen. Twee reusachtige mannetjesleeuwen zonder manen, maar hun kaken hingen open waardoor hun tanden en hun slap uit de bek hangende tong zichtbaar waren. Een wilde Claires kant uit te komen, leek wel, en ze keek recht in zijn gele ogen. Ze leken in de verste verte niet op de warme, amberkleurige ogen van Bloems jonge leeuw. Ze waren steenkoud, zonder ziel of uitdrukking, slechts op zoek naar prooi. Menselijke prooi...

En weer vervaagde het beeld. 'En dat waren de leeuwen uit Tsavo,' zei ze, 'toch?'

'Ja. Die twee hebben negen maanden lang de bouw van de Oeganda-spoorlijn vertraagd, meer dan honderddertig arbeiders hebben ze vermoord. Het leek net alsof de daemonen die erin huisden helemaal niet wilden dat de spoorweg werd gebouwd. Op het Afrikaanse continent leefden allerlei soorten wild en het was er een walhalla voor roofdierdaemonen, misschien wilden ze de Europese invasie op hun jachtterrein tegenhouden.

Gévaudan is raadselachtiger. De slachting daar leek totaal zinloos. Het is me alleen opgevallen dat veel slachtoffers van het Beest vrouwen waren. Zaten de daemonen soms achter iemand aan? Een sjamaanse, wellicht? Misschien dachten ze wel, Claire, dat jij in die tijd was teruggekomen en waren ze eropuit om jou te vernietigen. Want in die twee Beesten zie ik dezelfde boosdoeners als voorheen, een schurkendaemon die een mens heeft geleerd hoe hij levende wezens kan beheersen. Zo kun je ook de twee mensenetende leeuwen van Tsavo verklaren. Evenals dat stelletje heksenjagers, Morley en King, die honderden vrouwen hebben omgebracht, met inbegrip van de arme Alice. En lang daarvoor, in het prille begin van de menselijke geschiedenis, een medicijnman met een luipaard-huisgeest in het prehistorische Afrika, die je in je eerste leven hebt leren kennen.'

'En nu zijn ze weer terug, als Van Buren en zijn wolfshond. Maar wat zijn ze deze keer van plan? Hoe kan ik ze tegenhouden als ik niet weet wát ze van plan zijn?'

'Dat vraag ik me ook af. Hoe komt Van Buren aan zo veel geld en wat voor bedrijf heeft hij eigenlijk?'

'Hij zit in de diamanthandel of zoiets.'

'Is dat het enige, of doet hij ook nog wat anders? Ik kan er niet achter komen, ik zit vast aan mijn dieren-gastheren.'

'Maar dat kan ik toch voor je uitzoeken.'

'Neem geen risico, Claire. Ik wil niet dat je weer te vroeg dood gaat, er ligt nog zoveel voor je in het verschiet. We moeten onze tijd afwachten.'

'Leo, ik wil niet zitten afwachten tot de slechteriken tot de aanval overgaan. Je weet toch wat ze laatst met me hebben gedaan?' Onder het praten leek het koude, grijze water zich om haar heen te sluiten, haar in zijn duistere diepten te willen verzwelgen. Ze wreef over haar armen en huiverde.

'Zo brutaal zijn ze niet meer. Deze eeuw heeft zo zijn voordelen, met jullie rechtssysteem en politieapparaat. De daemon Phobetor kan je misschien straffeloos aanvallen en vervolgens zijn dierlijke

gastheer de schuld geven. Maar meneer van Buren moet op zijn tellen passen.'

'Ja, ten slotte is hij zelfs in Schotland ingerekend, in de gedaante van Edward Morley. Je weet toch dat Morley en King zijn geëxecuteerd?'

'Ja... omdat hij een onschuldig iemand, jou, had vermoord. Phobetor had natuurlijk geen centje pijn, hij verliet gewoon Kings lichaam toen de man stierf. Maar Morley vond het vast geen plezierige ervaring toen hij werd opgehangen. Ongetwijfeld geeft hij jou daar ook de schuld van, evenals wat je hem in Afrika hebt aangedaan. Ik zou dolgraag willen weten wat hij nu in zijn schild voert. Is hij alleen maar naar jou op zoek? Of koestert hij andere snode plannen?'

'Eigenlijk is het jammer dat Mimi, de Chelseas en Donna allemaal met de Donkere Cirkel zijn gestopt. Ik had wel meer over die bijeenkomsten willen weten.'

'Ik betwijfel het of je van hen iets wijzer was geworden. Veel informatie ontgaat ze omdat ze geen flauw benul hebben van wat er werkelijk gaande is. Je hebt een deskundige spion nodig die weet waar hij op moet letten. Ik zou het wel kunnen doen, maar ik wil niet riskeren dat een van mijn gastheren gevaar loopt. Wij, ikzelf en de daemonen die er net zo over denken, zijn ertegen om levende dingen kwaad te doen of te doden. Schurkendaemonen als Phobetor malen daar niet om. Door zijn plunderingen in Gévaudan en Tsavo zijn hun dierengastheren doodgeschoten. En ik verdenk hem er ook van dat hij die grote, grijze uil heeft vermoord die hij en de Van Burens als spion op Willowmere hebben gebruikt. Weet je die stroomstoring nog, toen jij alleen op Willowmere was? Ik heb gehoord dat een grote vogel het elektriciteitshuisje in was gevlogen en zo de storing heeft veroorzaakt. Sindsdien is de uil niet meer gezien. Dat soort dingen kunnen Phobetor en zijn maatjes geen fluit schelen, en ik wil niet worden zoals hij, zelfs niet om informatie te verzamelen.'

Ze glimlachte vermoeid. 'Kun je niet gewoon als vlieg op hun muur gaan zitten?'

'Ja, maar dan moet ik het met de zintuigen van een insect doen, en die halen het bij lange na niet bij de jouwe. Ja, ja, ik weet het, grapje. Maar je begrijpt nu wel waarom ik je op die manier niet kan helpen.'

Claire knikte. Ze liet haar kin op haar hand rusten en dacht een ogenblik diep na. 'Van Buren heeft me met Josie op het dak gezien. En hij heeft je uilen-gastheer ook gezien. Hij weet dat ik door een daemon word geholpen. Misschien weet hij ook dat mijn moeder zich bewust was van daemonen... misschien heeft hij zelfs de aanval op Whiskers beraamd om mam af te schrikken. Maar er is niets dat míj rechtstreeks met Alice en Bloem-van-de-droogte in verband brengt. In elk geval nu nog niet. Nu weet hij alleen maar dat ik bevriend ben met Myra Moore en dat zíj afstamt van Alice' halfbroer. Dat kan verdacht lijken. Aan de andere kant, heel veel meisjes van school zijn bij Myra geweest toen ze Zilverhavik en de andere wicca's wilden ontmoeten. Voor zover hij weet, kan ik daar net als zij heen zijn gegaan om heksenkunsten te leren. En dan kan ik tegelijk meer over haar oom te weten zijn gekomen, genoeg om zelf een daemon te kunnen oproepen. Want zo is het tenslotte écht gebeurd. Myra en ik hebben samen niets met onze daemonen gedaan... ik doe verschrikkelijk mijn best om ervoor te zorgen dat ze hier niet bij betrokken raakt. Het enige wat Van Buren werkelijk weet is dat ik bij haar op bezoek ben geweest, een hoop over daemonen heb geleerd en hoe je ze moet oproepen, en dat ik die kennis tegen Josie heb gebruikt.'

'Ja, ik denk dat je gelijk hebt. Op dit moment is hij nog niet zeker van je... is hij alleen maar geïntrigeerd.'

'Dus wil hij meer van mij te weten komen, ik wil meer van hem te weten komen plus ontdekken wat hij in zijn schild voert.' Claire liep naar haar computer en zette hem aan. 'Nou, laten we eens kijken of er iets over hem op internet staat. Klaus van Buren is geen alledaagse naam, hoeveel zouden er zijn?' Ze ging naar haar zoekmachine en typte de naam in.

Het katje sprong op haar bureau en ging naast haar muispad intens naar het scherm zitten staren. *'Ik kan de woorden niet lezen. De letters zijn te klein. Kattenogen zijn hier bepaald niet geschikt voor.'*

'Er zit een speciale vergrootfunctie voor visueel gehandicapten op... zo, beter? Nou, er bestaat een Klaus van Buren die in kleindiamanten handelt... Dat is onze man. En ja, hij is ook hondenfokker. In Zuid-Afrika zijn nog steeds een paar kennels van hem in bedrijf. Hier hebben we nog een entry. Een of andere biotechnologische firma... daarvan is hij lid van de raad van bestuur.' Ze zweeg even. 'Als dat tenminste dezelfde Van Buren is.'

'Biotechnologie,' peinsde Leo. *'Genetische manipulatie, ingrijpen in levensvormen. Ik begrijp heel goed waarom een daemon dat machtig interessant vindt. Op die manier kunnen ze binnen één generatie diergenen manipuleren zonder dat de beesten hoeven te paren. Daarmee kunnen ze dramatische en onnatuurlijke veranderingen veroorzaken. Honden hebben sowieso al een supergevoelig gehoor en reukvermogen, maar nu kunnen ze dat zelfs nog verbeteren. En hij kan ze sterker maken, een groter uithoudingsvermogen ontwikkelen en een groter lijf fokken. Kortom, hij kan er perfecte jagers van maken. Sommige worden met winst verkocht, als jacht- of politiehonden. Maar uiteindelijk willen ze met hun onderzoeksprogramma superieure gastheren voor roofdierdaemonen creëren.'* De kat keek naar Claire op. *'Dit staat me totaal niet aan. En ik kan nog heel wat meer mogelijkheden bedenken, doodeng.'*

Claire sloot de computer af en kroelde de kat tussen de oren. Hij sprong op haar schoot. 'Nou, ze hebben ons al eens bespioneerd,' zei ze nu. 'Misschien wordt het tijd dat we gaan terugspioneren. Als een dieren-gastheer te gevaarlijk is, moeten we misschien een gastheer vinden die ze met rust zullen laten. Een van hun eigen huisdieren, bijvoorbeeld?'

Er klonken voetstappen door de gang. *'Je vader,'* waarschuwde Leo.

Claire zette een hoog stemmetje op. 'Waar is mijn lieve katje dan? M'n schattige, lieve katje?' neuriede ze zacht. 'Issie niet het mooiste poessie van de wereld? Wil-ie dan niet lekker buikjekroelen?'

Paps voetstappen liepen verder de gang door en de trap af. 'Oké,' zei Claire weer op normale toon. 'Nick heeft op een of andere manier de slechte daemon in Myra's hond, Angus, weten over te zetten. Waarom kunnen we niet dezelfde truc bij hen toepassen... maar dan om te spioneren, niet om ze aan te vallen?'

Leo overwoog dit een ogenblik. *'Waarschijnlijk is het merendeel van hun dieren voortdurend bezeten door de schurkendaemonen. Hoewel... pasgeleden hebben ze nog een vlucht kraaien gebruikt. Je hebt ze misschien wel gezien, ze zitten in de bomen in de buurt.'*

Ze knikte. 'Ja. Het leek wel een Hitchcock-film. Al Ramsay heeft het in zijn aantekeningen ook over een paar kraaien die in de buurt rondhingen, hij dacht ook dat ze door daemonen werden beheerst. Dit is al lang aan de gang, lang voordat de Van Burens zich in Willowville hebben gevestigd. Denk maar aan de aanval van de hond op Whiskers.'

'Ja, hoewel de Van Burens dat makkelijk vanuit Afrika hadden kunnen regelen... afstand betekent niets voor sjamanen en daemonen. Nou, ik denk eigenlijk dat de daemonen van de wolfshondgastheren ook gebruikmaken van de kraaien, ook al was het maar om meer bewegingsvrijheid te hebben. De honden zitten in elk ge-

val overdag achter slot en grendel, dus stappen de daemonen over op kraaien en vliegen dan vrij rond...en spioneren. Ze kunnen op elk moment in of uit dat kraaienlijf stappen, wippen wanneer ze maar willen van gastheer naar gastheer. Ik heb ze door de ramen in de bovenverdieping zien vliegen. Ze kunnen zelfs het huis in.'

'Kun je er niet een overnemen? Alsof je een avatar van iemand anders hackt op de computer?'

'Ja. Maar dat kan ik maar één keer doen, denk ik. Ze hebben gauw genoeg in de gaten wat ik aan het doen ben. Ik moet precies het juiste moment kiezen.'

'Leo, ik kan ze ook afluisteren. Dat heb ik al eerder gedaan, weet je nog... die nacht dat ik droomde dat ik de uil was. Ik was toen met jou verbonden, toch? Ik kon toen hetzelfde horen en voelen als jij.'

'Ja, jij wilde met me in contact komen, ook al wist je dat niet, en jouw geest raakte de mijne toen ik met de uil verbonden was. Maar het is gevaarlijk wanneer je rechtstreeks in een dier gaat zitten. Als mijn kraaien-gastheer iets overkomt, maakt dat voor mij niets uit, maar voor jou wel. Jouw zenuwstelsel reageert hetzelfde als dat van de gastheer, dus voel jij zijn pijn en verwondingen ook. Denk maar aan Josie en haar rat.'

'Leer me dan hoe ik de band met het dier kan afbreken. Ik wil dit doen, Leo. Ik moet weten waar we mee te maken hebben... een idee krijgen van wat die mensen van plan zijn. Hoe past Nick bijvoorbeeld in het hele plaatje? Wordt hij ook door een daemon gecontroleerd, of is hij net als zijn oom door en door slecht?'

'Goed dan, maar wanneer ik tegen je zeg dat je de band moet verbreken, moet je het ook onmiddellijk doen.'

'Prima. Nou, wat moet ik precies doen?'

'Wacht totdat ik je kom vertellen dat de tijd rijp is. Het moet op een tijdstip waarop je kunt doen alsof je slaapt. Dat is beter omdat je in trance moet worden gebracht.'

Ze glimlachte. 'Ja... als pap me plotseling in een zombie ziet veranderen zal hij behoorlijk van streek raken. En op school lijkt me ook geen goed plan. Maar het is nu weekend. Kan het niet vandaag of morgen?'

'Misschien. Ik zal het huis van de vijand goed in de gaten houden, het beste is als ze allebei weg zijn, kijken of dat lukt. En dan... zien we wel wat we ontdekken.'

'Ik hoop alleen maar dat het werkt.' Ze kreeg geen antwoord. De kat sprong plotseling van haar schoot op de grond en begon met haar schoenveter te spelen. Leo was vertrokken.

Tot zaterdagmiddag hoorde Claire niets meer van haar beschermgeest. De bladeren begonnen nu overal te vallen en zij en haar vader waren het grootste deel van de ochtend bezig geweest ze in grote bergen bij elkaar te vegen. 'Dit is mijn plan voor vandaag,' zei hij tegen haar. 'Tot de lunch vegen we bladeren en daarna krijg je je allereerste rijles van me. Ik weet dat je al heel lang wilt leren rijden, en ik beloof dat ik je zoveel bijbreng dat je een voorlopig rijbewijs kunt aanvragen. Tot die tijd gaan we ergens naar een rustige parkeerplaats en laat ik je zien hoe je de auto kunt starten en weer stoppen. Dat kan prima, zolang we maar niet op de openbare weg rijden.'

'Deal,' zei Claire opgewekt. Ze vond het helemaal niet erg om bladeren te harken. Ze werd er eigenlijk wel kalm van, het herinnerde haar aan haar kindertijd, toen dook ze altijd in de geurige, ruisende bladerhopen. De esdoorn in de laan voor het huis had zichzelf omringd met een dik rood tapijt, en toen ze de bladeren met haar hark weg schraapte keek ze onwillekeurig in de boom, vooral naar het kleine ronde gat halverwege de stam, net een kleine spelonk. Ze moest weer denken aan dat moment dat ze op de zachte veren vleugels van een uil deze boom in was gevlogen. Ze waren dat gat in gevlucht terwijl de klauwen van de grote uil zich al graaiend naar haar uitstrekten. Het was een vreemde, fantastische herinnering, maar niet zoals in een droom. Ze wist dat het echt gebeurd was... dat ze werkelijk verbonden was geweest met de uil die Leo als gastheer had gebruikt. Maar toen wist ze niet hoe ze zich moest bevrijden, hoe ze de onbewuste link met hem en de vogel kon verbreken. Door Leo had de gestreepte uil de wijk genomen naar dat veilige gat in de boom, en dat had haar gered.

Als de uil was doodgegaan, zou ik dan ook zijn gestorven? vroeg ze zich huiverend af. Bij zulke mentale verbindingen smolt het zenuwstelsel van de sjamaan letterlijk samen met de zintuigen van de dierlijke gastheer. Daarom kon een heks zomaar sterven wanneer haar dierenhuisgeest doodging, dan had ze geen tijd gehad om de verbinding te verbreken. Claire begon eraan te twijfelen of ze dit nieuwe experiment wel aandurfde. Het leek behoorlijk veilig, gezien de gastheer die ze hadden uitgekozen. Maar bange voorgevoelens maakten zich van haar meester.

Na de lunch ging ze naar haar kamer en Leonardo de kat zat rechtop op haar bed met die alerte, intelligente uitdrukking in zijn ogen die ze zo goed kende. Ze maakte de veters van haar sneakers los, gooide ze uit en ging naast hem op bed zitten.

Na een poosje zei Leo: *'Ik heb het terrein van de Van Burens vanuit de lucht bestudeerd, ik ben in een zeemeeuw over het landgoed gevlogen. Ik heb een oudbakken patatje opgepikt bij een restaurant, zodat een paar andere meeuwen me zouden zien en achter me aan zouden gaan. Een groep vogels is minder verdacht dan één.'*

'Slim,' lachte Claire en ze ging in kleermakerszit zitten. 'Je zou een fantastische spion zijn. Wat heb je ontdekt?'

'Behalve de hondenrennen en kennels aan de achterkant, zijn er ook wat kooien met kraaien erin. Natuurlijk mogen de vogels die door de daemonen worden beheerst, vrij rondvliegen. Wanneer ze geen dienst hebben, zitten ze opgesloten totdat ze nodig zijn. Toen

ik overvloog, zag ik één kraai een kooi uit vliegen. De daemonen zijn absoluut in staat om zichzelf uit de kooien te bevrijden, anders zouden de Van Burens de hele dag bezig zijn om ze vrij te laten en weer op te sluiten. Dat betekent dat de kooien van binnenuit door een daemon opengemaakt kunnen worden, maar niet door een kraai.'

'Het lijkt me niet zo moeilijk om slimmer te zijn dan een kraai.'

'Je zult nog versteld staan. Kraai-achtigen zijn heel intelligent. Maar ik dwaal af. Ik moet één kraai uitzoeken, uitvogelen hoe het slot van zijn kooi werkt en ontsnappen... en dan het huis binnenvliegen. Ik kan het kantoor van Van Buren opzoeken en zijn archief en persoonlijke papieren doorsnuffelen, misschien vinden we een aanwijzing over zijn plannen. Het lijkt me sterk dat hij hier alleen maar is om wraak op de vroegere Alice te nemen. Waar gaat het bijvoorbeeld in zijn Donkere Cirkel om? Van Buren gelooft eigenlijk niet in duivelse bezweringen en vervloekingen, als revenant weet hij dat zulke dingen helemaal niet bestaan. Die 'coven' is vast een dekmantel voor iets anders. En welke rol speelt Nick in deze hele affaire? Dat wil ik allemaal te weten zien te komen. Wil je nog steeds aan mij en mijn gastheer worden verbonden?'

'Ja,' antwoordde Claire na een lange stilte. 'Ik ben wel een beetje zenuwachtig, maar... vier ogen zien meer dan twee. We mogen niets missen, daar is het veel te belangrijk voor en dat geldt voor ons allebei.'

'Ik kan ook proberen een andere daemon over te halen om ons te helpen. Sommigen staan aan mijn kant en willen dat misschien wel doen. We kunnen ook met Myra Moore gaan praten en vragen of zij ons met haar daemon wil helpen.'

'Dat heb ik liever niet. Ik probeer uit alle macht Myra hierbuiten te laten.'

'Ze zou een goede bondgenoot zijn. Ze heeft duidelijk een hoop over deze toestand van haar oom te horen gekregen.'

'Nee. Dit is mijn probleem, niet het hare. Als ik jouw beschermeling ben, dan kun je zeggen dat Myra de mijne is. Ik sleep haar hier niet in mee. Ik... ik bescherm haar, en Willowmere.'

De kat staarde haar een poos aan, hield haar blik langer en bedachtzamer vast dan een normaal dier zou doen. Ze kon bijna Leo uit zijn amberkleurige ogen zíén kijken. *'Je vindt het echt moeilijk om je open te stellen voor je soortgenoten, hè? Dat komt zeker omdat je al zo vaak een dierbare bent kwijtgeraakt: je moeder – zowel in je vorige levens als in dit leven – en William. Daarom ben je bang mensen te verliezen, bang om van ze te houden.'*

'Bedankt voor de analyse, dr. Freud, maar ik doe het toch op mijn manier. Daemonvrienden zijn allemaal van dieren afhankelijk, willen ze onze wereld leren kennen. Je hebt me zelf verteld welke beperkingen dat met zich meebrengt. Leo, kun je bijvoorbeeld met een computer omgaan?'

'Waarschijnlijk wel met de jouwe, want ik heb er met mijn kattenogen naar gekeken. Maar je hebt wel een punt. Als het op doorsnuffelen van papieren enzo aankomt, ben jij daar waarschijnlijk beter in. Hoe dan ook, we moeten snel zijn als we dit nog samen willen doen. Jouw meneer van Buren is met de auto weggegaan, maar Nick is aan de wandel, dus die zal niet lang wegblijven. We moeten nu gaan.' De kat snuffelde met zijn snoet aan haar hand. *'Ga op bed liggen en doe je ogen dicht. Mocht je vader bij je komen kijken, lijkt het net of je een dutje doet na al die frisse lucht.'*

Claire deed wat haar gezegd was. Een poosje was er niets anders dan haar eigen ademhaling en het bleke herfstlicht op haar oogleden. Toen vormde zich een vaag beeld op de binnenkant van haar glinsterende oogleden, wazig, niet scherp, ver weg, als een film op een scherm. Er ontstond een soort draadpatroon, en daardoorheen zag ze duidelijke vormen: bomen, gebouwen, wolken in de lucht.

Ze keek uit een stalen kooi door de ogen van de bewoner.

Een beeld in vogelvlucht, bedacht Claire toen het scherper werd. *Letterlijk.*

Het was lang niet zo surrealistisch als die keer met Leo in de gestreepte uil. De details in dit mentale plaatje waren scherp en helder, zelfs verbazingwekkend: ze kon elk bladrandje in de wind zien dwarrelen, elk grassprietje onderscheiden. En hoewel het dubbele beeld aan de voorkant niet overlapte, had ze rondom zichzelf een veel groter gezichtsveld. Claire moest terugdenken aan de dag dat ze voor het eerst een bril kreeg aangemeten. Ze wist niet anders dan dat ze kippig was en dus ook niet wat ze allemaal miste. Haar vage blik en de troebele randjes waren plotsklaps verdwenen en in het begin had de wereld haar bijna onwerkelijk geleken, zo scherp, zo gedetailleerd. Nu kreeg ze diezelfde sensatie: het tafereel voor haar leek bijna te scherp, er waren te veel details, en dan al die kleuren! Ze waren helderder dan de kleuren in haar eigen vertrouwde wereld, levendiger, ze schitterden als edelstenen.

Ze riep in gedachten: *'Leo, ben je daar? Dit is geweldig!'*

'Ik ben er,' antwoordde zijn mentale stem.

'Ik geloof mijn ogen niet, zo helder en schitterend ziet alles eruit.'

'Vogels hebben het beste gezichtsvermogen van de wereld, veel beter dan zoogdieren. En ze zien ook kleuren, in elk geval de vogels die overdag actief zijn. Uilen hebben een beperkter spectrum, omdat ze 's nachts jagen.'

Ze zat in een kooi die wel wat op een konijnenhok leek, de wanden en het dak waren van ijzer en er lag zaagsel op de grond. Er stonden een hoop kooien omheen, sommige waren leeg, in andere zaten zacht glanzende, zwarte kraaien. Toen ze de kop van haar vogelgastheer een beetje boog, kantelde het beeld schuin weg en zag ze op de takken van de grote boom, een paar meter bij hen vandaan, nog meer kraaien, minstens een stuk of tien.

'Hoe doe je dat... in de kop van een vogel kruipen?'

'Om te beginnen zitten we niet in de kop van de vogel, dat lijkt alleen maar zo. Je geest en lichaam zijn nog steeds in je eigen kamer thuis, en ik ben in mijn daemonen-dimensie. We raken slechts het bewustzijn van de vogel aan en dat treedt, net als alle geesten – zelfs de zwakste, meest elementaire geesten van de lagere diersoorten – mijn mentale universum binnen. Wij daemonen hebben geleerd om al die geestelijke signalen op te vangen, de beelden die daarbij horen te analyseren en te bepalen waar ze ook ter wereld vandaan komen. Zo hebben we jullie hele planeet in kaart gebracht, door simpelweg de miljoenen mentale beelden die we van zijn levende wezens ontvangen, in elkaar te passen.'

Ze probeerde zich die legpuzzel voor te stellen, alle stukjes van de hele wereld, vervolmaakt door slechts een glimp van de bergen, zeeën en vlakten, gezien door de ogen van de levende wezens die daar wonen. Natuurlijk waren er in de loop der tijd geografische veranderingen geweest. De demonen hadden niet één wereld in hun hoofd, maar een heleboel, de aarde door de eeuwen heen, met inbegrip van de opgeschreven geschiedenis van de mensheid.

'Wanneer we eenmaal een geest hebben aangeraakt, proberen we alles van dat schepsel te leren wat er maar te leren valt... jullie noemen dat empathie. Steek nu je geest naar hem uit, dan kun je hem voelen: zijn zintuigen, zijn lichaam, zijn eigen bewustzijn. De rebelse daemonen willen alleen maar hun gastheer bezitten, hem beïnvloeden, hem naar hun pijpen laten dansen. Maar ikzelf en degenen die de levende dingen willen leren begrijpen, smeden een bondje met hem. Wil dat lukken, dan moet je het schepsel vooropstellen en jezelf eraan onderwerpen. Probeer als een kraai te denken, Claire.'

Ze concentreerde zich en beetje bij beetje begon ze het te begrijpen: ze zag de wereld niet alleen via de kraai maar ze werd de vogel zelf. De snelle, flakkerende indrukken die hij in zijn hoofd verwerkte, de zenuwsignalen die haar vertelden dat ze vleugels had en een sterke en flexibele nek, de geklauwde poten die haar droegen. Ze stelde zich voor hoe het zou zijn als je altijd in deze gedaante zou zitten, en hoe het voelde om vrij boven de bomen uit te vliegen, waar het brede takkenskelet schuil- en nestplekken bood, maar ook vluchtwegen voor wegschietende eekhoorns.

Leo's mentale stem klonk geamuseerd toen hij weer sprak. *'Er zit een bandje om de rechterpoot van de kraai, daaraan kunnen ze zien dat de kraai bij hen hoort en niet bij ons. Heel slim van ze. En het slotje zie ik ook. Een simpel haakje in een oogje, hoog aan de binnenkant van de kooideur. Zie je het? Net iets te hoog voor een normale kraai. De daemonen sluiten hun gastheren op voordat ze hen verlaten, dan weten ze zeker dat ze in hun comfortabele onderkomen blijven totdat ze hen weer nodig hebben. Wil je het deurtje openmaken, Claire?'*

'Hoe moet dat?'

'Zeg tegen de vogel hoe hij dat moet doen. Trek zijn aandacht naar het glinsterende metaal. Het is net alsof je op een paard rijdt:

je stuurt hem aan en haalt de vogel over om je te volgen.'

Claire richtte haar gedachten op de stalen haak in zijn metalen oog. *'Kijk eens,'* spoorde ze in stilte de fladderende geest van de vogel aan. *'Kijk! Je wilt dat ding aanraken. Je wilt ernaar toe vliegen, erin pikken en met je snavel pakken. Toe maar. Doe het maar!'*

Het oog van de vogel trok weer schuin. De blik van de kraai concentreerde zich op de haak. Hij sprong met zijn kop omhoog naar voren en spreidde zijn vleugels half uit. Hij slaakte een kreet waardoor de vogels in de omliggende kooien ook begonnen te kraaien. Toen sprong hij naar de haak.

De eerste stoot van de vogelsnavel maakte de haak wel los, maar hij wipte alleen omhoog en schoot weer in het oog terug. *'Kom op,'* dacht Claire. *'Probeer het nog maar een keer!'* De kraai sprong nogmaals, sloeg er nu harder tegenaan. Eindelijk schoot de haak los. De kooideur sprong open en de kraai, die merkte dat hij vrij was, vergat het glanzende ijzer en wierp zichzelf de lucht in.

Claire vóélde de vleugels gaan, de opwindende golfstroom, toen de kraai de lucht in vloog, naar de kruin van de hoogste boom. Toen zat ze met hem op een hoge tak met overal om haar heen herfstbladeren: robijnrood, smaragdgroen, citroengeel, een waterval van fonkelende kleuren. Tussen de gaten in het bladerdak vlamde de hemel blauw op. Er ging een golf van een onstuimige, duizelig makende opwinding door haar heen, en nog iets anders: vreugde – dronken van de vlucht in combinatie met het onbeperkte vergezicht. Deze wereld kende ze niet, niet als Claire, Alice of Bloem-van-de-droogte: dit was een heel nieuw koninkrijk, groter, rijker, en het schreeuwde om ontdekt te worden.

'Blijf bij de les,' waarschuwde Leo's stem in haar geest. *'Het open raam... zie je het, Claire?'*

'Ja.' Het huis doemde voor haar op, in kraaienogen was het enorm, een reuzenkasteel. In een van de torentjes zat een hoog, smal raam waarvan het luik naar buiten openstond. Voordat de kraai zijn blik van het huis afwendde, dacht ze intens aan het raam, vertelde de vogel dat het een goede plek was, veilig, vertrouwd, dat er wellicht voedsel te vinden was en ook een schuilplek. Ze merkte dat de kraai zich ertegen verzette, hij wilde met de andere kraaien op de bovenste boomtakken zitten, maar ze bleef vriendelijk aandringen en ten slotte opende hij zijn vleugels weer en sprong van de tak af. Ze viel omlaag waardoor het leek alsof haar maag – in haar slaapkamer in Maple Street – zich omdraaide. Toen vloog de kraai met een lange, sierlijke boog van de boom naar het raam en landde op de vensterbank.

Het kostte haar even om de details in de kamer erachter te kunnen onderscheiden – na de schitterende zon leek het binnen heel donker – maar algauw kon Claire de vormen van het meubilair en de afbeeldingen aan de muur zien, vanuit haar vogelperspectief leken ze enorm. Het was een privékantoor of studeerkamer. Er stond een groot grijs bureau met een computer en printer erop, wat stapels papier en een paar reclamefolders. Met een beetje hulp van Leo wist Claire de kraai met zachte aandrang zover te krijgen dat hij op het bureau vloog. Over de rugleuning van de stoel hing een leren jasje, zag ze... te groot voor meneer van Buren, dat moest van Nick zijn. Er waren twee deuren, een kwam uit op de gang en de andere op een aangrenzende kamer. Ze liet de kraai door die tweede deur vliegen. Daar was nog een enorm vertrek... een slaapkamer, spaarzaam gemeubileerd. Hij deed Spartaans aan, op een paar ingelijste afbeeldingen en posters na. Dat waren duistere, sinistere schilderijen van schimmige figuren en gezichten, van mannen die in een bloedige strijd verwikkeld waren met woeste wilde dieren. Ze kreeg er meteen een afkeer van. Als ze al bewijs nodig had dat Nick een gestoorde en abnormale jonge man was, waren deze afbeeldingen overtuigend genoeg. Maar ze voelde zich ook een tikje onbehaaglijk, was zich er plotseling van bewust dat ze iemands privéruimte binnendrong. Ze spoorde de vogel aan om door de grote open deur te vliegen, hij gehoorzaamde en fladderde naar de gang. Claire wist dat Nick een hele vleugel van het huis voor zichzelf had. Het kantoor van Van Buren was aan de andere kant van het gebouw, dus daar moest de kraai naartoe.

De gang vloog voorbij, de kraai slingerde al manoeuvrerend een beetje heen en weer. Nu en dan minderde hij met hevig klapperende vleugels vaart, op zoek naar een plek om te kunnen landen. Zij en Leo haalden hem samen over om bij elke kamer die ze passeerden even bij de deuropening in te houden, en hij gehoorzaamde. Maar daarna werd hij weer aangespoord om door te vliegen. Boven kwamen ze langs een badkamer, een waskamer en een vertrek vol kooien en terrariums. In één kooi zat een kleine uil, in een andere een grote slang, maar in de meeste kooien zaten muizen en ratten. *'Voedsel voor de andere dieren,'* zei Leo. *'Dus hier kwam Josies rat vandaan.'*

De kraai werd moe en sputterde wat tegen. Ze moesten hem nu beiden aansporen om door te blijven vliegen. Uiteindelijk zei Claire tegen Leo: *'Daar... dat is het vast!'*

Een deur kwam uit op nog een studeerkamer, groter en stijlvoller dan die van Nick, met een houtbewerkt bureau en wandvullende boekenkasten. Hier stond ook een computer, evenals een fax en een klein fotokopieerapparaat.

De kraai landde op het bureaublad en vouwde zijn vleugels op. Hij keek om zich heen, hield zijn kop naar een kant schuin en toen naar de andere kant. Zo kregen ze een goed beeld. Er stond van alles op het bureau, kleine houtsculpturen, beelden en juwelierskistjes.

'Kunnen we hem zover krijgen dat hij de computer aanzet?' vroeg Claire.

'Dat weet ik wel zeker. Het is een heel intelligente vogel, weet je nog. Idealiter zouden we hem moeten belonen met voedsel, net zoals jullie soort doet bij het africhten van jullie dieren, van honden tot dolfijnen. Maar we hebben geen eten, dus moeten we het met overredingskracht doen.'

'Nou, misschien kunnen we hem later de keuken in sturen. Maar tot die tijd... doe je best.'

Leo sprak de vogel toe... of eigenlijk stuurde hij kleine gedachtevonkjes door zijn geest, beelden en ideeën. Hij drong zachtjes bij hem aan om zich te concentreren op de machine vóór zich, suggereerde dat er iets goeds in de grote doos zat... misschien zelfs iets eetbaars. De kraai keek peinzend, met een rondzwervende blik naar de spullen op het bureau, maar keerde steeds weer naar de computer terug. Ten slotte liep hij naar de computerkast toe en begeleid door Leo en Claire pikte hij met zijn krachtige scherpe snavel op de aan-knop. Na een paar pogingen lukte het. Toen stuurde ze hem naar de kleine stroomknop van het beeldscherm.

Toen het beeld tot leven kwam verscheen er een venster waarin om een wachtwoord van zes karakters werd gevraagd. Claire merkte op: *'Nou, dat was dan dat... buitengesloten! In films is het wachtwoord altijd belachelijk makkelijk te raden... Wat doe je? O.'*

Leo liet de vogel op de toetsen pikken. Eerst probeerde hij M-O-R-L-E-Y, en toen Y-E-L-R-O-M. Na de tweede lettercombinatie verschenen de woorden 'wachtwoord correct'.

'Zie je wel!' zei Leo. Ze begonnen een voor een de bestanden te doorzoeken. Er waren concepten voor toespraken, rapporten en verschillende e-mails van zakenrelaties. Toen ze daar een paar van hadden doorgelezen, sprak Claire tegen haar daemon.

'Hier is niet veel over honden te vinden, wel?' zei ze.

'Nee. Deze biotechnologiefirma lijkt zich vooral bezig te houden met humane genetica, om de menselijke kracht en weerbaarheid te vergroten,' zei Leo, *'maar ik zie nergens rapporten over genezen van ziekte of het verlengen van mensenlevens.'*

'Misschien richten zij zich vooral op sport.'

'Het verbeteren van sportprestaties kan inderdaad aantrekkelijk zijn voor sommige mensen. Maar in de genetica gaat toch het meeste geld naar geneesmiddelen en gezondheidsverbetering in het algemeen?'

'Ja. Daarom is het wel een beetje raar.'

'Misschien niet zo heel raar,' zei Leo peinzend.

Voordat ze hem kon vragen wat hij bedoelde, hoorde ze dat beneden de voordeur van het landhuis met een luide klap geopend en weer dichtgeslagen werd. De kraai schrok, sloeg instinctief zijn vleugels uit en vloog op de bovenste boekenplank. Toen hoorden ze zware voetstappen door de benedengang lopen en in de verte klonk een gedempte mannenstem.

'Meneer van Buren,' zei Claire. *'Hij is terug. Maar met wie is hij aan het praten?'*

Ze hoorden geen tweede stem. Praatte hij soms in zijn mobieltje... of hardop met zijn daemon?

'De kraai moet de computer uitzetten,' zei Leo. *'We kunnen hem niet aan laten staan, anders weet Van Buren dat hier iemand is geweest.'*

Het kostte moeite om de kraai over te halen, ook al oefenden ze beiden druk op hem uit. De vogel verveelde zich duidelijk in deze omgeving en had ook honger gekregen. Hij wilde alleen nog maar uit die kamer weg en zelfs als ze hem zover kregen dat hij van de boekenplank af vloog, dan ging hij alleen nog maar richting raam. Dat was gelukkig dicht, maar de kraai bleef een poosje voor de ramen rondhangen totdat ze hem ervan konden overtuigen dat hij niet door die transparante panelen naar de bomen en hemel daarachter kon komen. Hij bleef geërgerd kraaiend op de vensterbank zitten.

'Het bureau! Ga naar het bureau!' drong Claire aan. Ze hoorde de zware voetstap van Van Buren al op de trap. Waarschijnlijk zou hij rechtstreeks naar zijn studeerkamer gaan. *'Kom op, kom op... het bureau! Dat grote platte oppervlak! Daar wil je naartoe...'*

Ten slotte moest Leo hem lokken met de belofte dat hij te eten zou krijgen als hij gehoorzaamde, hij stuurde beelden van stukjes voer die kraaien lekker vinden. De kraai vloog naar het bureau. De voetstappen klonken al in de gang boven, evenals de stem. Ze konden hem nu duidelijk verstaan.

'... nog een beetje geduld, meer vraag ik niet. Je hebt al zo lang gewacht, vriend. Is het zo erg om nog een beetje langer te moeten wachten?' Er viel een korte stilte terwijl Van Buren naar het onhoorbare antwoord luisterde, toen: 'Ja, ja, natuurlijk begrijp ik het. Heel vermoeiend. Maar je weet dat King een speciaal geval was. In deze tijd kunnen niet veel mensen jouw dimensie bereiken. Er zijn nog zo veel andere gebieden waar we de jacht kunnen openen, en natuurlijk geloven de meeste mensen die oude doctrine niet meer. In dit tijdsgewricht is men heel sceptisch...'

'Voedsel,' zond Leo weer naar de kraai uit en Claire deed net zo hard mee. De vogel liep over het bureau naar het beeldscherm en drukte er met zijn snavel op. Er was geen tijd om het systeem goed af te sluiten. De kraai fladderde naar de computerkast en stond met een schuine kop naar de aan/uit-knop te kijken.

De stem kwam dichterbij, werd duidelijker. 'De jongen, ja, hij weet er alles van, en hij durft met de dag meer. Daar zijn geen belemmeringen meer. Maar je weet dat we hem voor deze kwestie nodig hebben, en hij is werkelijk de enige die de klus aankan. Vertrouw op mij, mijn vriend. Je weet dat ik een goede jager ben. Jij blinkt uit in de aanval, de verwonding en het doden van de prooi, dat is altijd zo geweest. Maar mijn kracht zit hem in de voorbereiding en strategie die daaraan voorafgaan. Soms moet je je prooi uit zijn schuilplaats lokken. Hoe jaag je bijvoorbeeld op een leeuw? Jij hebt wel van leeuwengastheren gebruikgemaakt, dus dat zou je moeten weten. Je moet inhaken op wat de leeuw wil. Je zet een geit op een open veld waar zijn geblaat overal te horen is, dan zit jij op je hurken met je geweer in de aanslag te wachten... Je wacht tot de leeuw door honger gedreven zijn dekking opgeeft... en dan heb je hem. Begrijp je? De jongen is het lokaas, hij trekt ze allemaal hiernaartoe. We hoeven nog maar een beetje informatie los te krijgen en dan komt het slachtoffer vanzelf in beeld...'

Claire en Leo zonden tegelijkertijd een smeekbede naar de kraai en hij sprong weer met fladderende vleugels op, en pikte met zijn snavel tegen de ronde, opgloeiende knop. Een, twee keer: het was niet hard genoeg. Het groene lichtje wilde niet uitgaan. Zo kon het systeem niet uitgezet worden, het was beschermd.

'De stroomregelaar,' zei Claire.

'De wat?'

'Die plastic doos met die knoppen, dat is tegen stroomstoringen. Daar, onder het bureau. Snel, de rode knop!'

De kraai sprong naar de doos en ging ernaast staan. Toen pikte hij hard op de knop. Onmiddellijk ging de computer uit. *'Mooi,'* zei Claire. *'Met een beetje geluk denkt hij dat hij het ding per ongeluk met zijn voet heeft uitgedaan. Wanneer hij de computer aanzet, zegt de computer alleen maar dat hij niet goed is afgesloten.'*

De voetstappen naderden de kamer. Door de kraaienogen

gluurden ze van onder het bureau en zagen Van Buren bij de deur staan, gekleed in een pak met een aktetas in de hand. *Op zaterdag?* dacht Claire. *Waar is hij geweest?*

De zwarte hond stond naast hem.

Hij had dus met Phobetor zitten praten. Maar ze hadden geen tijd om langer rond te blijven hangen, want de kraai, gealarmeerd door de hond en de man, en nog meer geïrriteerd door de onbehaaglijke gevoelens van Leo en Claire, was niet meer te houden. Hij kwam onder het bureau vandaan, slaakte een luide kreet en vloog omhoog.

De zwarte hond sprong verschrikt naar achteren en begon toen woedend te blaffen. Claire voelde een golf van misselijkheid toen de kamer om haar heen rondjes leek te draaien, de muren doemden op en vielen weer weg toen de kraai rondfladderde op zoek naar een ontsnappingsroute. Van Buren was nog steeds te dicht naar zijn zin bij de deur en hij bleef maar naar het raam vliegen, aangetrokken door het vrije uitzicht dat daar lokte.

'Waar komt die vogel vandaan? Is hij een van ons?' snauwde Van Buren.

De kraai ging weer op de boekenplank zitten. Hij voelde zich veilig op die plek en kraaide uitdagend naar de twee grotere schepsels onder zich.

'Het is een van ons... ik zie het aan het labeltje aan zijn poot,' zei Van Buren, antwoord gevend op zijn eigen vraag. Door de ogen van de vogel leek hij verontrustend groot: een duivelse, opdoemende reus. 'Maar waarom doet hij zo raar? Zit er een daemon in? Maar dan nog hoort hij niet hierbinnen. Hier klopt iets niet.'

Hij kwam dichterbij. Leo zei tegen Claire: *'We moeten gaan. Hij zal zijn andere daemonen oproepen en als een van hen bezit neemt van de kraai, word ik ontdekt. Ga, Claire! Denk aan je kamer en ga terug.'*

De reusachtige man stak een monsterlijke hand uit en greep naar de vogel. Claire werd door redeloze angst bevangen. De kraai voelde het en haalde tot bloedens toe met zijn snavel uit naar Van Burens vingers. Met een kreet trok hij ze terug en staarde ernaar.

'Rotvogel! Ik ga m'n pistool pakken.' Hij liep naar zijn bureau, voelde in zijn zak en haalde een sleutel tevoorschijn. De hond ging dichter bij de boekenkast staan en keek met kwaadaardige, gloeiend gele ogen naar boven.

Leo sprak opnieuw, zijn geeststem drong nu hevig aan: *'Claire! Laat los en ga terug. Je moet hem laten gaan!'*

Hoewel een mist van angst haar geest over had genomen, realiseerde Claire zich wat hij bedoelde. Leo was veilig, maar zij zat aan de vogel vast, en als Van Buren hem zou vermoorden, zou zij ook sterven. Wanhopig probeerde ze zich terug te trekken, weg te vluchten uit de geest van de kraai en zijn lichaam, de gedachtetentakels die hen samenbond los te werken.

Van Buren deed de la van het slot en haalde er een klein schietwapen uit.

'Vlieg!' beval Leo de kraai. Hij lanceerde zichzelf naar voren, fladderde van de plank en veegde door de kamer naar de open deur. De zwarte wolfshond blafte furieus en sprong met in de lucht klappende kaken zo hoog als hij kon, toen draaide hij zich om en volgde de kraai de deur uit. In paniek gleed de vogel terug de gang door en Claire ving een glimp op van Van Buren met zijn pistool in de hand. Uitzinnig duwde ze de geest van de vogel van zich af, schoof hem van zich vandaan, en haalde zich in plaats daarvan het veilige interieur van haar slaapkamer voor de geest. Haar beeld begon te trillen en vervaagde.

Er klonk een overweldigend, donderend geluid.

Claire hapte naar adem en zat rechtovereind.

Ze was weer op haar bed en keek om zich heen in haar eigen, veilige kamertje. Haar hart ging als een razende tekeer en haar borst hijgde alsof ze had gerend voor haar leven.

De rest van de middag moest Claire bijkomen van haar ervaringen en haar verbazing over de gebeurtenissen in het landhuis van de heksenmeester. Het was een kwestie van tijd voor Van Buren erachter zou komen dat iemand in zijn computerbestanden was geweest. De machine was niet goed afgesloten, dus moest hij er wel aan zijn geweest. Hij zou zich absoluut niet kunnen herinneren dat dat tijdens zijn eigen computersessie was gebeurd. En toch, als de kraai niet zo in paniek was weggevlogen, had hij er zijn schouders over kunnen ophalen.

'Ik heb de kraai via Nicks studeerkamer naar buiten gewerkt,' zei Leo tegen haar. *'Hij heeft een paar veren verloren, maar verder komt het wel goed met hem. Sinds de dood van Whiskers was het nog niet eerder zo kantje boord geweest met een gastheer van me. Ik wil er niet nog een riskeren.'*

'Het is mijn fout, echt. Ik raakte in paniek en daardoor schoot de vogel helemaal in de stress. Maar waarom zou Van Buren hem willen vermoorden? Waarom zou hij zelfs maar op het idee komen dat hij door iemand werd beheerst? Ik bedoel maar, een kraai kan toch ook vanzelf in de war raken? En hij graaide ernaar... elke vogel zou zich proberen te verdedigen.'

'Het was duidelijk dat hij niet door een van zijn eigen daemonen

werd gecontroleerd, daar maakte hij zich zorgen over. Waarom zou een daemon zijn kraaiengastheer mee het huis in nemen en hem vervolgens zelf laten rondfladderen? Was de vogel per ongeluk in zijn studeerkamer terechtgekomen, waar al zijn privé-informatie te vinden was? Natuurlijk is zijn achterdocht gewekt. Er was maar één ding om daarachter te komen: het schietwapen tevoorschijn halen en kijken wat de vogel zou doen. Als hij was gebleven waar hij was, was het gewoon een vogel die zich niet van het gevaar bewust was. Als hij op het woord 'pistool' zou reageren, en ook toen hij hem tevoorschijn haalde, moest er een daemon of sjamaan in zitten, die zou meteen begrijpen wat het te betekenen had.'

'Dus nu hebben we onszelf verraden.'

'Hij zou er sowieso achter zijn gekomen. De schurkendaemonen vertellen hem heus wel dat zij de vogel niet uit zijn kooi hebben bevrijd, en dat alleen een buitenstaander – daemon of sjamaan – met hem op de loop kon zijn gegaan. Eén ding is zeker: ook al zou ik nog een van de kraaien willen lenen, dan zouden de schurken me gaan uitdagen. Van nu af aan zullen ze hun gastheren beter in de gaten houden.'

'En zoveel zijn we niet eens te weten gekomen,' kreunde Claire.

'Denk je?' antwoordde hij. *'Ik ben heel geïnteresseerd in wat we hebben ontdekt over het gezelschap van Van Buren.'*

'De bestanden hebben ons alleen maar verteld dat zijn bedrijf zich met iets bezighoudt waar andere bedrijven zich ook op richten... menselijke genen verbeteren en zo. Er stond niets over het fokken van reuzenhonden of iets dergelijks.'

'Ik denk ook niet dat ze dat graag op het internet zetten, waar iedereen erover kan lezen. En er stond ook niet veel informatie over hun humaan onderzoek, maar ik vertrouw het voor geen cent. Een biotechnologisch bedrijf dat geen onderzoek doet naar de menselijke gezondheid of levensverlenging?'

'Wat is er volgens jou dan aan de hand?'

'Volgens mij is dit bedrijf niet bezig met menselijke belangen. Ze willen betere mensenlichamen creëren – sterk, flexibel en atletisch – maar kennelijk maakt het hen niets uit wat voor effect dat verder op het lichaam heeft. Waarom zouden ze zich druk maken over gezondheid of tijd van leven wanneer je het lichaam bij ziekte of dood simpelweg weer overboord kunt gooien en gewoon naar een volgende kunt verhuizen? Ik verdenk ze ervan dat ze dat perfecte lichaam alleen maar als daemongastheer willen gebruiken, dat is het enige wat ze interesseert.'

'O.' Claire huiverde. 'Wat een afschuwelijk idee!'

'Misschien heb ik het mis. Maar volgens mij zit het zo in elkaar. Hoewel het nog altijd een mysterie is hoe de Donkere Cirkel in het plaatje past.'

Claire staarde een poosje zwijgend uit haar slaapkamerraam. Het was nog een zonnige en heldere dag en de bomen waren met schitterende herfstkleuren getooid. Maar na wat ze door de vogelogen had gezien, leken de tinten wel gedempt, de beelden dof en onscherp. 'Ik heb er geen spijt van dat ik met de kraai verbonden ben geweest, het was prachtig,' zei ze dan ook. 'Verbazingwekkend. Maar ik heb ook het merkwaardige gevoel dat er meer was dan ik me nu kan herinneren. Leo, ik zweer je, ik zag een kleur die ik nog nooit eerder had gezien. Het was niet blauw, rood of paars, of welke kleur ook die ik ooit heb gezien. Ik probeer hem me steeds weer voor de geest te halen, maar het lukt maar niet. Kunnen er soms níéuwe kleuren bijkomen?'

'Nieuw voor mensen? Jazeker. Net zoals honden geluiden kunnen horen die te hoog zijn voor het menselijk oor. Ze kunnen ook heel goed het ultraviolette spectrum zien, wat jij niet kunt. Kleur is immers niet vastgebakken aan een voorwerp, maar wordt geproduceerd door het oog van de kijker en beïnvloed door zijn structuur. Voor een vogeloog stralen bepaalde bloemen en bessen, evenals het

verenpak van andere vogels zoals spreeuwen, uv-kleurtinten uit die het menselijk oog niet kan zien. In het verleden, toen je via mij door vogelogen keek, moest ik de kleuren altijd wat dimmen, zodat je menselijke geest ze kon bevatten. Maar deze keer was je direct met de vogel verbonden en deelde je al zijn zintuigen.'

'Het was ongelooflijk... echt ongelooflijk. Het leek niet op een droom, het was zelfs alsof ik méér wakker was dan daarvoor. De wereld was een volkomen andere plek geworden. Als ik andere mensen maar met vogels in verbinding kon brengen, dan zou hun geest exploderen. Niemand zou nog drugs willen als je high kunt worden van zo'n levensechte ervaring.'

'Inderdaad. Denk je soms dat het toeval is dat sjamanen van alle culturen in zo nauw contact staan met vogels? Velen voeren hun rituelen in een verenpak of cape met vleugels uitgedost uit, zo komen ze in een extatische trance waarin ze dromen dat ze vliegen. Wellicht een overblijfsel uit oude tijden, toen de mens nog veel dichter bij vogels stond. Nou, ik moet terug om de Van Burens in de gaten te houden... deze keer van een afstandje.'

'Oké. Pas goed op jezelf en laat me weten hoe het gaat.'

Na het eten reed Claires vader naar een parkeerplaats achter de goedkope supermarkt aan het eind van Birch Street. Daar verwisselden ze van plaats en leerde hij haar de basisprincipes van autorijden. Ze vond het maar raar dat ze niet alleen op de bestuurdersplek zat – daar had ze vaak genoeg gezeten wanneer de motor stationair draaide, om te voelen hoe het was om achter het stuur te zitten – maar ook echt zelf de sleutel in het contactslot mocht steken en de motor starten.

'Zo moet het... je doet het prima,' zei hij toen ze achteromkeek, aan het stuur draaide en met zachte druk op het gaspedaal langzaam naar voren reed. Een herinnering uit de tijd van Alice schoot haar te binnen, hoe ze voor het eerst op een kleine, ruige pony had leren paardrijden, en voelde hoe het dier op haar commando's reageerde. Ze reed langzaam het parkeerterrein rond – halfleeg, zoals altijd rond het avondeten – en Claire zag een felgele Volkswagen Kever op een parkeerplaats vlak bij de ingang van de supermarkt staan. *Maar dat hoeft niet Myra's auto te zijn,* dacht ze. Er rijden een hoop gele Kevers rond...

Maar toen ze er voor de tweede keer langsreed, zag ze dat een prachtige collie zijn kop optilde en zijn snoet uit het halfopen raampje stak. Angus! Het móést Myra's auto wel zijn. Was ze hier toevallig ook? Claire dacht daarover na terwijl ze terugreed naar het halflege terrein en parkeerde. Of had Myra op een of andere manier geweten dat Claire hier zou zijn? *Wat belachelijk,* dacht ze. *Ik begin paranoïde te worden.*

Ze stapte uit en liep weer naar de passagierskant, toen haar vader opmerkte: 'Is dat je vriendin dr. Moore niet, die daar net de winkel uitloopt?'

Ze draaide zich om en zag de vertrouwde mollige gestalte met het muisgrijze haar op hen afkomen. 'Halloooo!' riep Myra zwaaiend uit, en Angus blafte een paar roffels uit het autoraampje. 'Prachtige avond, vind je niet? En wat een geluk dat ik jullie nu tref. Ik wil jullie te eten uitnodigen. Wat denk je van aanstaande vrijdag of zaterdag?'

'Lijkt me enig,' antwoordde meneer Norton, hij stapte glimlachend uit de auto. 'Wat denk je, Claire. Welke dag heb jij het liefst?'

Claire dacht snel na. Ze moest de heksenmeesters ervan overtuigen dat ze alleen maar bij Myra rondhing om meer te weten te komen over daemonen en sjamanen. Ze zouden zeker achterdochtig worden als ze te snel weer op Willowmere zou zijn. Om Myra uit de gevarenzone te houden, moest ze doen alsof ze haar links liet liggen... voorlopig althans. 'O, sorry. Maar ik heb binnenkort een zware repetitie waar ik hard voor moet studeren.'

Haar vader trok zijn wenkbrauwen op. 'In het weekend?'

'Nou ja, het is maandag al. En ik heb er een beetje met de pet naar gegooid,' zei ze, wanhopig nu. 'Ik zou er een week voor nodig hebben.'

'O, jammer. Dan doen we het een andere keer,' zei Myra. 'Dus je krijgt nu autorijlessen, hè? Leuk voor je! Ik weet nog goed dat ik mijn eerste rijles kreeg. Ga je ook nog winkelen? Ze hebben allemaal Halloweenaanbiedingen, snoep voor de kids. Ik sla vast in voor volgend weekend.' Ze hield haar boodschappentas omhoog.

'Nu we er toch zijn, moesten wij dat ook maar doen,' zei meneer Norton.

'Je gaat zeker niet meer dat spookhuisgedoe doen op Willowmere, hè?' vroeg Claire een beetje melancholiek. 'Je oom pakte altijd helemaal uit, weet je nog? Als kind wilden mijn vriendin Ainsley en ik op Halloween altijd naar Willowmere, maar van pa en moe mochten we Lakeside niet oversteken. Spelbrekers.' Ze keek haar vader verwijtend aan. 'Maar ik ving er wel altijd een glimp van op als ik er met de auto of de bus langskwam.' Ze zei niet tegen Myra dat ze overdag wel naar het landgoed was gefietst en verlangend door de heg naar het huis en het omliggende terrein had gegluurd.

Myra keek haar bedachtzaam aan. 'Ik was het niet van plan, maar ik begin me nu af te vragen of ik het niet toch moet doen. De kinderen uit de buurt zouden teleurgesteld zijn als ik het liet zitten.'

'Maar het is wel heel veel werk,' zei Claire. 'Deed je oom het allemaal zelf?'

'Nee, hoor. Hij huurde mensen in om hem erbij te helpen, vooral toen hij ouder werd en niet meer zo sterk was.'

'Misschien kan Claire je komen helpen,' bood meneer Norton aan.

Claire realiseerde zich te laat dat ze zichzelf erin had laten lopen. Stel dat de Van Burens of hun spionnen zagen dat ze op het landgoed was? Ze zocht naarstig naar een excuus, maar het enige wat ze kon uitbrengen was een zwak: 'Nou, als mijn studie het toelaat...'

'Vergeet die studie maar een paar uur,' zei haar vader en hij wisselde een vrolijke blik met Myra. 'Je moet zo nu en dan juist pauze nemen, dat is goed voor de concentratie. Je lijkt tegenwoordig bijna op je kamer te wónen.'

'Nou, liefje, als je tijd hebt, zou dat heerlijk zijn,' zei Myra. 'Ik weet zeker dat we het niet zo goed kunnen als mijn oom, maar samen komen we vast een heel eind. Het kost heus niet een hele dag hoor, ik denk alleen een stuk van de middag.'

Wanhopig gaf Claire toe. Ze kon niet anders zonder Myra's gevoelens te kwetsen, en het was duidelijk dat haar vader vond dat de oudere vrouw een goede invloed had op Claire. Ze keken haar allebei aan en ze moest het onvermijdelijke antwoord wel geven. Maar toen zij en haar vader afscheid namen en naar de supermarkt liepen, was ze op van de zenuwen en doodongerust.

Claire ging die maandagochtend met een gedeprimeerd gevoel naar school. De versieringen op school hielp ook niet veel: de muren en borden waren met oranje-zwarte papieren decoraties versierd. Overal waar je keek, hingen spoken, spinnen, skeletten, heksen met zwarte hoeden op bezemstelen, grijnzende holle pompoenen en posters die het jaarlijkse Halloween-dansfeest aankondigden. Elke keer dat Claire door de gang liep, werd haar oog naar de kat met rechtopstaande haren getrokken. Wie had ooit gedacht dat de traditionele heksenhuisgeest werkelijk had bestaan? *'Daemonen hebben altijd een voorliefde gehad voor katten... een kat biedt het beste van twee werelden.'* Ze voelde zich opgesloten met haar wetenschap, afgesloten van bijna het hele menselijke ras.

Mimi en de Chelseas keken haar met hernieuwde belangstelling aan toen ze tijdens de lunchpauze zich bij hun kluisjes hadden verzameld. 'We hebben het van jou en Josie gehoord,' merkte Mimi op. 'Ze zit echt in de shit, hè? Ik heb gehoord dat de politie er was enzo.'

Vergeleken met Mimi's inlichtingendienst, bedacht Claire, zijn de daemonen maar een stelletje amateurs. 'Het is allemaal alweer goed,' zei ze onverschillig. 'Josie weet nu wat haar te doen staat. Als ze mij met rust laat, doe ik dat ook met haar. Maar ik zou er wat voor willen geven om te weten of ze nog bij die Donkere Cirkel rondhangt. Ze heeft weliswaar huisarrest, maar eigenlijk willen haar ouders helemaal geen oogje op haar houden.'

'Als je het echt wilt weten,' antwoordde Chel, 'dan kunnen wij je dat wel vertellen.'

Claire staarde haar aan. 'Hoe dan?'

'Omdat we weer naar die bijeenkomsten gaan. Chelsea heeft besloten terug te gaan naar de Cirkel. Ze zit helemaal in de put vanwege Dave. Dus toen hebben wij gezegd dat we meegingen om haar te steunen, want ze wil niet alleen. En tijdens Halloweenavond schijnt er echt een heel belangrijke bijeenkomst te zijn. Dus we gaan onze ouders vertellen dat we naar het dansfeest gaan, maar we rijden door naar Nicks huis. Je moet ook komen, dan kun je zelf zien hoe het is.'

Kun je het zelf zien... 'Ik kan niet. Het is te ver bij mijn huis vandaan, en ik kan nog niet autorijden,' antwoordde Claire.

'Ik kan je wel komen ophalen,' zei Chel. 'Je zou er echt een keer heen moeten. Het is cool. En dan weet je eindelijk waar we het over hebben. Kom op, je kunt het toch proberen.'

'Eh... bedankt. Ik zal erover denken,' zei Claire. 'Het is wel een goed idee.'

Dit keer ging ze tijdens de pauze niet naar de bibliotheek, zoals anders, nu besloot ze een korte wandeling te maken. Haar hoofd zat vol nare gedachten en ze wilde alles eens op een rijtje zetten. Ze trok haar jas aan, liep het schoolterrein af en wandelde in westelijke richting de straat op. Ze bleef op de stoep en ondertussen hield een grijze eekhoorn gelijke tred met haar. Hij sprong over de takken hoog boven haar hoofd en danste met acrobatische capriolen van boom naar boom.

'Wat is er aan de hand, Claire?' klonk Leo's stem in haar hoofd. *'Waar ga je op dit tijdstip naartoe?'*

'Nergens naartoe. Ik maak gewoon een ommetje. Ik moet nadenken.' Ze schopte tegen een dennenappel op de stoep.

De eekhoorn klauterde langs de stam van een grote esdoorn naar beneden, rende de laan over en klom bij een andere boom weer omhoog. *'Heb je gemerkt dat je wordt bespioneerd? Er vliegen een paar kraaien boven je hoofd.'*

Ze had ze ook gezien: een paar zwarte kraaien cirkelden in de lucht. Toen ze naar hen keek, lieten ze zich vallen en gingen op de takken van een grote eik een paar meter voor haar zitten. 'Ja, ik word er een beetje beroerd van, al dat spionnengedoe. Gelukkig heb ik mijn eigen mobiele beveiligingscamera.' Ze keek met opzet niet rechtstreeks naar de eekhoorn toen die op een telefoondraad sprong, maar volgde hem vanuit haar ooghoek. 'Leo, er is een grote bijeenkomst van de Donkere Cirkel, zondagavond.'

'Moet ik daar voor je spioneren? Het risico voor mijn gastheer is te groot. Dan zou ik een ander dier moeten nemen, ze houden al hun kraaien nu nauwlettend in de gaten.'

'Ik wil niet dat jij spioneert. Ik ben van plan zelf te gaan.'

De eekhoorn bleef midden op de draad staan. *'Zelf te gaan? Op het landgoed?'*

'De meisjes gaan ook... Mimi en haar vriendinnen. Iemand zou echt met ze mee moeten gaan om te kijken wat die rituelen daar eigenlijk voorstellen. Ik bedoel, waarom doen ze dat trouwens... die magische shows voor tieners? Wat heeft dat te maken met Van Buren en zijn werk? Heb je gehoord wat hij zei over dat hij de knappe Nick inzette om ze binnen te lokken? Het lijkt wel of hij zo veel mogelijk meisjes bij die bijeenkomsten probeert te krijgen. Waarom is dat?'

De eekhoorn liep weer verder over de draad. *'Omdat hij op zoek is naar een bepaald meisje.'*

'Kan. Misschien denkt hij wel dat als Alice zich van haar verleden bewust aan het worden is, ze er meer over te weten wil komen. En als haar huisgeest nog niet bij haar is, probeert Van Buren haar misschien eerst te vinden. Hekserij is een rage bij meisjes in de middelbareschoolleeftijd, dus verzint hij een supercoole coven en verspreidt zo het gerucht dat daar schitterende dingen gebeuren. Zijn daemonvriendje roept vervolgens hallucinaties voor die meisjes op, zodat ze denken dat ze zijn gereïncarneerd. Natuurlijk raken ze daar heel erg opgewonden van en vertellen dat aan iedereen die het maar wil horen, zoiets verspreidt zich als een lopend vuurtje. Daardoor zou Alice' aandacht worden getrokken, met name als er net een tipje van de sluier van haar vorige levens is opgelicht, en er het hare van wil weten. Hij hoopt dat ze naar een bijeenkomst van de Donkere Cirkel komt en over haar eigen herinneringen aan haar vorige leven gaat vertellen, en dan weten ze zeker dat zij het is.' Onder het praten liep er een rilling langs haar ruggengraat. 'Waarschijnlijk verdenkt hij me vanwege mijn banden met Willowmere, maar hij wéét het niet... nog niet.'

'Des te meer reden om bij zijn huis weg te blijven, denk je ook niet?'

'Maar dat is het nou juist, begrijp je het dan niet? Als ik wél ga en niets laat merken, kan ik hem er misschien van overtuigen dat ik geen revenant ben en net als Josie alleen maar geïnteresseerd ben in macht, dan komt hij misschien tot de conclusie dat ik toch niet degene ben die hij zoekt. Ik kan hem niet meer wijsmaken dat ik een doodnormaal kind ben, daar is het te laat voor. Maar ik kan wel doen alsof ik Alice niet ben. En als ik echt alleen maar uit ben op macht voor mezelf, dan zou ik er als de kippen bij zijn om naar de Donkere Cirkel te gaan. Ik wek juist achterdocht door weg te blijven.'

De eekhoorn bereikte de telefoonpaal aan de overkant van de straat en sprong op de takken van een boom waar hij geïrriteerd begon te ratelen. *'Dit is geen goed idee, Claire. Hoe kan ik je daarvan afbrengen?'*

'Niet, vermoed ik,' zei ze. 'Ik ga naar die bijeenkomst om er alles over te weten te komen, en ook over de Van Burens. Als ze me een van de mooie covennamen willen geven, dan kunnen ze me... Mol noemen.' Ze liep met vastberaden pas verder.

'Claire...'

'Ik zie je straks, Leo,' onderbrak ze hem. 'Pas goed op jezelf... en blijf uit de buurt als de eendjes gevoerd worden!' Ze wandelde verder en liet hem achter.

Die avond gingen Claire en haar vader terug naar de supermarkt om versieringen te halen voor de voordeur en nog meer snoep omdat ze het meeste alweer hadden opgegeten.

'We moeten er nu van afblijven,' zei Claire toen ze de winkel uit liepen en naar de auto stapten. 'Misschien hadden we iets moeten halen wat we vies vinden, zoals drop of pepermunt.'

'Dan zitten we later mooi met de restjes,' zei haar vader met een mondvol toffee.

'Eh... trouwens, pap,' zei Claire terwijl ze op de passagiersstoel ging zitten. 'Ik ga zaterdagavond uit.'

'Jij? Uit?' Hij draaide zich naar haar toe en keek haar met een vragende uitdrukking aan.

'Ja, ik. Daarom was ik een beetje zenuwachtig over school. Zondagavond kan ik niks aan mijn huiswerk doen. Een paar meisjes van school hebben gevraagd of ik meega naar het Halloweenfeest en ik wil eigenlijk wel graag mee. Het wordt georganiseerd door de studentenraad en het wordt echt heel leuk. Ze mogen het gymnastieklokaal gebruiken en een paar ouders hebben aangeboden om op te letten. Heb ik eindelijk ook eens een feestje.' Ze kreeg de woorden niet makkelijk uit haar mond. Ze vond het al moeilijk om haar vader maar de halve waarheid te vertellen, laat staan tegen hem te liegen.

'Ik begrijp het.' Hij startte de auto en reed de parkeerplaats af. 'Nou, ik ben blij dat je weer met vriendinnen omgaat. Maar denk erom dat je de volgende dag naar school moet, dus maak het niet te laat.'

'Ik zal het proberen, ik ga er alleen niet helemaal over hoe laat ik weer thuis ben, pap. Ik kan niet autorijden, weet je nog? Hint, hint,' voegde ze eraan toe.

Hij zuchtte. 'Oké, ik zal zorgen dat je een paar echte rijlessen krijgt. Dat beloof ik. Zeg alleen tegen de andere meiden dat je niet te laat thuis mag zijn. Wie gaan er trouwens nog meer mee?'

Ze aarzelde, ze wilde niet weer liegen. 'Je zult het niet geloven, maar het zijn dezelfde meiden die een tijdje geleden aan hekserij deden. Mimie en de twee Chelseas. Weet je nog? Uiteindelijk vonden ze dat magische gedoe helemaal niks en nu doen ze het ook niet meer. Gewoon een bevlieging, meer niet.' Een deel ervan was tenminste de waarheid, maar ze kon hem nog steeds niet recht in de ogen kijken en staarde naar de weg voor haar. De barrière tussen hen was niet langer sluierdun, ze was een stevige en ondoordringbare muur geworden.

'Goed dan. Ik hoop alleen dat ze geen verkeerde invloed op je hebben. Als mensen zo nodig populair moeten zijn, doen ze de gekste dingen.'

Ze probeerde een glimlachje. 'Hé, pap, misschien heb ík wel een goede invloed op hén.'

Daar dacht hij even over na en toen knikte hij. 'Zou kunnen. Zeg alleen tegen ze dat je voor elven thuis moet zijn.'

Ze beloofde hem dat en verviel toen weer in stilzwijgen. Het was niet echt gevaarlijk, zei ze bij zichzelf. Die heksenmeesters zouden haar heus geen kwaad doen. Belachelijk dat het zweet haar in de handen stond.

Toen Claire zondagmiddag op Willowmere aankwam, trof ze Myra aan in het voorportiek. Ze had al wat nepspinnenwebben tussen de witte pilaren gespannen en was bezig een laken op te hangen, een goede imitatie van een vliegend spook. Angus stond met kwispelende staart naast haar. 'Ah, ben je daar, liefje!' riep ze uit. 'Wat vind je ervan?'

'Schitterend!' zei Claire en ze probeerde enthousiast te klinken. 'De kinderen zullen het prachtig vinden.'

'Binnen liggen een paar pompoenen, wil je helpen ze uit te hollen?'

Claire volgde haar naar de keuken, waar op het aanrecht een paar pompoenen lagen, en pakte een snijmes aan. Myra was al begonnen: ze draaide de enorme, uitgeholde kalebas naar Claire toe en liet haar zijn schuine kattenogen en kartelige grijns zien. 'Ik zet deze op de veranda, denk ik. En kijk,' zei ze, 'hier heb je een mooie grote wortel als neus. Er zit al een gat, zie je wel? De prut van het binnenste van de pompoenen kun je in die emmers daar in de hoek kwijt. Die gooi ik later wel op de composthoop. Hou wel de zaden apart, want die geef ik aan de vogels.'

Koko de kaketoe en Tillie de grijspapegaai zaten op het aanrecht de verse pompoenzaden op te pikken die Myra op een bordje voor ze had neergezet. Koko keek op toen Claire binnenkwam en begroette haar met een opgewekt 'Hallo!' Claire kroelde over de borst van de kaketoe, koos toen een grote ronde pompoen uit en begon in de schil te snijden. Toen ze het vochtige, vezelige oranje binnenste rook, moest ze opeens weer aan haar jeugd denken. Ze had toen alleen maar zorgeloze pret gehad. Plotseling verlangde ze er weer naar om tien te zijn, ernaar uit te kijken om samen met Ainsley 's avonds in een idioot kostuum door de schimmige straten te lopen (ze was een keer als gorilla verkleed geweest, had een oude zwarte bontjas van haar moeder aangetrokken en een masker opgezet waardoor ze nauwelijks iets had kunnen zien), en dan thuis te komen met een zak vol zoetigheid die ze in de weken daarna lekker kon opsmikkelen.

'Ik heb ook een heksenhoed,' zei Myra. 'Die heb ik vandaag bij een feestwinkel gekocht. Ik ga hem opzetten, doe een zwarte jurk aan en zet dan een van de katten op mijn arm. Ik denk Plato, die laat alles met zich doen. En ik heb bergen snoep. Neem zelf ook wat, schatje, het zit in de kommen op tafel daar. Ik moet de Halloweentradities van de Ramsays hooghouden, vind je ook niet?'

'Wat vinden je heksenvriendinnen hier allemaal van?' vroeg Claire terwijl ze een paar hoektanden uitsneed in haar uitgeholde pompoen.

'Van Halloween? O, ze vinden het verschrikkelijk ordinair en commercieel, natuurlijk,' giechelde Myra. 'Zilverhavik en haar vriendinnen hebben vanavond een bijeenkomst, ze vieren plechtig het Keltische dodenfestival, herdenken hun overleden dierbaren, dat soort dingen. Maar ik, ik ben dol op Halloween... het is fantastisch voor de kinderen en sommige kostuums zijn werkelijk fenomenaal.'

Onder het werk babbelden ze verder en tot Claires opluchting bleef het bij koetjes en kalfjes. Ze was half bang geweest dat Myra over de daemonen zou beginnen... dat ze Claire wilde uithoren over wat ze wel en niet wist. Maar daar hadden ze het helemaal niet over. Ze holden een stuk of zes pompoenen uit en zetten ze op verschillende punten langs de bochtige oprijlaan. Zo zouden kinderen die anders te verlegen waren om het terrein op te komen, worden gelokt om toch door te lopen. Bij de poort zetten ze er nog twee, in balans met de stenen leeuwenkronen.

'Ik kan ze ook daarbovenop zetten, dan haal ik een ladder,' zei Myra. 'Volgens mij staat er een in de garage.'

'Ik doe het wel,' bood Claire aan.

'Dankjewel, liefje, maar ik wil niet te veel van je tijd opeisen. Ga je vanavond nog wat leuks doen?'

Claire haatte het om tegen Myra te liegen, net zoals ze het haatte dat ze tegen haar vader had gelogen. *Raak er maar aan gewend,* zei ze tegen zichzelf. *Als je deze vrouw echt wilt beschermen, zul je haar nog een hoop onwaarheden moeten vertellen.* 'Ik ga met een stel meiden naar een dansfeest op school, en daarna is er nog een... een soort feestje.

'O, dat vind ik fijn om te horen! Ik weet dat je vader het leuk vindt als je vriendinnen van je eigen leeftijd hebt.'

'Ik heb zaterdagochtend nog gebeld om jullie te bedanken voor het leuke etentje en je vader nam de telefoon aan. We hebben een hele tijd zitten praten. Hij is natuurlijk vreselijk trots op je, maar als rechtgeaarde ouder maakt hij zich uiteraard ook zorgen. Niets aan de hand dus, vriendinnen krijg je al, die zorg kan hij tenminste laten varen.'

Claire wilde deze aardige vrouw dolgraag de waarheid vertellen... alles over de daemonen en de Donkere Cirkel. *Misschien kent ze het hele verhaal al wel,* dacht Claire. *We zouden er samen over kunnen praten, van gedachten kunnen wisselen. Dan worden we een soort anti-Cirkel, Leo, Myra en ik...* Door al die leugens ontstond er een afstand tussen haar en Myra, die in de plaats sloop van het troostende, prettige gevoel dat ze samen deelden. Plotseling werd ze woedend op die schurkendaemonen. *Allemaal hun schuld...*

Myra bracht haar uitgeholde pompoen naar het voorportiek terwijl Claire de laatste hand legde aan een andere. De Afrikaanse grijspapegaai, die de hele tijd stilletjes op een stoel had gezeten, fladderde naar het aanrecht en ging vlak voor Claire zitten. Hij zat haar een ogenblik aan te kijken en gaf haar toen een doelbewuste knipoog. 'Slimme meid,' zei hij helder en duidelijk.

Claire liet het mesje vallen en staarde naar de vogel, haar gedachten duizelden haar. De papegaai keek haar met een glanzend oog aan. Claire moest slikken, en de woorden uit Al Ramsays dagboek schoten haar te binnen: '... het lijkt er inderdaad op dat de vrouwelijke papegaai echt wordt bewoond door een daemon! De geest heeft een vrouwelijke persoonlijkheid, lijkt wel, brutaal, schalks en betweterig, net een ondeugende oude vrouw...' Ze bevochtigde haar lippen en zei: 'Wie ben je?'

De papegaai hield zijn kop schuin. Ze merkte dat ze bijna gehypnotiseerd in het zwarte stipje van zijn pupil zat te staren. Toen deed de vogel zijn kromme snavel open. 'Geen naam,' zei hij met zijn uitdrukkingsloze stem.

'Is dit... ben jij Myra's huisgeest?' fluisterde Claire.

De vogel krabde met een klauw in zijn nek, alsof hij haar vraag in overweging nam. 'Myra's... ja,' snerpte hij.

Claire haalde diep adem en boog zich naar voren. 'Kun jij me vertellen wat ze weet? Over dit... alles?'

Tillie struinde over het aanrecht en begon aan de pompoenzaden te pikken die daar op een hoopje lagen. 'Nee.'

Claire stond onmiddellijk weer rechtop. Hier ging het om dat 'persoonlijke informatie'-gedoe waar Leo het altijd over had... natuurlijk zou Myra's beschermgeest nooit haar privégedachten onthullen, zelfs niet aan een vriendin. Ze schraapte haar keel en probeerde het opnieuw. 'Weet je wie ik ben?'

De grijze papegaai hield zijn kop naar een kant schuin. 'Nu Claire. Vroeger anderen,' zei hij met zijn iele stemmetje. 'Vroeger Alice.'

'Nou, Geen-naam, je weet dat ik geen slechterik ben. Ik wil alleen maar helpen. Maar ik wil Myra ook beschermen. Ze is jouw beschermeling, maar ze is ook mijn vriendin en ik wil niet dat ze iets met die heksenmeesters te maken krijgt. Je weet wat er bij de buren gaande is, toch?'

De papegaai sloeg zijn vleugels uit en vloog op haar schouder. Hij boog zijn kop naar haar oor en zei: 'Slechte man, slechte daemon. Je hebt eerder tegen ze gevochten. Je moet weer tegen ze vechten.'

'Zo is het. Het is zelfs mijn schuld dat ze hier zijn, ze wachten tot ik opduik. Myra kan er niets aan doen dat ze familie van me is... van Alice. Het is niet eerlijk dat ze om die reden in gevaar verkeert. Maar zo is het wel. Die kerels verdenken haar echt, ze denken hoe dan ook dat de nieuwe Alice vroeg of laat alles over Willowmere ontdekt, en dat Myra alles over haar zal willen ontdekken... over mij. Kun je op haar passen, Geen-naam... haar tegen ze beschermen?'

'Geen zorgen, lieffie. Ik waak altijd.' De papegaai knabbelde zachtjes aan haar oor en vloog toen weer naar het aanrecht.

Er klonken voetstappen in de hal en Myra kwam stralend en gehaast de keuken ingelopen. 'Zo! Ik heb de pompoen op de bovenste trap gezet, ik popel om ze allemaal aan te steken. Die is heel erg leuk, Claire. Hij heeft een prachtige uitdrukking!'

'Dank je,' antwoordde ze afwezig.

De grijze papegaai vermaalde een zaadje in zijn snavel en keek ze beiden met zijn heldere kraaloogjes aan.

Na het eten ging Claire naar haar kamer om zich op te tutten voor het feest. Ze trok een schone blauwe spijkerbroek aan en het enige zwarte ding dat ze had, een katoenen T-shirt met het logo van een plaatselijk bedrijf achterop. Iedereen ging in het zwart naar de Donkere Cirkel, was haar gezegd. Ze schoof een eenvoudige, zwarte band in haar haar om de weerbarstige bos in toom te houden en maakte haar ogen een beetje op zodat het werkelijk leek alsof ze naar een dansfeestje ging.

Toen het donker werd zag ze overal in de buurt lichtflikkeringen op de voordeurdrempels en portieken verschijnen: de gloeiende ogen en grijnzen van de uitgeholde pompoenen. Ze zwaaide haar raam open en hing naar buiten. Het was een prachtige avond voor eind oktober, koel maar niet guur en er stond geen wind. De afnemende maan, twee dagen na volle maan, rees hoog aan de hemel en gaf zijn zilveren schittering aan de omliggende wolken, zodat de kale boomtakken zwart tegen de lucht afstaken. Ze bedacht dat het een fantastische avond was om 'een snoepje of ik schiet' te spelen. Ze zag kleine groepjes verklede gedaanten langs de schemerige straten rennen, en er klonken stemmen en gelach op in de lucht. Opnieuw voelde ze een kleine steek. Ze deed een stap naar achteren en sloot het raam.

De meisjes waren laat, ze parkeerden voor de deur en toeterden twee keer. Claire keek uit het voorkamerraam en zag Chels auto bij de stoep staan, een tweedehandse, nachtblauwe BMW. Ze greep haar jas, riep: 'Doei pap!' en rende de deur uit. Als dit nou eens echte vriendinnen van haar waren, die haar meenamen naar een echt feestje...

Mimi stak haar hoofd uit het passagiersraampje. 'Kom op, we zijn laat!' riep ze alsof het Claires schuld was. 'We moeten Chelsea nog oppikken.'

Ze reden naar Chelseas huis in het oostelijk deel van het stadje en reden toen door naar school, waar ze de auto neerzetten en gingen dansen... 'Alleen maar om te zeggen dat we er zijn geweest en zodat de mensen ons hebben gezien.' In de gymzaal was het donker, met flitsende stroboscooplampen en overal pompoenen, de muziek dreunde in hun oren. Veel mensen hadden zich verkleed: de kamer was vol spoken, piraten, monsters en prinsessen met glittertiara's. De meisjes liepen rond, praatten met een paar vrienden en bewogen zich toen weer in de richting van de deur.

'Laten we gaan,' zei Mimi.

'Wacht nog even. Ik vind dit net zo'n mooi nummer,' zei Chelsea.

'Jíj moest zo nodig naar die Cirkelbijeenkomst,' kaatste Mimi terug. 'Kom op.'

Claire ging met ze mee, ze wilde eigenlijk helemaal niet weg. Een deel van haar wilde veel liever bij de andere meiden op het feest blijven... gewoon pret maken, zoals bijna al haar leeftijdsgenootjes deden. Brian Andrews was er ook, hij stond bij een groepje jongens bij de voordeur. Ze vroeg zich opnieuw af of het waar was wat Chel had gezegd. Als ze nou besloot toch te blijven, zou hij haar dan zien staan? Zou hij met haar dansen? Zou íémand met haar dansen?

Maar geen van die jongens was William. Opnieuw doemden zijn gezicht en stem in haar geheugen op en ze voelde de pijn van het verlies. Niemand in dit vertrek kon immers tegen hem op? William had alles willen riskeren om met de vrouw van zijn dromen te kunnen leven. Hij was een man, dit waren nog maar jongens. Claire draaide zich om. Ze moest aan Leo's woorden denken: *Als er een nieuwe liefde op je afkomt, moet je daar open voor staan.* Maar ze wist dat ze nooit meer van iemand zou kunnen houden, Leo kon nog zoveel zeggen. Niemand kon aan William tippen. Hoe dan ook, in dit leven kon ze toch niet hopen op een normale relatie. Ze droeg zoveel geheimen met zich mee, ze zou nooit volledig voor iemand open kunnen staan.

Ze liep achter Mimi en de Chelseas aan, voelde zich moe en moedeloos, helemaal niet klaar voor wat haar te wachten stond. Misschien had Leo wel gelijk en stond ze op het punt een vreselijke fout te maken. Ze zei niet veel toen ze naar Lakeside reden en naar het westen afbogen. De auto kwam langs Willowmere. De twee uitgeholde pompoenen waren in speelse spot boven op de kronen van de nors kijkende leeuwen gezet en langs de oprijlaan stonden de andere lachende, oplichtende gezichten. Kabouterlantaarns om het kwaad af te wenden. Toen ze die zag, herinnerde ze zich dat ze dit voor een deel deed om de wantrouwige heksenmeesters van Myra af te leiden. Om haar voor hen af te schermen. *En trouwens,* zei ze bij zichzelf, *het is nu toch al te laat.*

Op de ronde oprijlaan van de Van Burens stonden nog een paar andere auto's geparkeerd. Claire liep achter het groepje meisjes aan toen ze de trap op liepen naar het grote, onheilspellende landhuis en op de bel drukten. Onmiddellijk klonk binnen een woedend geblaf. Mimi en de Chelseas giechelden. 'Dat doet Rex altijd,' zei Chel tegen Claire. 'Wees maar niet bang, hij bijt niet.'

Dat was wel het laatste waar Claire zich zorgen over maakte, maar ze dwong zichzelf te blijven staan toen de deur werd opengemaakt. Niet de oude man stond er, maar Nick van Buren, hij droeg een zwarte spijkerbroek en shirt onder zijn zwartleren jasje. Hij hield de grommende Rex met een hand in toom en staarde Claire recht in het gezicht. 'Wat krijgen we...? Wat doe jíj hier?' vroeg hij dwingend, met gefronst voorhoofd.

'Snoepje of ik schiet,' zei Claire. 'Maar wacht eens even... wíj hadden eigenlijk spookmaskers moeten dragen, niet?' Ze stelde zich kinderachtig aan, dat wist ze wel, maar Nick bracht altijd het slechtste in haar boven.

'Waar gaat dit over?' vroeg Nick aan de drie andere meisjes. 'Waarom hebben jullie haar meegenomen?'

'Ken je haar dan?' vroeg Chel verrast.

'Helaas wel, ja.' Nick staarde haar aan, evenals de hond.

'Goed. Als ik hier niet welkom ben, dan ga ik wel weer.' Claire draaide zich, niet helemaal zonder opluchting, om en wilde vertrekken. Maar toen dook er een schaduw achter Nick op en klonk de stem van meneer van Buren.

'Kom nou toch, Nick, zo begroet je een gast toch niet?' De oude man kwam naast zijn neef staan. Hij was ook helemaal in somber zwart gekleed, een formeel uitziend jasje op een coltrui en een broek met scherpe plooi. 'Goedenavond, miss Norton. Heb je toch besloten om mee te doen?'

Claire haalde kort haar schouders op. 'Ik ben van gedachten veranderd nadat ik met Mimi en de anderen had gepraat. Ik wilde weleens kijken hoe het bij uw coven gaat, als u het tenminste goed vindt. En met Nick,' voegde ze er met priemende blik op de jongere man aan toe.

'Maar natuurlijk. Kom alsjeblieft binnen.'

De meisjes liepen het huis in. Claire vond de hal met zijn opgezette dierentrofeeën nog angstaanjagender dan bij haar eerste bezoek. Maar nu ze alles van jachtdaemonen wist, en van Van Burens obsessie met jagen en doden, begreep ze het veel beter. Dat had hij waarschijnlijk geleerd van die roofzuchtige daemon Phobetor. Van Buren senior ging hen voor met de hond en begeleidde de groep naar de woonkamer. Onderweg keek ze naar de glazen ogen van de antilopekoppen, de huiden die aan de wanden hingen en de vitrinekasten vol stijve, dode vogels. Claire huiverde bij de gedachte aan de andere jachtpartijen van hem en zijn daemon... sommige ook op een menselijke prooi...

'Heb jij een van die dieren geschoten?' vroeg Mimi aan Nick.

'Ja,' antwoordde Nick. 'Die buffelkop op de muur is van mij. En de twee luipaardvellen op de vloer, en een van de antilopen in de woonkamer.'

'Cool,' zei Mimi. 'Dat kun je zeker behoorlijk goed jagen.'

'Ja,' zei Claire, 'het lijkt me reuze spannend om het met een automatisch geweer met telescooplens op te nemen tegen die woeste wildernis.'

'Nog zo'n ecofreak. Dacht ik al.' Nick keek haar vernietigend aan. 'Wilde dieren zijn heus geen troetelbeestjes, hoor. Jij zou ook niet zo veel van ze houden als je beide ouders door een luipaard aan flarden waren gescheurd.'

Chel hapte naar adem. 'Allejezus! Is dat echt met je vader en moeder gebeurd, Nick?'

'Ja. Ik was toen nog maar twaalf. Mijn ouders waren jachtopzieners, en ze controleerden het nationale park op stropers. Ze werden vermoord door dezelfde dieren die ze zogenaamd moesten beschermen. Ironisch, vind je ook niet?' Zijn stem klonk bitter. 'Klaus heeft me geadopteerd en geleerd te jagen. Ik vond het geweldig. Ik had nachtmerries over wat er met mijn ouders was gebeurd, maar die dromen hielden op toen ik eenmaal alles kon doden wat me aanviel.'

Mimi slaakte een meelevend geluidje en legde een hand op

zijn arm. Claire zei niets. Net als een poosje terug, toen ze zijn kamer met die duistere, verontrustende posters had gezien, voelde ze een vreemde mengeling van medelijden en afkeer. Wat hij ook zei, de jonge man zat nog steeds diep in de problemen.

Hoewel hij het tegen Chel had, bleven Nicks donkerbruine ogen op Claire gefixeerd, er zat een smeulende wrok in. Ze nam een wulpse houding aan toen ze voor hem langsliep. 'Als je zo naar me blijft kijken, ga ik nog denken dat je me leuk vindt,' spon ze.

'Dacht het niet,' snauwde hij en hij liep weg. Mooi. Van hém was ze af. Claire liep met de anderen het grote, hoge woonvertrek in.

Daar zaten nog een paar in het zwart geklede mensen. Ze telde vijf jongemannen, ergens tussen de zeventien en achter in de twintig, en veel meer meisjes.... bij elkaar meer dan twaalf. Josie Sloan was er ook, ze was helemaal in het zwart en stond met een van de andere meisjes te praten. Toen ze Claire zag, bevroor haar gezicht en deed ze onwillekeurig een stap achteruit. Ze zocht met haar ogen naar Nick. Hij fronste, schudde zijn hoofd en zij bleef met gebalde vuisten langs haar zij doodstil staan.

De zwarte hond liep naar een zebravacht in een hoek en ging met zijn kop op de poten liggen. Op de marmeren schoorsteenmantel zat naast een paar Afrikaanse ivoren en ebbenhouten sculpturen een kraai, net zo bewegingsloos als de opgezette vogels in hun glazen kooien. Voor de lege haard stond een lange tafel met een rood kleed eroverheen, met daarop een verzameling merkwaardige voorwerpen. Een ervan gaf Claire de rillingen: een menselijke schedel die er heel oud uitzag en waarvan de onderkaak ontbrak. Verder lagen er een paar dierlijke botten en tanden, een glazen bokaal, een dolk en er stonden een paar juwelenkistjes.

Claire liet haar bril iets op haar neus zakken, keek over de lenzen en zocht de kamer af. Al Ramsay had in zijn aantekeningen gewaarschuwd dat daemonen illusies konden creëren, en dat alleen kippige mensen ze van de werkelijkheid konden onderscheiden: valse beelden waren altijd scherp en helder.

'Waarom doe je dat de hele tijd?' vroeg Nick terwijl hij voor haar ging staan.

Nou, hij was een vage vlek, dus hij moest wel echt zijn. 'Alleen maar om een beter beeld te krijgen,' zei Claire tegen de vlek. Ze zette haar bril af en liet hem in haar hand bungelen. 'Ik wou dat ik nu ook nog je geluid kon uitzetten.'

De vlek stapte met een mompelende en weinig complimenteuze opmerking weg. Claire wierp nog een snelle blik de kamer rond en zette toen haar bril weer op. Zo te zien waren alle mensen en dieren in het vertrek echt. Ze zag dat Nick naast de tafel ging staan, hij sloeg zijn armen over elkaar en zijn ogen staarden nog altijd van onder het donkere haar op zijn voorhoofd. Zijn oom ging voor de tafel staan en glimlachte minzaam naar de covenleden.

'Ah, Draco, Orion, fijn dat jullie er zijn... Nachtvlinder, Nachtschade, Altaar, geweldig dat jullie het hebben gered. En wat ben ik blij dat Kattenoog, Krijsende Uil en Maanschaduw ook weer in ons midden zijn. Allemaal welkom!'

'Welkom,' voegde een krassende, schrille stem eraan toe. Claire draaide zich verschrikt om. Het was de kraai op de schoorsteenmantel.

'Kan hij praten?' flapte ze eruit.

'Ja, kraaiachtigen kunnen heel goed na-apen, net zo goed als papegaaien,' zei Van Buren.

Ze staarde naar de kraai. Was het alleen maar napraten of was het de daemon die zijn stem had gebruikt? 'Is dat zo? Daar had ik geen idee van.'

'Kijk eens aan,' merkte Nick snerend op. 'Iets wat Claire Norton niet weet? Wie had dat kunnen denken!'

Ze kon hem wel een klap geven, maar hield het bij een woedende blik.

Van Buren vervolgde met zijn zalvende stem: 'En hier hebben we alweer een nieuw lid! Miss Norton, als je besluit te blijven, kun je je eigen covennaam kiezen. Meestal gebruiken we namen met een nachtelijk thema: nachtdieren bijvoorbeeld, of de namen van sterren en astrologie. Mijn covennaam is Mizar en die van mijn neef hier is Rigel.'

Er viel een korte, verwachtingsvolle stilte, alle ogen waren op haar gericht. 'O, ik kan geen covennaam verzinnen,' zei Claire.

'Ik wil er wel een bedenken, als je dat wilt.' Meneer van Buren deed een stap in haar richting en zei toen een woord. Het klonk als 'serieus'. Ze keek hem een ogenblik verward aan.

'Serieus? O, wacht. U bedoelt *Sirius*... de hondenster?' vroeg ze.

Josie giechelde en Nick mompelde: 'Nou, dát past nog eens mooi bij je.'

Claire kookte maar zweeg. Van Buren keek Nick streng aan. 'Niet verkeerd, miss Norton. Maar ik bedoelde eigenlijk de nachtbloem *cereus*, de bloem die zijn blaadjes pas opent na het invallen van de duisternis.' Hij liep weer naar de tafel terug. 'Voor degenen die hier vanavond voor het eerst zijn, zal ik de voorwerpen op deze tafel toelichten. De fossiele schedel is in Afrika gevonden, samen met deze tanden van een wrattenzwijn die oorspronkelijk aan een rituele halsketting hebben gezeten, zoals jullie aan de geboorde wortelgaatjes kunnen zien. De schedel is van een oude stamtovenaar uit de prehistorie geweest, en de halsketting was ook van hem. Ik heb deze relikwieën helemaal zelf gevonden, omdat ik geen professioneel archeologenteam bij elkaar kon krijgen. Zoals zo veel moderne professionals kunnen archeologen ongelooflijk bekrompen zijn als het gaat om geestelijke aangelegenheden. Maar uiteindelijk had ik niet zo veel moeite om ze te vinden... want, moeten jullie weten, in een vorig leven ben ikzelf die tovenaar geweest. Het landschap was weliswaar door de eeuwen heen veranderd, maar mijn visioenen leidden me naar de resten van mijn vorige bestaan.' Hij legde een hand op de schedel. 'Ik wist precies waar mijn overblijfselen lagen, heb ze gevonden en ze naar mijn huis in Zuid-Afrika meegenomen. Daar heb ik ze aan mijn persoonlijke curiosaverzameling toegevoegd. Ik vind zo'n aandenken namelijk nogal fascinerend, het herinnert me eraan dat de geest onverwoestbaar is en zich door de eeuwen heen van lichaam naar lichaam kan verplaatsen. Jullie kunnen ook zo'n soort onsterfelijkheid bereiken als jullie mijn wijze lessen opvolgen.'

Zijn toehoorders zaten in vervoering naar hem te luisteren. Hij was heel overtuigend, bedacht Claire, onwillekeurig onder de indruk. Wie zou niet geboeid raken door zo'n verhaal dat zo kalm, rustig en nuchter werd verteld? Een deel van het verhaal was klinkklare onzin, natuurlijk... dat zoeken naar de plek met 'psychische krachten', bijvoorbeeld. Waarschijnlijk was hij er door zijn daemon naartoe gebracht, die zich precies kon herinneren waar de oude Mamba was gestorven en hoe het land in de tussenliggende eeuwen was veranderd. Maar een groot deel van zijn verhaal was waar, wist ze, en hij sprak dan ook met krachtige, overtuigende stem.

Hij ging verder: 'In onze beweging stellen we een aantal doelen. Het gaat er vooral om dat je naar een alternatief zoekt voor al die spirituele wegen in deze wereld, die over het algemeen bekrompen en onderdrukkend zijn. Zelfs veel op magie gebaseerde gebruiken hebben de neiging tot een saai en conservatief wereldbeeld; ze keren zich af van wat naar onze mening het ware doel is van magie: macht. Die te kunnen ontdekken en je eigen maken, en ervan te genieten. Als lid van de Donkere Cirkel krijg je greep op dingen die voorheen in duisternis en mysterie gehuld waren. Vandaar onze namen en de kleding die we dragen. Het vergt grote moed om in de duisternis rond te dwalen, maar degenen die die dwaaltocht durven maken, wacht een enorme beloning.'

En daarmee bedoel je, dacht Claire bij zichzelf, *dat je alle regels overtreedt en je door niets en niemand laat weerhouden om te krijgen wat je wilt, hoeveel narigheid je andere mensen daarbij ook aandoet.*

'Hier laten we ons niet door wetten en regeltjes inperken. Hier zijn we vrij om elk pad te volgen dat we willen, naar elk doel dat we willen bereiken. Vergeet alles wat je geleerd is, dit is de enige weg naar geluk. Kijk naar de natuur, waar slechts het recht van de sterkste geldt. De oude sjamanen beschouwden zichzelf als deel van die natuurlijke orde en hebben die wetten aanvaard. Naar verluidt vochten twee sjamanen om de macht door middel van hun dierlijke huisgeesten. Wanneer een dier uiteindelijk werd gedood door de ander, stierf zijn sjamaan ook en was zijn tegenstander de overwinnaar. Macht is leven, zwakheid betekent de dood. Het enige ware doel voor een heks of heksenmeester is om sterker te zijn dan welke andere heks of heksenmeester ook.'

Hij verlegde zijn hand naar een ander voorwerp op de tafel, een juwelendoosje. 'Zoals een aantal van jullie al weet, kijken we bij onze nieuwe leden of ze wellicht eerder hebben geleefd. Ik ben blij te kunnen vertellen dat we inderdaad veel mensen hebben gevonden die herinneringen hebben aan vroegere incarnaties. Eigenlijk is het een zeldzaamheid bij onze bijeenkomsten als niemand ooit eerder had geleefd, want reïncarnatie komt veel vaker voor dan je denkt. Maar de meeste mensen kunnen zich hun vroegere levens niet herinneren zonder de hulp van een ervaren medium. Een paar heel gevoelige mensen hebben zulke herinneringen wel, maar begrijpen ze vaak niet of doen ze af als dromen.

Dus, heeft een van onze nieuwkomers herinneringen of beelden in zijn hoofd die van een eerder leven afkomstig kunnen zijn?'

Niemand zei iets. Zijn ogen gleden vluchtig de groep langs, maar Claire zag dat hij haar een paar tellen langer aankeek. Ze dwong haar gezicht in een nietszeggende blik. 'Helemaal niet? Je hoeft heus niet verlegen te zijn, hoor. Hier hoef je je niet in te houden. Praat met de andere leden van de Cirkel en de meesten zullen je vertellen dat ze eerder hebben geleefd, net als ik... en als Rigel.'

'Is Nick gereïncarneerd?' riep Chel uit. 'Daar heeft hij nooit iets over gezegd.'

'Ik heb het er liever niet over,' gromde Nick.

'Ja. Rigel heeft een paar herinneringen, maar zijn meest recente leven was niet al te aangenaam,' zei zijn oom. 'Als kind hebben ze hem echt nachtmerries bezorgd. Hij is heksenjager in de middeleeuwen geweest, en hij weet nog dat hij getuige was van de executies van veroordeelde heksen.'

Nick verschoof zijn gewicht van de ene naar de andere voet en keek zijn oom dreigend aan, maar hij zei niets.

'Veel mensen vinden de herinneringen uit hun verleden angstig,' vervolgde Van Buren. 'En ongetwijfeld is dat de reden waarom ze die onderdrukken. We moeten wel bedenken dat de levensomstandigheden in de voorbije eeuwen niet al te best waren, en dat de meeste mensen ziek waren of honger leden, of oorlogen en opstanden hebben meegemaakt. Dat is ook het risico als je gedachten aan een vorig leven weer oprakelt... het is heel goed mogelijk dat je die helemaal niet prettig vindt. Maar persoonlijk zou ik het liever wel willen weten. Ik verkies altijd kennis boven onwetendheid.'

'Kennis is macht,' mompelde Nick. Het klonk als een zin die hij uit zijn hoofd had geleerd.

'Precies,' zei Van Buren, die zich niet door het nukkige gedrag van zijn neef uit het veld liet slaan. 'Zo, willen de nieuwe leden naar hun verleden terugreizen?'

Een paar hoofden knikten. Van Burens ogen bleven weer op Claire rusten en ze bromde: 'Oké.' Wat gingen ze nu doen? vroeg ze zich af. Voor hen was het een fluitje van een cent om valse 'herinneringen' bij de nieuwkomers te creëren, ze gebruikten gewoon daemonische illusies.

'Mooi.' Hij pakte het juwelenkistje op en opende het deksel. 'Hier op tafel liggen een paar voorwerpen. Ik wil graag dat jullie daar een ogenblik naar kijken en vertel me dan of ze bepaalde sterke gevoelens bij je oproepen. Maar eerst,' zei hij terwijl hij het doosje weer neerzette, 'moeten jullie een oefening doen om je geest vrij te maken. Daarvoor moet je een beetje mediteren waarbij wij jullie een stukje op weg helpen. Voordat jullie gedachten vrij zijn om rond te zwerven, moeten jullie een geestelijk domein door en iets passeren wat wij "de poortwachter" noemen.

Voorbij ons universum ligt er nog een, een puur geestelijk domein bevolkt door onsterfelijke, alwetende entiteiten. In die hogere ruimte, waar we met onze geest binnen kunnen gaan, komen we in contact met die entiteiten en kunnen we van ze leren. Daar halen de mensen die wij heksen, heksenmeesters en sjamanen noemen, hun macht vandaan. De meeste mensen hebben hun leven lang geen weet van dat buitenaardse rijk. Slechts een paar uitverkorenen maken kennis met het bestaan ervan en de beloning is enorm: de gave van wat wij magie noemen en de mogelijkheid om de dood om de tuin te leiden. Jullie kunnen ook allemaal van deze goede dingen genieten, als je die spirituele poort doorgaat. En aan die poort staat, zoals ik al zei, een poortwachter. Een geest die als enige taak heeft om ervoor te zorgen dat jullie die drempel niet overgaan. Een gevangenbewaarder, zou je het kunnen noemen.

Dus wil ik jullie nu vragen om te gaan mediteren. Ga op een stoel zitten of op een van de dierenvellen, waar je je het prettigst voelt, sluit je ogen en stel jezelf centraal. Stel je voor dat je op een weg of pad loopt met voor je uit een poort en aan weerskanten een muur. Stel je die poort voor. Kun je hem zien?'

Vanuit verschillende kanten in de kamer klonk gemurmel. 'Ik zie een bakstenen muur,' zei een meisje. 'En de poort is van ijzer.'

'De muur van mij is rotsachtig,' zei een jongen. 'De poort is van hout.'

Claire stelde zich de poorten van Willowmere voor, met daarbovenop de oude stenen leeuwen, waardoorheen ze ooit zo verlangend had gestaard.

'Heel goed. Nu willen jullie die poort door. Stel je voor dat je ernaartoe loopt en dat je hem met je handen open duwt. Hij is niet op slot... hij gaat naar binnen toe open. Maar er staat iets naast.' Weer zweeg hij even. 'Een schimmige gedaante, een bedreigende gestalte... kun je hem zien?'

Meer stemmen gaven hem antwoord.

'Het is een angstaanjagende kerel, in een soort soldatenuniform of zoiets. Hij heeft een geweer.'

'Ik zie een hond. Een reusachtige hond met gloeiende ogen.'

'Die van mij is een draak.'

Claire zag hoe een oprijlaan zich voor haar uitrolde waar halverwege een jonge leeuw met woeste, halflange manen stond. *Natuurlijk... mijn beschermgeest, mijn wachter, mijn gids,* dacht ze. En ze moest denken aan wat Leo haar had verteld... dat de beschermgeesten voortdurend de wacht hielden over de geesten van mensen. Zo waarborgden ze de privacy van hun beschermelingen en schermden ze die af tegen de daemonen die misbruik van ze wilden maken. Ze moest haar best doen om niet te glimlachen.

'Wat jullie in dit visioen zien,' reciteerde Van Buren, 'is je bovennatuurlijke vijand. De bewaker van de drempel, de poortwachter. Degene die je de weg verspert naar de geestelijke ruimte. Stel je nu eens voor dat je langs die figuur loopt. Toon geen angst. Hij kan je alleen maar bedreigen, hij kan je niet echt kwaad doen. Stel jezelf voor dat je die wachter achter je laat en dat je op eigen houtje verder wandelt.'

Claire stelde zich voor dat ze de oprit op liep. Maar de vingers van haar rechterhand zaten in Leo's manen verstrengeld. Hij liep naast haar mee, een sterke, beschermende aanwezigheid.

'In vroeger tijden deden mensen zulke rituelen, droomreizen, om zo in de spirituele wereld te komen. De geesten die ze daar tegenkwamen, vaak in dierlijke vorm, werden hun gidsen en hen gehoorzaamden ze. In de Donkere Cirkel weten we wel beter. In de spirituele ruimte is het eerste wezen dat je tegenkomt je vijand, je gevangenbewaarder of cipier. In oude tijden was het de bedoeling om deze entiteit te bereiken en raad te vragen, het is óns doel echter om ervoorbij te komen... onszelf te bevrijden van de overmacht van de cipier en vrijelijk de hogere regionen te kunnen verkennen.' Claire had op een of andere manier het gevoel dat de woorden rechtstreeks tegen haar gericht waren, en ze kreeg de neiging om op te staan en hem tegen te spreken. Tegen de andere kinderen te zeggen dat hij loog, dat de spirituele beschermgeest je vriend en helper was. Een daemon die anderen van zijn soort buiten je geest hield zodat je vrij was om met je leven te doen wat je wilde, en je eigen lot te volgen zonder dat de schurkendaemonen tussenbeide konden komen.

'Want regels zijn er om doorbroken te worden. De Griekse mythologie verhaalt over Prometheus, de god die vuur uit de hemel stal en het aan de mens gaf, en daarmee tegen de andere goden inging. Daar bedoel ik mee dat ik wil dat jullie, net als Prometheus, leren en groeien. Je te bevrijden van de overmacht van deze geesten en hun regels, die slechts zijn gemaakt om zichzelf te dienen, en jullie zwak en in onwetendheid te laten.'

Nou, dacht Claire, *dat is nou eens echt aardig van u, meneer van Buren. Maar akelige cynicus die ik ben, vraag ik me onwillekeurig af wat er voor jou aan vastzit...*

'Goed, jullie mogen je ogen opendoen.' Claire deed ze open, ze hield haar gezicht in de plooi en keek neutraal voor zich uit. Van Buren wendde zich tot haar. 'Cereus, jij hebt niets gezegd. Vond je het moeilijk om een beeld op te roepen?'

'Nee. Ik zag alleen maar het hek van het huis van een vriendin. En mijn figuur leek wel op een soort schurk,' loog Claire.

'Mooi!' zei hij. Zijn ogen bleven op Josie rusten, zij zat stijf rechtop op de bank en keek zelfvoldaan. 'En jullie konden allemaal langs de poortwachter komen en die hield jullie niet tegen? De hoofden knikten. Claire knikte ook. 'Schitterend. Dan hebben jullie de eerste stap op jullie reis gezet. Wanneer je je eenmaal van je cipier hebt bevrijd, kun je zo vaak als je wilt de spirituele ruimte betreden en overal gaan en staan waar je wilt. Nou, nu de tweede test. Nick, wil jij een paar voorwerpen pakken, alsjeblieft?' Nick liep naar de tafel en pakte de dolk en een van de juwelenkistjes. 'Nicholas, wil je elk van die relikwieën laten zien en willen jullie ons vertellen wat ze voor je betekenen? Ik zal het dan hierover hebben.' Hij pakte een bokaal en een kistje. 'Vertel of er mentale beelden of herinneringen in je opkomen wanneer je ernaar kijkt.'

Nick liep heen en weer en liet iedereen om de beurt de twee voorwerpen zien. Een paar kinderen zeiden zomaar wat. Een meisje zei dat beide voorwerpen haar een gek gevoel gaven, maar ze kon niet precies vertellen wat. Een jongen zei dat hij ooit de dolk in bezit had gehad. Nicks lip krulde minachtend, maar zei niets. Hij kwam bij Claire, maar ze had de kist al herkend. Ze schudde haar hoofd toen hij hem opende en Alice' parelketting liet zien. Zijn oom had haar daar al mee verrast toen ze voor het eerst in het huis was geweest, en ze had er toen bijna gevaarlijk spontaan op gereageerd. Maar deze keer kreeg ze geen schok van herkenning. 'Ik heb die ketting al eens gezien,' zei ze verveeld. 'Je oom heeft hem ooit aan me laten zien. De dolk zegt me totaal niets.'

Toen Van Buren naar haar toekwam, keek ze naar de bokaal. Net als de dolk kwamen er geen herinneringen bij haar op. Toen keek ze naar het open kistje in zijn andere hand en ze voelde een duizeling.

Er lag een haarlok in... bleek, blond haar, in een rondje gekruld. Het was duidelijk heel oud. *Mijn haar... dat is Alice' haar! Ik weet het zeker. Maar hoe... hoe zijn ze daaraan gekomen? William moet een lok hebben afgeknipt en hem hebben bewaard...*

'Voel je iets, Cereus?' vroeg meneer Van Buren terwijl hij haar gezicht nauwlettend gadesloeg.

Ze realiseerde zich dat ze al te lang staarde. Een golf van paniek sloeg door haar heen, net als die eerste keer dat ze de halsketting zag. Haar ogen werden troebel. Ze mocht niet huilen, niet hier, niet nu...

Ze keek naar Van Buren op en schudde haar hoofd. Hij ging door naar de volgende persoon en Claire haalde diep adem, probeerde zichzelf tot bedaren te brengen. Dus ze waren op zoek naar Alice. De bokaal en dolk waren alleen maar bedoeld als afleiding, de werkelijke revenant zou de halsketting en het haar er zo uitpikken. Nick liet nu de twee voorwerpen aan Josie zien. Het meisje keek lang naar de halsketting.

Toen haalde ze het uit het kistje en zei: 'Ik ken dit! Dit is van mij.'

Nick keek haar aan, een ogenblik glipte zijn nonchalante masker weg en leek hij werkelijk van zijn stuk te zijn gebracht. Van Buren staarde Josie ook aan, alsof een kat plotseling als een hond was gaan blaffen. Wat er ook aan de gang was, dit hadden ze niet gerepeteerd.

'Wat is het dan, Nachthavik?' informeerde Van Buren. 'Wat zeg je? Heb je werkelijk een herinnering uit een vorig leven?'

'Ik weet het niet zeker.'

Hij stak de bokaal en het juwelenkistje naar voren. Ze keek er een ogenblik met gefronst voorhoofd naar, alsof ze diep in gedachten was. 'Misschien heb ik uit de beker wel gedronken,' zei ze. 'Maar misschien ook niet. Maar het haar herken ik absoluut. Dat is ook van mij.' Josie sloot haar ogen. 'Ik zie een plek van lang geleden. Het is raar... ik heb het gevoel alsof ik daar gewoond heb. Een groot oud huis ergens op het platteland. In... Schotland! Ja, het is Schotland. Ik heb daar gewoond en ik heette... Alice.'

Er viel een doodse stilte in de kamer. De anderen staarden haar aan en vroegen zich af of ze haar moesten geloven of niet. *Wat ben je in hemelsnaam aan het doen, Josie?* vroeg Claire zich af, verbijsterd door deze nieuwe ontwikkeling.

Van Buren staarde naar het meisje omlaag. 'Hier heb je nooit eerder iets over gezegd,' zei hij en er was een nieuwe klank in zijn stem, een spanning die er daarvoor niet was geweest.

'Ik herinner me het ook nu pas, toen ik mijn haar zag. Mijn vriend moet het hebben afgeknipt toen ik stierf en het hebben bewaard.'

'Je vriend.' Nick deed een stap naar voren en keek haar aan. 'Hoe heette hij?'

Josie leek zich te concentreren. 'Het begon met... een W, geloof ik. Ja, W. Ik weet het... William! William Macfarlane. Honderden jaren geleden hebben we in Schotland geleefd.'

De beide Van Burens lieten nu hun zalvende maniertjes varen. Ze wisselden een snelle blik met elkaar en Nick keek naar de hond op het zebravel. Die zat nu stijf rechtop Josie aan te staren. Claire dacht dat ze hem zacht, laag hoorde grommen.

'Dat is fantastisch,' riep Josie uit. Haar gezicht bloosde van opwinding... of was het zelfvoldaanheid? 'Echt verbazingwekkend! Het voelde zo echt. Ik wás die persoon echt, hè? Heel lang geleden.'

Met zichtbare moeite kreeg Van Buren zijn zelfbeheersing terug. 'Daar lijkt het wel op,' zei hij en hij wendde zich tot de andere covenleden. 'Maar het wordt al laat en ik weet dat sommigen van jullie op tijd thuis moeten zijn. Misschien moesten we er maar een punt achter zetten.'

'Raar was dat, hè?' zei Chel.

De meisjes zaten in het cafetaria over de gebeurtenissen van de vorige avond te praten.

'Ja,' stemde Chelsea in terwijl ze in haar salade zat te prikken. 'Stom van ons om terug te gaan naar dat Donkere Cirkel-gedoe. Na afloop wilden ze niet eens met me over Dave praten. Ze kunnen me gewoon niet helpen, en anders kan het ze geen zier schelen.'

'Ik bedoel Josie,' zei Chel. 'Ze deed zo raar.'

'Heb je haar zoiets ooit eerder zien doen?' vroeg Claire die met haar lunchpakketje in de hand naar hun tafeltje toekwam.

'Nee. In het begin hebben we allemaal aan die reïncarnatie-heisa meegedaan, maar dan hypnotiseerde Nick ons altijd. Toen hebben ze die halsketting ook aan ons laten zien, samen met nog een hele bubs andere sieraden, maar voor zover we wisten, had geen van ons ooit zoiets gehad.'

'Josie zei de eerste keer niet dat ze iets herkende?'

'Nee.'

Dus het was inderdaad een test om te kijken of iemand de halsketting uit al die andere spullen zou pikken, dacht Claire. *Net zoals je bij de politie iemand moet herkennen uit een rij verdachten.*

Josie heeft niet eerder begrepen hoe belangrijk die ketting was, anders hadden de Van Burens de bijeenkomst niet zo snel afgebroken. En zij is in de tussentijd meer te weten gekomen over mijn vorige leven. Dus vanavond wist ze dat ze iets moest kiezen wat hoogstwaarschijnlijk van een vrouw was geweest... van Alice Ramsay. De dolk en de bokaal waren gewoon ter afleiding, zoals ik al dacht. Zij raadde dat ze op de halsketting en de haarlok moest gokken. Josie verraadde zich bijna met de bokaal, maar was wel zo voorzichtig om daar niet te veel aandacht aan te schenken.

'En jullie hebben nooit eerder dat andere – de kist met die haarlok – gezien?' Het kostte haar moeite om de woorden op neutrale toon te zeggen. Het bewijs van het hopeloze verdriet van de lang geleden gestorven William weerklonk in haar als een echo. Ze treurde des te meer om hem en verlangde meer dan ooit naar hem.

'Nee... dat was absoluut nieuw,' zei Mimi.

Zou het dan pas sinds kort in hun verzameling zitten? Claire vroeg zich af hoe de Van Burens aan het juwelenkistje en zijn inhoud waren gekomen. Dat zou ze waarschijnlijk nooit te weten komen. Maar het was zonder twijfel bedoeld om een sterke emotionele reactie bij de revenant Alice uit te lokken. Claire had haar gevoelens slechts met de grootste moeite in bedwang kunnen houden.

'Als je het over de duivel hebt,' zei Chel.

Claire keek op en zag Josie naderen. Er lag nu geen angst of rancune op haar gezicht, ze zag eruit als de spreekwoordelijke kat die de room heeft gejat. 'Wat was dat allemaal, gisteravond?' vroeg Chel. 'We begrepen er niets van.'

'De heksenmeesters waren niet alleen op zoek naar herinneringen aan vroegere levens. Ze zochten naar een bepaald iemand,' antwoordde Josie terwijl ze meesmuilend tegen de tafel leunde. 'Een heel machtige, gereïncarneerde heks. En ze hebben haar inderdaad gevonden. Want ík ben die heks.'

'Wat betekent dat dan?' vroeg Mimi.

'Het betekent dat ik anders ben. Bijzonder.' Josie had het tegen Mimi maar ze keek naar Claire. 'Ik krijg een hogere status in de Cirkel. En het betekent dat bepaalde mensen beter op hun tellen moeten passen als ik in de buurt ben.'

'En bepaalde andere mensen hadden huisarrest,' wees Claire haar terecht. 'Ik heb je gisteravond gezien, en ik ben niet de enige getuige.'

'Je snapt het nog steeds niet, hè?' Josies grijns werd breder. 'Van nu af aan kan ik alles doen wat ik wil.' Claire draaide zich om en liep naar een ander tafeltje. Maar Josie was nog niet klaar. 'En Nick is míjn vent. Ik heb al gezegd dat jullie uit zijn buurt moeten blijven. Dat geldt voor jou, Mimi... maar ook voor jou, Claire.'

'Mij?' Claire staarde haar in het gezicht aan.

'Je dacht zeker dat je mij voor de gek kon houden, hè... mooi spelletje speel je, om te doen alsof je een hekel aan hem hebt.'

'Ik speel geen spelletje,' wees Claire haar terecht. 'Ik heb echt een hekel aan hem.'

Josies ogen vernauwden zich. 'Ik heb je gisteravond heus wel gezien. Je kon je ogen niet van hem afhouden.'

'Ik zit heus niet achter hem aan, hoor, als je dat soms denkt. Ook al zou ik geld toe krijgen nog niet.'

Josie deed een stap naar voren, haar ogen flakkerden nu op. 'Dus je zegt eigenlijk dat iemand die ík aardig vind niet goed genoeg is voor jóú?'

'Josie, of je wilt dat ik hem wil of je wilt dat ik hem niet wil. Maak een keus.'

'Kom op, jullie, je weet dat jullie niet met elkaar mogen praten. Kunnen we het niet over wat anders hebben?' zei Chel. 'Weet je, Claire, ik zag gisteravond dat je je bril af had gedaan. Dat staat je veel beter.'

'Ja.' Chelsea keek Claire lang kritisch aan. 'Heb je ooit wel eens een make-over laten doen? Met de juiste kleren en wat make-up en zo zou je er hartstikke goed uit kunnen zien.'

'Maar van die bril moet je af,' voegde Mimi eraan toe. 'Misschien kun je contactlenzen nemen. Of een laseroperatie laten doen om je ogen te repareren.'

Haar ogen laten repareren? Zodat ze nooit meer deamonische illusies kon opsporen? 'Nee!' flapte Claire er met onwillekeurig afgrijzen uit.

'Jee, het was alleen maar een idee,' zei Mimi beledigd.

Josie gniffelde en wees naar Claires borst. 'Dat kun je ook laten opereren, weet je.'

Claire deed alsof ze het in overweging nam. 'Jeetje, ik weet niet. Dat soort operaties zijn nogal duur, hè? Hoeveel heb jij betaald voor het laten weghalen van je hersenen?'

Josie keek haar kwaad aan en wilde antwoord geven. Toen leek ze van gedachten te veranderen. Ze glimlachte spottend, draaide zich om en liep zonder nog een woord te zeggen weg. Claire voelde kippenvel op haar armen.

'Leo, als je niet te woest op me bent om met me te praten, wil ik graag een vergadering beleggen,' zei Claire.

Ze zat op haar bed. De roodgouden kat lag opgerold aan het voeteneind, ogenschijnlijk vast in slaap. In de afgelopen vierentwintig uur had ze geen woord of teken van leven van Leo gehoord. Gisteravond was ze gelijk naar bed gegaan, uitgeput van de spannende Cirkelbijeenkomst. Na een volle dag op school was ze alweer moe. Haar vader zou pas laat in de avond thuiskomen, omdat hij buiten de stad een computersysteem moest helpen installeren. Ze voelde zich weer heel eenzaam en met een verlangend gevoel zocht ze contact met haar huisgeest, over de stiltebarrière heen die hen opnieuw van elkaar scheidde.

Na een paar angstige ogenblikken gaf hij antwoord, zijn geest raakte de hare aan. Het katje ging spinnen, rekte zich met een langgerekte gaap uit en liet al zijn punttandjes zien. *'Ik ben niet, zoals jij het uitdrukt, woest op je. Ik ben druk geweest met het in de gaten houden van het huis van de vijand... de hele avond en vandaag ook nog.'*

Claire merkte dat hij ongerust was en voelde zich schuldig. Als ze gisteravond in gevaar was gekomen, had hij niet veel voor haar kunnen doen. 'Dan wil je mijn verslag zeker wel horen,' zei ze tegen hem en ze vertelde wat er allemaal voor rare dingen tijdens de bijeenkomst waren gebeurd. Achteraf vond ze haar ervaring met de Donkere Cirkel enger dan het moment zelf. Van Buren senior was zo overtuigend, zo vriendelijk geweest. Ze dacht terug aan zijn welwillende glimlach toen hij haar bij haar nieuwe covennaam had genoemd. Hij wilde haar vleien en toen zijn ogen op haar rustten, had ze zich zelfs even gevleid gevoeld. Een gevaarlijk man, die meneer van Buren, hij was nu heel anders dan in zijn vorige levens. Als Mamba en Morley was hij alleen maar hatelijk geweest en had hij gedreigd. Nu had hij geleerd subtieler op te treden, te manipuleren. Hij wist precies welk lokaas hij haar had voorgehouden... Claire, het buitenbeentje van de klas. Macht en prestige, de kans om eindelijk op te vallen, om een belangrijk lid van een groep te worden. En hij had haar ook kennis aangeboden. Hij had op al haar behoeftes, onzekerheden en frustraties ingespeeld, zonder ze met name te noemen... en wat was het makkelijk geweest om daarop te reageren, toe te geven...

Ze dwong zich weer te concentreren. 'Josie moet over Alice hebben gelezen in Al Ramsays aantekeningen. Ze heeft vast haar rattenhuisgeest naar binnen gestuurd om ze te lezen... weet je nog dat ze in huis overal op de grond verspreid lagen? Daar staat een hoop in over Alice' leven. Ik vraag me af wat ze allemaal te weten is gekomen? Zou ze het deel hebben gelezen waarin hij vertelt dat ik opnieuw ben geboren?'

'Als dat zo is,' zei Leo, *'dan is ze de enige niet. De daemon die in de rat zat en waarmee ze verbonden was, moet de aantekeningen ook hebben gelezen, en had absoluut alles wat hij te weten was gekomen aan Phobetor en Van Buren doorgebriefd.'*

'Maar dat zou betekenen dat ze alles weten!' riep Claire uit en ze sprong verschrikt op.

'Ze deden niet alsof ze alles weten. Die Donkere Cirkel-bijeenkomsten zijn duidelijk een excuus, een dekmantel om de revenant Alice te kunnen vinden, en daar zijn ze mee doorgegaan sinds dat incident met de rat. Tot aan gisteravond aan toe, toen ze een nieuw souvenir uit jouw vorige bestaan tevoorschijn toverden. En we hebben in het huis al gehoord dat de jonge Nick slechts een bescheiden rol in het geheel speelt, ik maak me sterk of hij wel echt een revenant is. Volgens mij moet hij alleen maar jonge vrouwen naar de Cirkelbijeenkomsten lokken en is dat zijn enige rol. Ze gebruiken hem nog steeds, dus denken ze hem nog nodig te hebben. Nee, ze weten niet alles.'

'Josie gelooft dat Nick haar persoonlijk eigendom is. Het lijkt wel of ze denkt een claim op hem te kunnen leggen, helemaal na dat akkefietje van gisteravond.'

'Ja. Alsof ze hem als een prijs beschouwt... degene die als revenant tevoorschijn komt, wint Nick van Buren als een soort prinsgemaal. Ongetwijfeld hebben ze die indruk expres bij de Cirkelmeisjes gewekt.'

'Als ze maar wisten dat ze me om een heel andere reden zochten... niet om me op een voetstuk te plaatsen, maar om het tegen me op te nemen. Maar ze geloven haar toch niet echt, hè? Ik bedoel, ze weten nu toch wel wat Al Ramsay heeft opgeschreven en dat ze alleen maar zijn aantekeningen nabauwde?'

'De ratdaemon zou ze alles hebben verteld, ja... tenzij... Claire,

kan het zijn dat Josie Ramsays notities op een ander moment heeft gelezen, zonder de rat?'

'Nee... ik weet bijna zeker van niet. Dan had ze in huis moeten inbreken en dat had Myra of ik zeker gemerkt. Ze heeft maar één keer ingebroken, toen ik op het dak was.'

'Maar weet je ook hoe laat ze heeft ingebroken? Heb je het raam horen breken?'

Claire probeerde het zich te herinneren. 'Nee... ik had net zo goed op de trap kunnen zijn, toen ik naar de uitkijkpost rende. Dan had ik het waarschijnlijk niet kunnen horen.'

'Dus misschien heeft ze de tijd gehad om in elk geval een paar aantekeningen te lezen, door ze tegen het raam te houden, misschien? Of misschien had ze wel een zaklantaarn of een kaars bij zich.'

'O jeetje, daar heb ik nooit aan gedacht! Leo, diezelfde avond heb ik alles gelezen wat Ramsay had opgeschreven over Alice' laatste reïncarnatie. Na de stroomstoring heb ik die papieren open en bloot in de studeerkamer op het bureau laten liggen. Waarschijnlijk heeft ze eerst het hele huis doorzocht, kamer voor kamer, voordat ze naar de zolder ging... Ze kon ze inderdaad eerst hebben gelezen!'

'Dus de vraag is, heeft ze dat ook gedaan? En heeft ze die kennis ook aan de heksenmeesters verteld? Als dat niet zo is, weet ze meer dan zij. En ze weet er zoveel van dat ze kan doen alsof zij degene is die ze zoeken. Die extra kleine details – Williams naam, bijvoorbeeld, staat nergens in de bekende verslagen van Alice' leven – kunnen heel overtuigend zijn.'

'Ze kúnnen haar gewoonweg niet geloven! Ze was zo nép. Ik zag gelijk dat ze zat te liegen.'

'Logisch, want jij wéét dat ze zat te liegen. Voor de heksenmeesters en hun daemonen was dat vast niet zo duidelijk.'

'Trouwens, als wij erachter kunnen komen dat ze toegang

had tot de rest van Als aantekeningen, kunnen zij ook wel bedenken waar ze die extra kennis vandaan heeft.'

'Maar zij weten niet wat er in die notities staat. Zij weten bijvoorbeeld niet dat Ramsay het over William heeft gehad. Dan hadden ze zelf al die papieren moeten lezen, en niks wijst erop dat dat het geval is. Dus... ze weten het niet zeker. Misschien proberen ze nog een test op Josie. Of gaan ze haar onder hypnose ondervragen. Je hebt heel veel geluk dat Ramsay nergens jouw naam in zijn stukken vermeldt. Ik betwijfel het of Josie weet wie de echte Alice is.'

'Ik hoop dat je gelijk hebt.'

De kat sprong van het bed en begon als een kleine leeuw te ijsberen. *'Ik moet proberen nog een keer in dat huis rond te neuzen, kijken of ik meer zekerheid kan krijgen. Dat is belangrijk. Als ze Josie inderdaad geloven, verkeert ze in groot gevaar.'*

'Dat weet ik. Wat is het toch een achterlijke trut! Het enige waar zij om geeft is belangrijk gevonden te worden en alles te krijgen wat ze wil. Nou, deze keer krijgt ze meer dan waar ze om heeft gevraagd. Maar Leo, welke gastheer ga je gebruiken?'

'Weet je de kamer nog in het huis van Van Buren, met al die kooien? Ik denk dat ik in een van die dieren ga zitten en hem als gastheer neem. Als ik een van de ratten of muizen zou helpen uit zijn kooi te ontsnappen, breng ik zijn leven wellicht in gevaar, maar hij krijgt ook een kans om te blijven leven. Ze zijn immers bedoeld als voer voor de grotere dieren. Ik kan het knaagdier door het huis laten sluipen en kijken of ik wat gesprekken kan afluisteren.' De ogen van de kat keken naar haar op. *'En nee, jij gaat deze keer niet mee. Dat is het risico niet waard.'*

'Goed. Je vertelt het me als je iets te weten bent gekomen, oké?' zei Claire.

Nadat hij weg was, gaf Claire de kat en zichzelf te eten en ging toen een poosje tv zitten kijken. Daarna haalde ze haar huiswerk tevoorschijn, ook al hoefde dat vrijdag pas af. Het was geen moeilijke opdracht, maar ze merkte dat ze de vragen steeds opnieuw las zonder dat ze die eigenlijk snapte. Ze kon zich niet concentreren, ze voelde zich rusteloos en weinig op haar gemak. Tijdens het wachten viel buiten de schemering in. Het was bovendien een onrustige nacht. Aan het betoverende weer, onverwacht mild voor dit seizoen, was een einde gekomen en een kille wind blies door de boomtakken. Claire stond op en draaide de thermostaat hoger, toen probeerde ze weer wat te werken.

Leonardo de kat lag op haar bed te slapen, volkomen zorgeloos. Ze ging een paar keer bij hem kijken om te zien of haar huisgeest al terug was. Zo had ze tenminste iets te doen. Ze liet haar huiswerk voor wat het was en begon net als Leo te ijsberen. Zeven uur, acht uur, negen. Ze hoorde nog steeds niets. Half tien, tien uur. Haar vader had gezegd dat hij ongeveer om elf uur, half twaalf thuis zou zijn. Ze hoopte dat Leo ver voor die tijd terug was.

Waar was hij? Ze merkte dat ze zich ongerust maakte omdat hij zo lang weg bleef en zei bij zichzelf dat ze niet zo belachelijk moest doen. Een daemon kon niets overkomen. Een schepsel zonder lichaam kon niet gewond raken of vermoord worden. Toch voelde ze haar hart sneller slaan naarmate de wijzers van de klok verder kropen. Ze probeerde in contact met hem te komen, maar kreeg geen antwoord. Het leek wel alsof hij een gapende ruimte bij haar had achtergelaten. Ze kon zich een leven zonder hem al helemaal niet meer voorstellen...

'Hou ermee op!' riep ze hardop. 'Flink zijn. Zodra hij iets te vertellen heeft, komt hij vanzelf naar me toe.' Ze keek weer naar de klok. Was het nog maar tien over tien? De minuten leken wel als uren voorbij te kruipen. Ze stond op en begon weer te ijsberen.

En plotseling was hij er, voelde ze dat andermans gedachten de hare aanraakten, licht als de fladderende vleugel van een mot. Opluchting stroomde door haar heen. Maar bijna onmiddellijk sloeg dat om in schrik.

'Claire, ik weet wat ze van plan zijn. Ik ben er geweest en heb het allemaal gehoord. Ik heb een rat een handje geholpen, hij heeft zich uit zijn kooi geknaagd en vervolgens een muis uit de volgende kooi helpen vrijlaten – ik wilde de kleinste gastheer nemen die er maar was – en hem toen de trap af gestuurd om de heksenmeesters te zoeken. Van Buren en de hond Rex waren in de zitkamer. Ze hebben mij niet gezien, maar ik heb alles gehoord wat Van Buren te zeggen had.'

Als tuimelende glassplinters flitsten er allerlei beelden door Claires hoofd, elke splinter weerspiegelde een ander beeld. De gangen en kamers waren in de ogen van de rondsluipende muis reusachtig geworden, de gestalten van de man en zijn hond doemden letterlijk boomlang voor haar op. En hun stemmen hoorde ze ook, ze bulderden als onweer in de lucht.

'Ze gaan haar vermoorden... Josie. Ze zijn ervan overtuigd dat ze jou is. Ik heb niet alles kunnen verstaan wat Van Buren heeft gezegd, alleen dat ze een smoes verzinnen om haar vanavond alleen het ravijn in te kunnen sturen, en dat de wolfshonden dan wel voor de rest zullen zorgen...'

14

Claire rende naar haar kamer. Haar sneakers lagen op de grond waar ze ze had uitgeschopt. Ze schoot ze aan en probeerde met trillende vingers de veters vast te maken. Het katje werd wakker en keek haar onderzoekend aan.

'Wat ben je precies van plan?' vroeg Leo haar.

'Ik ga natuurlijk achter haar aan.' Claire greep een kleine zaklantaarn van haar nachtkastje – sinds die stroomstoring had ze er altijd een naast haar bed liggen – en vloog de kamer weer uit. De kat sprong van het bed en ging achter haar aan.

'Maar hoe weet je nou waar ze is? Het Willow Kreekravijn is wel twintig kilometer lang.'

'Ze zal wel aan deze kant zitten, denk je ook niet? Als ze tenminste vanaf het huis van de Van Burens vertrekt.'

'Dat weten we niet. Misschien gaat ze wel vanaf haar eigen huis en heeft ze in het ravijn met hen afgesproken. En het lijkt mij heel onwaarschijnlijk dat ze haar zo dicht naar het zuiden gaan aanvallen, veel te veel volk in de buurt. Iemand zou haar kunnen horen gillen.'

Claire bleef midden in het aantrekken van haar jasje steken. Dat was waar... hier, aan de zuidkant, vlak bij de monding van de kreek, stonden allemaal huizen langs het ravijn. Verder stroomopwaarts was de haven, Lakeshore Park en het Centrum voor Toneelkunsten. Dat zou nu waarschijnlijk wel leegstromen, want de voorstelling moest zo'n beetje afgelopen zijn. En de brandweer zat er ook, het personeel daar was altijd alert op noodgevallen. Nee... Leo had gelijk, daar hadden ze te veel last van mogelijke pottenkijkers, zelfs op dit uur. Van alle kanten zouden de mensen Josie te hulp schieten. Maar verderop verbreedde en verdiepte het ravijn zich, daar woonde niemand en had je alleen maar bedrijven- en industrieterreinen. Daar kwam 's avonds na achten niemand meer.

'Ze moeten nog steeds voorzichtig zijn, zie je,' zei Leo. *'Misschien ziet iemand de honden en herkent hij ze; het is algemeen bekend dat Van Buren een fokker is. De verdenking kan heel makkelijk op hem vallen. Als Josie iets overkomt, hoopt hij natuurlijk dat wilde dieren de schuld krijgen, de coyotes of wolven, maar dan mag niemand de aanval zelf zien.'*

'Dan gaan we naar het noorden,' zei Claire. 'Maar hoe komen we daar? Lopen duurt veel te lang. Zal ik een taxi nemen?'

'We hebben geen tijd te verliezen,' zei Leo. *'Misschien zijn we zelfs nu al te laat. Ze hebben al drie wolfshonden uit hun kennel losgelaten.'*

Claire bleef een ogenblik besluiteloos staan. Toen rende ze naar de telefoon in de keuken. 'Ik bel Myra.' Met trillende hand toetste ze de knoppen in. Er was niets aan te doen, Myra zou er toch bij betrokken worden. Het was een risico, maar Josie was in groter gevaar. Hij ging over... een, twee, drie keer... vier, vijf. Claire kreeg de zenuwen, maar bleef wachten. Het was tenslotte een groot huis. Zes, zeven...

Bij de tiende keer smeet ze de hoorn op de haak. 'Ze is niet thuis! Wat moeten we doen? Ik kan er niet heen rénnen... we móéten een auto hebben, anders kunnen we niet wegvluchten. Ik wil het niet rennend tegen een stelletje honden opnemen!'

'Je vader is niet met de auto naar zijn werk, wel?'

'Nee, hij is rechtstreeks doorgegaan, met een paar andere mensen in de auto van de baas. Maar het heeft geen zin, Leo. Ik kan paps auto toch zeker niet nemen.'

'Misschien moet je wel. Je hébt een vluchtauto nodig, zoals je zelf al zei.'

'Leo, je begrijpt het niet! Ik kan niet autorijden. Ik heb alleen maar een paar beginnerslessen gehad, en ik heb geen rijbewijs.'

'Ik kan je laten zien hoe het moet,' zei Leo.

'Weet jíj hoe je moet autorijden?' Ze staarde hem aan.

'Toen jij en je vader met de kat naar de dierenarts gingen, heb ik met Leonardo's ogen gezien hoe hij autoreed. Ik was nieuwsgierig hoe het in zijn werk ging.'

'Maar... je hebt het hem maar één keer zien doen!'

'Eén keer was genoeg. Ik heb je al verteld dat daemonen een fotografisch geheugen hebben. Claire, we hebben geen tijd om ruzie te maken.'

Claire keek hem een ogenblik aan. Toen draaide ze zich om en liep naar de deur. 'Niet te geloven dat ik dit doe,' mompelde ze.

De kat ging achter haar aan. *'Neem Leonardo mee, Claire. Ik heb zijn ogen nodig.'*

'Oké.' Ze graaide de reservesleutels van haar vader van de haak aan de keukenmuur. Toen haastte ze zich met Leonardo op haar hielen de deur uit en deed hem op slot. Haar vaders donkerblauwe Honda stond op de oprit geparkeerd. Ze deed de deur aan de bestuurderskant van het slot en glipte op de stoel. De kat sprong op haar schoot.

Ze trok de deur dicht, haalde diep adem en zei: 'Daar gaat ie dan.' Ze wilde de sleutel in het contactslot doen.

'Nee, je moet eerst het linkerpedaal indrukken. Dat is de rem.'

'Waarom?'

'Dat weet ik niet, maar dat doet je vader altijd. Ik denk dat de auto anders niet start. Een soort voorzorgsmaatregel.'

'O ja. Nu weet ik het weer.' Met haar rechtervoet drukte ze op het rempedaal. Toen stak ze de sleutel in het slot en draaide hem om. De motor brulde.

'Je moet je lichten aandoen,' zei Leo. *'Je vader heeft overdag gereden, dus hoe dat moet weet ik niet.'*

'Dat is wel goed. Ik weet hoe... o, shit!' De ruitenwissers sprongen tot leven en piepten over het glas. Ze deed ze uit. 'Verkeerde knopje,' zei ze met een bibberig lachje. 'Dit is 'm.' De dimlichten flitsten aan en verlichtten de voorkant van het huis. Ze greep naar de versnellingspook en drukte die in zijn achteruit, zoals haar vader haar had voorgedaan. 'En nou? Leo, ik weet het niet meer!'

'Laat je voet langzaam van het rempedaal los.'

'Moet ik geen gas geven? Het rechterpedaal?'

'Nog niet. Je zult merken dat de auto vanzelf gaat rijden, maar langzaam.'

De auto begon achterwaarts de oprit af te glijden. Claire keek snel naar beide kanten, maar er waren geen auto's in het zicht. *'Het kan, ik kijk met je mee,'* zei Leo tegen haar. De kat was op de rugleuning gaan zitten, zijn kop zwaaide heen en weer toen Claire de lege straat in reed en de auto op de rechterrijstrook manoeuvreerde. Ze remde weer en zette de versnelling in zijn vooruit. *'Nu kun je de rem weer loslaten en druk je het gaspedaal...'* De auto schoot naar voren en Claire slaakte een verschrikte kreet. Als een uitzinnige trapte ze op de rem en ze kwam piepend tot stilstand.

'...voorzichtig in,' eindigde Leo. De kat klampte zich met al zijn klauwen aan zijn hoge plek vast.

Haar tanden klapperden. 'Leo, ik geloof dat ik dit niet kan.'

'Ja, je kunt het wel. Ik zal je de hele weg begeleiden. Geen paniek

en rijd niet harder dan de wettelijke minimumsnelheid, dan komt het allemaal goed. Onthoud dat er een leven op het spel staat.'

Claire legde haar voorhoofd op het stuur. 'Het krankzinnige van alles is, is dat ikzelf een stuk veiliger ben als de Van Burens blijven geloven dat Josie Alice is geweest.'

'Dat was in mij ook al opgekomen. Als je haar helpt, gooi je je eigen glazen in.'

Claire kreunde. 'Dus... ik ga mijn leven riskeren om een meisje te helpen dat ik helemaal niet mag, en bedanken zal ze me heus niet. Bovendien ben ik nog slechter af ook omdát ik haar help. Eh... Leo? Vertel me nog eens, waarom doe ik dit eigenlijk?'

'Vroeger heb je ook anderen geholpen,' zei Leo. *'Toen je Bloem-van-de-droogte was, en Alice...'*

'Ja, ik weet nog dat ik Helen Macfarlane te hulp ben gegaloppeerd... en je weet hoe dat is afgelopen.'

'Sorry, Claire, maar volgens mij – als toeschouwer van jullie specimen – wordt goed gedrag op geheel eigen wijze beloond.'

Maar ze reed de auto al naar voren. Bij de hoek draaide ze de zijstraat in die van Maple naar Birch liep. 'Het gaat wel weer,' zei ze en ze vrolijkte wat op. 'De basisdingen weet ik wel... eigenlijk is het niet zo moeilijk, zoals stoppen voor stopborden en verkeerslichten.'

'Ah, ja... de verkeerslichten. Die weet ik nog.'

'Weet je die nog? Wat bedoel je?'

'Ik moet steeds goed onthouden welke kleur wat is als ik in deze gastheer zit. Katten kunnen de kleur rood namelijk niet zien,' legde Leo uit.

'Schitterend! Ik krijg rijlessen van een kleurenblinde daemon!'

'Zoals ik al zei, hebben daemonen een fotografisch... let op de weg!' De kat sprong op haar schouder toen ze weer op de rem stond om een afslaande auto te ontwijken.

'Leo, zo help je me niet.'

'Als je wordt aangehouden, krijgen we absoluut narigheid,' bracht hij haar in herinnering. *'En je kans om Josie te helpen is dan vervlogen.'*

'Ja... dat lijkt me ook,' zei Claire. Het stuur glibberde in haar zwetende handpalmen. 'Geen rijbewijs op zak, niets. "Het is in orde, oom agent. Weet u, ik reed eigenlijk niet zelf. Mijn kat zei wat ik moest doen."'

'Let op, daar rijdt een auto achteruit de oprit af.'

'Ik zie hem. "Echt, agent, en eigenlijk is het helemaal geen kat, maar een onzichtbaar wezen dat in mijn hoofd tegen me praat..."' Claire wist dat ze zat te wauwelen. Ergens tussen haar zorgen om Josie en haar angst om door de politie in de kraag te worden gevat, gilde elke zenuw het in haar lichaam uit. Plotseling had ze het belachelijke idee dat iedereen aan haar kon zien dat ze illegaal achter het stuur zat... dat het van haar gezicht af straalde. Tegelijkertijd golfde de opwinding door haar heen: ze reed auto, en nog wel op een echte weg! Eindelijk reed ze zelf een keer en zat ze niet op de passagiersstoel. Ze wist dat het gevaarlijk was als ze zo uitgelaten was en dat ze inschattingsfouten zou maken als ze met zichzelf op de loop ging. Ze hield haar ogen op de weg gericht. Gelukkig was er op dit late uur niet zo veel verkeer meer op de weg, zelfs niet op de normaal zo drukke Birch Street.

Birch liep langs het ravijn tot Bond, daar dook hij het ravijn in en kronkelde over een steile helling langs de oostkant naar beneden. Daar ging hij onder een spoorbrug door, maakte een bocht en stak via een brug de kreek over. Claire vond het maar eng, ze was altijd bang dat je in een lange, neerwaartse bocht niet op tijd kon stoppen, vooral 's winters als de weg glad was. Het hele gedoe deed haar denken aan een achtbaan. Stiekem was ze altijd opgelucht als de weg de begane grond had bereikt.

Nu moest ze zelf die afdaling doen, en nog wel in het donker. Windvlagen sloegen tegen de auto toen ze bij het verkeerslicht Bond op draaide. Ze was blij dat Leo bij haar was, daar werd ze kalm van, en omdat er weinig verkeer was, kon ze zo langzaam afdalen als ze maar wilde.

Steeds verder gingen ze naar beneden, de beboste oostelijke ravijnhelling rees links van haar op en daartegenover doemde de westelijke helling op. Ze reden onder de spoorbrug door, met zijn torenhoge steunberen, hij doemde reusachtig, donker en onheilspellend op. De weg was goed verlicht, maar langs de rand van het ravijn was het pikkedonker. Claire huiverde bij het idee dat Josie alleen in dat schimmige bos liep, ver uit het zicht en buiten gehoorsafstand van de weinige auto's op de brug hoog boven haar.

De weg liep weer omhoog tot aan de westelijke helling en kronkelde helemaal naar boven tot hij weer rechttrok. Hier ging Bond Street over in een groot bedrijventerrein met grote winkels en groothandels, onderbroken door een paar middelhoge gebouwen. Maar aan de rand van het ravijn lag een stuk braakliggend terrein met woekerend gras en een paar bomen. Claire sloeg bij het stoplicht af en reed naar de parkeerplaats ernaast. Haar handen waren verkrampt, zo stijf had ze in het stuur geknepen.

'Zo,' zei ze, terwijl ze het rempedaal indrukte en de auto in de parkeerstand zette. Ze draaide de sleutel in het contactslot om en de auto viel stil, maar ze liet de lichten aan. 'Dit is Willow Kreekpark. Achter die bomen loopt een soort ruw pad recht het ravijn in.' Ze zocht in haar zak naar de zaklantaarn.

'Claire, je moet hier blijven. Het is te gevaarlijk.'

'Maar met zijn tweeën kunnen we sneller zoeken,' wierp ze tegen, hoewel ze de gedachte aan het donkere ravijn ook weinig aanlokkelijk vond. Nu de motor uit was, kon ze het koude water horen murmelen.

'Stel dat je door de wolfshonden wordt aangevallen? Je hebt geen wapen.'

Claire zweeg een ogenblik. 'Oké, ik begrijp wat je bedoelt. Wat moet ik dan doen?'

'Wacht hier. Ik heb een gestreepte uil naar het ravijn gestuurd. Met hem ga ik vanuit de lucht Josie zoeken. Zodra ik haar heb opgespoord, hoor je het van me. Ga boven aan het pad staan en doe je zaklamp aan. Samen met de koplampen van de auto kan Josie zien welke kant ze op moet rennen. De uil drijft haar de heuvel op, jouw richting uit, dan kunnen jullie met de auto wegvluchten.'

'Oké dan,' zei Claire. Ze vond het vervelend dat ze weer moest wachten, maar ze wist dat haar huisgeest gelijk had. Ze kon zich nog afschrikwekkend goed het beeld voor de geest halen van een stelletje wolven die haar aanvielen. Josie had een keer met de schurkendaemonen samengespannen en Claire nachtmerries bezorgd, daarin werd zij door die wolven achtervolgd. Het was de ironie ten top dat Josie nu zelf werd bedreigd, maar nu door een paar echte honden. Claire wilde niet dat haar iets naars overkwam... of dat ze vermoord zou worden.

De kat, nu weer zonder zijn onzichtbare metgezel, ging op de passagiersstoel liggen en viel in slaap. Buiten cirkelde een kleine figuur in de lucht en Claire hoorde de krassende kreet van een uil toen die in de duisternis omlaag dook.

En opnieuw moest ze wachten, het leek wel een eeuwigheid. Achter zich hoorde ze het vage gerommel van het verkeer en in de verte het geratel van een goederentrein. Voor haar uit klonken de nachtgeluiden uit de gapende kloof op. De wind zwiepte door de boomtakken. Ze probeerde wijs te worden uit de geluiden, luisterde of ze geblaf hoorde van een roedel honden in hun uitzinnige jacht op hun prooi. Of zouden ze zich volslagen stil houden en hun slachtoffer onverhoeds te pakken nemen? Aan dat vreselijke beeld wilde ze niet denken en in plaats daarvan probeerde ze zich de luchtpatrouille van de gestreepte uil voor te stellen.

Ten slotte verbrak Leo zijn stilte. *'Nog steeds geen spoor van haar te bekennen. Maar de drie honden zijn er wel, ze wachten af... alsof ze haar verwachten.'*

'Leo, weten we eigenlijk wel zeker dat ze hiernaartoe komt? Misschien mag ze toch niet weg van haar ouders.' Dat leek niet erg waarschijnlijk, want zo waren ze helemaal niet, maar Claire greep elk sprankje hoop aan. 'Weet je wat? Jij gaat verder zoeken en ik bel haar thuis op om te kijken of ze er is. In dat geval probeer ik haar te waarschuwen.' Dat leek ook een hopeloze zaak, maar ze moest het in elk geval proberen. 'Verderop in de straat staat een telefooncel.'

'Heel goed. Doe dat en we houden contact.'

Claire stapte uit, sloot de auto af en liep van de parkeerplaats de straat in. Ze vond het niks dat ze zo laat alleen over straat moest. Op dit uur hingen er op het kruispunt van Bond en Macdonald Drive tienerjongens en andere, meer obscure types rond, dat wist iedereen. Ze liep stevig door, keek recht voor zich uit en probeerde niet te laten merken dat ze zich ongemakkelijk voelde toen ze naar de goed verlichte telefooncel op de hoek liep. Voor een bazaar aan de overkant hing een groep tieners rond, maar ze floten haar alleen maar na en kwamen niet op haar af.

Ze glipte de cel in. Aan een ketting hing een beduimeld telefoonboek, ze pakte hem en bladerde door de pagina's. Ze wist Josies nummer of adres niet, maar hoeveel Sloans zouden er zijn?

Het waren er negen, zo bleek, sommige gespeld met een e aan het eind en andere zonder. Wist Claire nou maar hoe je Josies achternaam schreef, dat had een hoop gescheeld. Ze wist ook meneer Sloans voornaam niet. Nou, dan moest ze hen allemaal maar bellen. Ze viste haar portemonnee uit haar zak tevoorschijn en keek erin. Gelukkig, ze had genoeg kleingeld. Ze begon het eerste nummer te draaien.

Sloan, Albert, kende niemand die Josie heette. Sloan, B., was een oudere en enigszins verwarde mevrouw die kennelijk alleen woonde. Claire verontschuldigde zich dat ze haar had gestoord en hing op. Ze ging verder de lijst af. Sloan, E., lag al in bed en schold Claire de huid vol dat ze hem wakker had gemaakt. Hij klonk totaal niet als Claires vader met zijn zalvende stem en Claire hing haastig op. Sloan, Geoff, was een jolig, grappig type die geen Josie kende maar Claire aan de praat probeerde te houden. Hem hing ze ook op en belde Sloan, Lawrence. Nog vijf te gaan, bedacht ze met een grimas.

'Hallo?' zei een vrouwenstem.

'Hallo. Is Josie thuis?' vroeg Claire voor de vijfde keer. Ze had het al zo vaak gezegd dat het er vlak en mechanisch uitkwam.

Er viel een stilte. 'Met wie spreek ik?'

'Een... vriendin,' antwoordde Claire.

'Nou, ze kan nu niet aan de telefoon komen. Ze doet haar meditatieoefeningen.'

Claires hart sprong op. 'Luister, kan ik echt niet even met haar praten? Even maar? Het is nogal belangrijk.'

'Nee, niet als je niet zegt wie je bent. Hoe heet je?'

Wanhopig zei Claire: 'Mevrouw Sloan? Dit is echt heel belangrijk. Josie mag niet de deur uit vanavond, dat moet u verbieden. U moet haar in de gaten houden. Ze probeert waarschijnlijk nog laat ertussenuit te knijpen. Als ze dat doet, komt ze in groot gevaar.'

'Wie is dit?' vroeg mevrouw Sloan op scherpe toon. 'Waarom bel je nog zo laat?'

'Alstublieft, ik probeer alleen maar te waarsch...'

Er klonk een klik, gevolgd door de ingesprektoon.

Claire hing de hoorn op de haak en liep terug naar de auto, ze merkte nauwelijks dat de jongens vanaf de overkant van de straat haar van alles naar het hoofd slingerden. Ze stapte in de auto en sloot zichzelf in. 'Leo?' zei ze. 'Josie is nog thuis. Dat zeggen haar ouders althans. Waarschijnlijk zit ze in haar slaapkamer te mediteren.'

'Tenzij ze is weggeglipt zonder dat ze het hebben gemerkt... door haar slaapkamerraam misschien.'

Claire zuchtte en zocht in haar zak naar de autosleutels. 'Ik moet het zeker weten. Ik heb haar adres nu, uit het telefoonboek. Ze woont op 183 Pine Crescent. Ik ga erheen, bons op de deur en maak zo'n theater dat ze de politie erbij halen. Dan komen we er vanzelf wel achter of Josie thuis is of niet. Wat een draak! Ik zou haar nu zelf wel kunnen vermoorden.'

Ze reed voorzichtig het kruispunt over en sloeg naar het zuiden af. Pine Crescent lag volgens de kaart in het dashboardkastje in west-Willowville. Elk stoplicht sprong precies op rood als zij eraan kwam, helemaal tot aan Macdonald toe, om gek van te worden. Bij elk stoplicht kookte ze en trommelde ze met haar vingers op het stuur. Eindelijk kwam Macdonald Drive uit bij Lakeside en kon ze rechts afslaan. Dit was een brede verkeersweg, ze kon nu wat harder rijden, hoewel ze de maximumsnelheid bij lange na niet haalde. Drie blokken westwaarts moest ze op Portland Avenue afslaan. Ze zag het op tijd en nam de juiste afslag. Nu zes blokken naar het noorden en dan was ze er. Spruce, Donnell, Wayland, Evergreen, Morris... daar was het: Pine Crescent. Ze sloeg linksaf en volgde de halve-maanbocht van de voorstedelijke straat. 175, 177, 179, 181...

Ze kreeg een groot, modern huis in het oog. De lichten waren allemaal aan, er stonden een paar auto's op de oprijlaan: een SUV en een glanzende, goudbeige sedan.

En een lage sportwagen die ze met een schok herkende.

'Nick is hier!' Claire zette de auto langs de stoeprand en deed de motor uit. 'Meditatie, ammehoela! Hij zal wel bij haar op de kamer zitten, boven. Dat vinden haar ouders vast goed... ze zijn te-cool-voor-woorden. Leo, denk je dat de heksenmeesters iets anders van plan zijn?'

'Hij zal het meisje toch zeker niet in haar eigen huis vermoorden? Dan is hij sowieso de eerste verdachte, maakt niet uit hoe voorzichtig hij is.'

Claire sprong de auto uit, liet de kat achter en deed de deur voor zijn neus dicht. *'Claire, wat doe je?'* vroeg Leo.

'Ik moet iets doen!' Ze rende de straat over, het pad naar de voordeur op en rukte aan de bel. Even later ging de deur open. Mevrouw Sloan, gekleed in een zwierige bloemetjesjurk en pareloorbellen staarde haar aan.

'Ken ik jou niet ergens van?' vroeg ze met enigszins fronsend voorhoofd. 'Wacht eens even, jij bent dat meisje! Van school, met wie Josie zo veel problemen heeft gehad...'

'Is Josie thuis?' vroeg Claire. Achter mevrouw Sloan liep een gestoffeerde trap in een elegante bocht naar de eerste verdieping, en Claire keek naar boven.

'Heb jij soms net gebeld?' vroeg mevrouw Sloan en haar frons werd dieper.

Ontkennen had geen zin. 'Ja. Nee, alstublieft...' Mevrouw Sloan wilde de deur dichtdoen. 'Ik wil heus geen moeilijkheden schoppen, echt niet. Ik maak me werkelijk zorgen om Josie. Is die vent Nick van Buren bij haar? Ik denk dat hij haar wil overhalen om iets gevaarlijks te doen.'

'Wie is daar?' klonk een stem uit de kamer rechts in de gang, meneer Sloan kwam in hemdsmouwen tevoorschijn. Toen hij Claire zag, werd hij boos. 'Jij weer!'

Boven sloeg een deur dicht en Nick verscheen op de overloop in zijn typische zwarte jasje en broek. 'Wat is dat voor lawaai? Ik heb u toch gezegd dat Josie zich voor deze oefening moet concentreren...' Hij zag Claire en zijn stem stierf weg. 'Wat doe jij hier?' vroeg hij net zo dwingend als die keer bij het landgoed.

'Nou, wat doe jíj met Josie?' kaatste Claire terug. Ze keek naar Josies ouders. 'Weet u zeker dat ze in haar kamer is?'

'Natuurlijk is ze in haar kamer,' zei meneer Sloan. 'Waar zou ze anders moeten zijn? Ze heeft huisarrest, weet je nog?'

'Begin je nou ook al politiemannetje te spelen?' snauwde Nick terwijl hij de trap af liep. 'Loop je Josie een beetje te controleren? Ze is in haar slaapkamer, en als u me niet gelooft, kijk dan zelf,' zei hij tegen meneer en mevrouw Sloan. 'Ze is in diepe trance.'

Claire deed een stap terug. Als Josie inderdaad in haar eigen kamer was, dan was ze voorlopig veilig. 'Ga alstublieft bij haar kijken,' drong ze aan, 'en zorg ervoor dat ze later niet alsnog ontsnapt.'

'Het is hier geen gevangenis,' snauwde meneer Sloan. 'En over het gevang gesproken, als je niet maakt dat je van mijn terrein afkomt, bel ik de politie en dien ik een klacht in omdat je ons lastigvalt.' Claire sprong achteruit toen de deur in haar gezicht werd dichtgeslagen.

Ze liep weer naar de auto, liet zich op de bestuurdersstoel vallen en staarde door de voorruit. In haar geest begonnen onheilspellende gedachten vorm te krijgen, als donkere figuren die in de mist opdoemden.

'Claire? Wat gebeurt er?' vroeg Leo.

'Nick heeft haar in trance gebracht, ze is aan het mediteren. Hij zei tegen haar ouders dat ze zelf konden gaan kijken, als ze wilden, dus ze is absoluut nog thuis. Maar waarom zou ze nu meditatieoefeningen doen...?' Plotseling zat ze stijf rechtop.

'Leo! Josies líchaam is daar wel, maar waar is haar geest?' Ze greep de sleutels, stak ze in het contactslot en gaf antwoord op haar eigen vraag: 'In het ravijn!'

Claire startte de motor en reed met piepende banden bij de stoeprand vandaan. Ze racete door de flauwe bocht in de richting van de afslag naar Portland.

'Natuurlijk wagen ze het niet Josie iets in haar eigen huis aan te doen,' zei ze. 'Maar ze laat zich vast makkelijk overhalen om zich met een of ander beest te verbinden. Dan sturen ze dat béést naar het ravijn... en daar staan de honden haar op te wachten. Als haar gastheer wordt vermoord, gaat zij er ook aan.'

'Ja, je hebt vast gelijk. Daarom zijn die honden daar al. De jacht is al in gang gezet. Maar ze jagen niet op het meisje zelf, ze jagen op haar gastheer.'

Claire reed de straat uit en boog af naar links, in oostelijke richting langs Lakeside. 'Het is de perfecte misdaad. Geen sporen op haar lichaam, geen vergif, geen kogels... niets! Niemand weet iets van daemonische zenuwaansturing... behalve een paar mensen zoals ik, en wie zou mij nou geloven? De politie zeker niet!'

'Waarom zit je eigenlijk nog in de auto?' De kat zat nu rechtop en keek haar onderzoekend aan.

'Ik ga terug naar het ravijn.'

'Daar kun je niets meer doen, Claire. Dit moet je aan mij over-

laten. Ik ga weer naar de uil en kijken waar de meute naartoe gaat. De laatste keer dat ik ze zag trokken ze langs de oostelijke kreekoever naar het zuiden.'

'Jij kunt ook niet veel uitrichten, Leo. Je weet niet eens in wat voor dier Josie zit. Dat kan van alles zijn.'

'Niet van alles. Het is vast geen vogel, bijvoorbeeld. De honden moeten het op de grond kunnen opjagen. Een wasbeer of een konijn, misschien. Of een zwerfkat zoals Leonardo.'

'Wat ga je dan doen?' Claire reed langs Macdonald Drive. Ze keek naar de opgloeiende cijfers op de digitale klok van het dashboard. Vijf voor elf.

'Moeilijk te zeggen. Als de prooi niet al te groot is... een eekhoorn bijvoorbeeld, kan ik hem met de uil vangen en hem meenemen in de lucht, bij de jagers vandaan. Als het een groter dier is, kan ik proberen ze af te leiden door vlak over hun kop te vliegen, zodat hun prooi kan ontsnappen.'

'Jammer dat er geen grotere vogels in de buurt zijn die ons kunnen helpen.'

'Er was er wel een... een grote uil, met hoorns, geloof ik. Ik zag hem boven de boomtoppen vliegen, even ten noorden van de plek waar de troep was. Maar die is vast al in vijandige handen. Een spion in de lucht komt ze natuurlijk heel goed van pas, dan kunnen ze hun prooi nauwlettend in de gaten houden.'

'Wij zouden hetzelfde moeten doen. Een van ons in de lucht en de ander op de grond. Leo, kan een van je daemonvrienden je niet helpen?'

'Misschien... hoewel ze er meestal niet happig op zijn om tussenbeide te komen. Maar het is te laat om ze nog te kunnen overhalen. Tijd is van cruciaal belang.'

'Dan doe ik het.' Claire reed de auto Birch Street in.

'Nee, het is te gevaarlijk.'

'Josie is ook in gevaar. Als haar iets overkomt terwijl ik haar had kunnen redden... Leo, ze is nog maar een kind! Ik zet de auto weer terug op zijn plek en dan ga ik met je mee. Alsjeblieft!'

Er viel een stilte voordat hij antwoord gaf. *'Er viel al nooit met je te praten. Goed dan... als ik haar gastheer niet heb ontdekt tegen de tijd dat je thuis bent, mag je helpen.'*

En weg was hij weer. Claire wist dat zijn uilengastheer door de bomen aan weerskanten van het ravijn vloog en de bodem af speurde naar elk teken van beweging. De uil was goed voor zijn taak uitgerust, hij had scherpe jagersogen en vloog geruisloos. Maar deze keer jaagde hij niet op een leven, hij moest er een redden.

Ze nam de laan ten zuiden van het centrale parkje naar Maple en ging op huis aan. Als haar vader al thuis was, zou ze hooglopende ruzie krijgen. Ze zou hem met geen mogelijkheid kunnen uitleggen wat ze had gedaan. Tot haar enorme opluchting zag ze dat het huis nog donker was. Ze reed de oprit op, draaide de sleutel om en pakte Leonardo vast. Hij liet zich op haar schouder zetten, hoewel hij zacht protesterend miauwde. Ze stapte de auto uit, schopte de deur dicht en sloot hem af, en rende toen het huis binnen.

Eenmaal veilig binnen, zette Claire Leonardo neer. Ze stond te trillen op haar benen, ging regelrecht naar haar slaapkamer en liet zich op bed vallen. Ze nam niet eens de moeite om het licht aan te doen. Voor haar dichte oogleden rolde de weg zich voor haar uit, omhoog, omlaag, kronkelend, zwenkend, en haar vingers kromden zich alsof ze nog altijd om het stuurwiel zaten vastgeklemd. Het was oké, herhaalde ze steeds tegen zichzelf... ze was veilig thuis, ze had het overleefd. De politie had haar niet aangehouden, en zij was niet in een auto-ongeluk verzeild geraakt.

Achteraf was de auto helemaal niet nodig geweest. Ze hoefden Josies lichaam niet in veiligheid te brengen, maar haar geest.

Maar het werkelijke gevaar was nog maar net begonnen. Ze mocht dan ogenschijnlijk veilig thuis in haar eigen bed liggen, wat ze ging doen, was haast net zo gevaarlijk als proberen een auto te besturen.

'Ik ben er klaar voor, Leo,' zei ze. Uit de duisternis kwam een snel en dringend antwoord.

'De meeste gastheren in dit gebied slapen al, maar er blijven een paar nachtdieren over. Die grote gehoornde uil die ik eerder heb gezien, wordt al als gastheer gebruikt. Toen ik zijn geest aanraakte, voelde ik daar een vreemde aanwezigheid, en heb ik me vliegensvlug teruggetrokken... ik kon hem niet identificeren, maar ik geloof dat het een vijandelijke daemon is. Niet ver van de meute zit een wasbeer, maar die is me te traag, die gebruik ik liever niet. Verder naar het zuiden zit een vos in een hol tussen een paar eikenboomwortels, aan de oostzijde van het ravijn, en een andere is op jacht op de westoever. Veel verder weg zijn nog een paar coyotes, voorbij de stadsgrens, een stuk of zes verdeeld over de kloof en de verlaten velden ernaast. Maar voor ons zijn die te ver weg.

Nu moet je bij me aanlinken, Claire. Ik verbind je geest met die van mijn eigen gastheer, de gestreepte uil. Voor jou is het veiliger in de lucht. We houden in de gaten wat de honden doen en stellen alles in werk om hun prooi te redden.'

Claire voelde hoe zijn geest zich met de hare verbond en haar meenam. Ze deed haar ogen open, zo leek het althans, maar ze zag niet haar eigen kamer. Overal om haar heen stonden bomen, reusachtige bomen met massieve stammen die onmogelijk ver de hoogte in staken. Het vale, grijze licht van een vroege dageraad viel al over haar heen. Het volgende moment realiseerde ze zich dat de bomen helemaal niet zo groot waren, zij was kennelijk een stuk kleiner geworden. Opnieuw was ze met de gestreepte uil verbonden, hij zat op een rottende boomstam op de glooiende bodem van het ravijn. De ogen van de uil waren veel lichtgevoeliger dan die van Claire. Voor haar zou het nu pikkedonker zijn geweest, maar nu zag ze een zacht schemerlicht. De uil draaide zijn kop en ze zag de kreek langs de bodem van het ravijn stromen – in haar ogen leek hij wel een brede canyon – en de met bomen bezaaide helling aan de westkant.

Ze vertelde de uil dat hij nu op jacht moest gaan, moest uitvliegen. De uil had honger en liet zich dat geen twee keer zeggen. Hij schudde zijn veren, sloeg zijn vleugels uit en sprong klapwiekend de schemerige nacht in. Hij zweefde tussen boomstammen en takken door, zijn enorme ogen naar beneden gericht en zijn hoofd bewoog heen en weer, speurend naar plotselinge bewegingen.

'Ik ga, Claire,' zei Leo. *'Hou de uil zo lang mogelijk in de lucht. Wanneer je de honden ziet aankomen, breng de uil dan in veiligheid... laat hem ergens in de bomen zitten, anders zal hun uil hem aanvallen. Als je echt bedreigd wordt, verbreek dan onmiddellijk de link.'*

'Waar ga jij heen?'

'Ik ga de rode vos aan de andere oever proberen over te halen de kreek over te zwemmen. Hij wordt niet door een daemon gecontroleerd, hij is alleen maar op jacht naar voedsel. Misschien kan ik met hem de kleinere dieren wegjagen die zich in het struikgewas of in rietkragen aan deze kant schuilhouden. Als Josie in een van hen zit, slaat ze op de vlucht voordat de meute hier is.'

'Oké... laat het me weten als je iets vindt.' De uil vervolgde zijn vlucht tussen de bomen door. Dit was beduidend makkelijker dan autorijden, dit voertuig wist wat het deed en kon voor zichzelf zorgen, zij hoefde alleen maar om zich heen te kijken. De wind was wat gaan liggen en de bomen hielden zich kalm, alleen de kleine twijgen bewogen nerveus. De vogel vloog langs de oever van de kreek, weg van de beschutting van de bomen, en ze lette goed op of ze de andere, grotere uil zag die Leo had

opgemerkt. Die week van zijn koers af, klom hoger de lucht in en begon toen te cirkelen om zo een overzicht te krijgen over het hele ravijn en het luchtruim daarboven. In de wijde omtrek was geen spoor van een andere vogel te bekennen. In de verte torenden aan het westeinde de hoge gebouwen op, slechts een paar ramen waren donker. De gloed van de stad verlichtte de laaghangende bewolking, waardoor Claire beter kon zien.

Met een nu veiliger gevoel vloog de uil verder... naar het noorden, zoals Claire hem had gevraagd, en keek of ze enig teken kon ontdekken van Van Burens honden. Ze zag alleen maar bomen, sommige nog met bladeren getooid, die aan weerskanten van de kreek samen groepten. Op de grassige oevers was ook niets te zien.

Toen, verder naar het noorden, zag Claire een vlek zweven. Nog een uil, hij cirkelde rond, op zoek naar prooi... of iets anders. Ze haastte zich haar gastheer te waarschuwen, maar die had de gedaante van een rivaal en vijand al herkend en gleed naar omlaag, naar de veiligheid van de bomen.

Weg was het dikke, zomerse bladerdak die dekking en camouflage boden. Ten slotte was de uil op een hoge tak in een oude esdoorn neergestreken – de wind had hem van al zijn bladeren ontdaan, op een paar na – en bleef daar met opgezette veren zitten. Claire stelde de uil voor dat hij nog een beetje dichter naar de stam zou schuiven, zodat ze hopelijk niet zouden worden ontdekt. De vogel was eerst te opgewonden om te gehoorzamen, maar algauw liet hij zich overhalen. Hij bewoog zich zijdelings langs de tak totdat hij met zijn bruin gestreepte lijfje dicht tegen de boomstam aangedrukt zat.

Geblaf schalde door de lucht. Claire en de uil schrokken allebei en de laatste sprong van schrik uit zijn schuilplaats weg. Uit de richting van de kreek klonk nog meer geblaf, maar Claire realiseerde zich nu dat voor honden het geluid te schril was. Op datzelfde moment kwam er een donkere, platvoetige gedaante langs de oever aanrennen, met een andere dicht achter zich aan.

Vossen! Ze herinnerde zich wat Leo over de twee rode vossen in het ravijn had gezegd. *'Leo, ben jij dat?'* riep ze in gedachten uit toen haar uil in een andere boom neerstreek. Een van hen moest zijn gastheer zijn. Hoeveel vossen zouden hier rondzwerven?

'Ja... ik ben het mannetje,' antwoordde hij. Zijn gedachten kwamen onrustig door, heel ongerust. *'Ik heb hem weten over te halen om de kreek over te steken. Het vrouwtje is zijn zuster... ze komen uit hetzelfde nest en zijn deze lente geboren. Met zijn scherpe neus heb ik naar andere dieren gezocht en zo kwamen we zijn zuster tegen. Ze ging naar het noorden en ik ben haar gevolgd. Toen ik te dicht in de buurt kwam, probeerde ze me te bijten.'*

'Dat klinkt inderdaad als Josie.'

'Ze wil steeds maar dezelfde richting uit, ook al stuur ik haar alle kanten op. Haar hol is een stuk verder naar het zuiden. Ik probeer haar die kant op te sturen.'

'Misschien kan ik helpen.' Claire zei tegen de uil dat hij van de tak af moest, maar toen ze probeerde om hem naar de wijfjesvos te laten vliegen, sputterde hij tegen en vloog weer een andere boom in. *Te groot,* dacht hij toen hij naar de vossen omlaag keek. *Te veel, geen prooi.*

'Laat mij maar even. Ik heb die uil wel vaker overgehaald.' Ze liet Leo's gedachten tot die van haar toe en hij probeerde de uil ervan te overtuigen dat hij niet op jacht was, maar alleen maar grotere dieren moest afschrikken die zich op zijn territorium waagden. Hij hoefde alleen maar een lage duikvlucht te maken, dat was alles. Hij hoefde heus de dieren niet echt aan te vallen of er te dicht bij in de buurt te komen.

De uil ging ermee akkoord en lanceerde zichzelf van de tak. Hij slaakte een paar woedende krassen, dook met uitgestrekte klauwen naar omlaag en scheerde slechts een ruime meter over de vossenkoppen langs.

Het mannetje, dat niet langer door Leo werd geleid, draaide zich om en sprong met een wanhopige kreet weg. Maar het vrouwtje gaf geen krimp. Ze sprong omhoog en Claire hoorde haar tanden dichtklappen. De uil ontweek haar met een zwenkende beweging en vloog weer omhoog.

'Duidelijk als wat,' zei Claire tegen Leo. *'Of ze is Josie of ze is furieus.'*

Leo stemde in. *'Zeker geen normaal gedrag. Volgens mij is zij dat. Als we haar nu naar haar hol terug kunnen krijgen...'*

Er klonk opnieuw geblaf, ten noorden van hen. Maar dit waren geen schrille vossenkreten... dit waren de diepe bassen van jachthonden. *'Snel!'* zei Claire.

Ze lieten de uil weer een duikvlucht maken. Maar deze keer negeerde het wijfje hem. Ze begon te rennen... niet bij de honden vandaan, maar ernaartoe.

'Ze hebben haar vast verteld dat ze niet hoeft te vluchten,' zei Leo. *'Ze denkt natuurlijk dat de honden van Van Buren haar geen kwaad zullen doen. Achter haar aan!'*

De uil cirkelde in de lucht en volgde toen de vluchtende wijfjesvos tussen de bomen door. Voor hen uit zagen ze de wolfshonden langs de oever van de kreek springen, de zwarte hond voorop. Ze vingen de vossengeur op en begonnen rond te rennen, neuzen op de grond, opgewonden jankend en keffend.

Het wijfje leek te aarzelen, ze bleef met een gebogen voorpoot staan. Misschien begon het Josie eindelijk te dagen dat er iets helemaal mis was... of misschien werd haar gastheer overweldigd door angst voor die grote vleeseters. Hoe dan ook, ze verzette geen stap meer. Leo spoorde de uil opnieuw aan om aan te vallen, deze keer zonder een waarschuwende uitroep die hen misschien kon verraden.

Het wijfje draaide zich om en sprong heuvelopwaarts, haar lange pluimstaart vloog achter haar aan. De uil volgde haar en spoorde haar met herhaalde uitvallen aan. Maar het was te veel, een schrille kreet ontsnapte aan de keel van de vos terwijl ze de uil met schijnbewegingen probeerde te ontwijken en tegelijk de honden in de gaten probeerde te houden.

De hondenkoppen draaiden zich als één man om. Met een grauw stormde de zwarte Rex naar voren in de richting van de beboste heuvel, gevolgd door de anderen. Het had geen zin, dacht Claire wanhopig toen de in paniek geraakte wijfjesvos verder rende. Ze ging het niet halen...

Toen klonk er het geruis van vleugels en een reusachtige uil liet zich uit de lucht vallen. Hij dook regelrecht op de vluchtende vos. *De vijandige uil,* dacht Claire met afgrijzen. *Terwijl onze aandacht door de honden was afgeleid, is hij vanuit de lucht naderbij geslopen...* Ze wachtte, ziek van angst, want de grote klauwen van de uil waren dicht bij zijn slachtoffer.

De uil dook, trok op en vloog weg, hij had het wijfje niet aangeraakt.

Maar nu rende ze de goede kant uit. Terug langs de heuvel in de richting van haar hol. Claire voelde Leo's verrassing, wist dat hij net zo verbijsterd was als zij. De grote gehoornde uil was geen vijand. Ze hadden er geen idee van wie hij was, maar hij bleek toch geen bondgenoot van Phobetor. De honden blaften en grauwden als een uitzinnige.

'En toch gaat ze het niet redden,' zei Leo.

De grote uil vloog nu in tegengestelde richting en haalde uit naar de honden. Maar hij kon ze slechts één keer aanvallen. De zwarte hond boog zijn kop en racete de heuvel op, hij negeerde het gehuil van zijn metgezellen toen de uil ze om de beurt de volle laag gaf.

'We kunnen hem nooit tegenhouden,' zei Claire. Josie moest

worden overgehaald om de vos achter te laten.

'Josie,' zei ze in gedachten. *'Verbreek de link. Ga naar je eigen lichaam terug, naar je eigen huis. Daar ben je veilig.'* Ze dacht uit alle macht aan het andere meisje, haalde zich haar voor de geest, probeerde te bedenken hoe Josie zou denken, te weten hoe het was om haar te zijn. Ze stelde zich het meisje veilig voor in haar kamer thuis, maar ook dat ze gevangenzat in het lichaam van een wild dier, gedoemd om met hem te sterven als het zich zou omdraaien, en in het nauw gedreven de woeste aanval van de hond het hoofd zou moeten bieden.

En plotseling was ze daar... zonder waarschuwing: in de kop van de vos, in Josies geest. Ze had er geen idee van hoe de overgang had plaatsgevonden, maar ze keek niet langer vanuit de lucht door de ogen van de uil. Ze was nu op de grond en keek de heuvel af terwijl de enorme gestalte van de hond naar boven rende, voor haar nu zo groot als een olifant, zijn ontblote tanden blikkerden in het schemerlicht.

Ze voelde de angst van de vos, en ook die van Josie.

'Ga, Josie!' schreeuwde ze in stilte, ze duwde met haar geest tegen die van het meisje. *'Je moet teruggaan. Je bent in je kamer thuis, in je eigen kamer, thuis...'*

De hond leek in slowmotion te rennen, ze zag hoe hij zijn achterpoten schrap zette voor de laatste sprong op zijn prooi. Maar Josies hopeloze angst was nu weg. Haar bewustzijn was verdwenen. Alleen de vos en Claire waren er nog, en ze vermande zich tegen een laatste, wanhopige verdediging, zelfs toen de hond sprong, zelfs toen de twee uilen samen met uitgestrekte klauwen op zijn aanstormende gedaante doken, in een wanhopige poging hem tegen te houden.

Boven hen jankte iets als een wegschietende wesp, de lucht werd verscheurd. De hond klapte midden in zijn sprong dubbel, jankte en zijn ledematen begaven het. Ze staarde naar hem toen hij op de grond smakte, zijn lichaam rolde om en kwam in botsing met het wijfje, dat tegen de grond werd gesmeten. Bewegingsloos bleef hij liggen, als door een onzichtbare bliksemschicht midden in de aanval neergeslagen. De andere honden bleven staan, liepen niet verder de heuvel op, schudden toen hun koppen en staarden naar iets hoog boven hen. Toen draaiden ze zich om en vluchtten jankend met de staart tussen de benen weg.

'Kom Claire,' hoorde ze Leo roepen. Even was ze weer met hem samen, zag ze wat de gestreepte uil zag: de hellende bosgrond, met daarop het uitgestrekte kadaver van de hond; de wijfjesvos, die tussen de bomen wegsprong; de andere uil, die in wijde cirkels onder hen vloog. Hoger en hoger vlogen ze, totdat de kloof wegviel. Bovenaan, tussen de bomen door, zag ze een korte, mollige gestalte staan met in haar hand een geweer, de lange loop glansde in het gedempte licht.

En aan de kant van de weg die langs de rand van het ravijn liep, stond een auto geparkeerd, een Volkswagen Kever, waarvan de lichte kleur bleek in het duister oplichtte.

De volgende ochtend ging Claire doodmoe naar de huiswerkklas en haar ogen traanden door het gebrek aan slaap. Ze was even in de verleiding geweest om maar helemaal niet naar school te gaan, maar met haar vader thuis kon ze toch niet uitslapen. Ze kon zelfs niet doen alsof ze ziek was. Ze kon hem lang niet alles vertellen – nog niet – en dingen voor hem verzwijgen was nog tot daaraan toe, maar hem met opzet voorliegen ging haar te ver. Ze had besloten dat ze hoe dan ook niet meer tegen hem zou liegen. Ooit zou ze hem dan de hele, ongelooflijke waarheid moeten vertellen. Nou, dat was dan maar zo. Als het zover kwam, was daar niets aan te doen.

Dus zat ze met dikke ogen achter in de klas met haar kin op haar hand naar de algemene mededelingen van die ochtend te luisteren, en naar het gebabbel van Mimie en de Chelseas. Aan die twee schonk ze nauwelijks aandacht. Het waren de normale ochtendgeluiden, net als de bel of het slaan van hun kluisdeuren, deel van de dagelijkse sleur. Toen ze Josie binnen zag komen – ook bleek en vermoeid – keek ze haar met grote ogen aan. Het andere meisje keek Claire even aan en wendde haar ogen weer af. Maar het was lang genoeg om vitale informatie over te brengen. *Ze weet het. Ze realiseert zich dat ik haar heb gered...*

De mededelingen waren klaar en babbelende stemmen mengden zich met die van Mimi en haar gezelschap toen de studenten van hun plaats opstonden en naar de deuropening stroomden. Josie, merkte Claire, bleef met Mimi en de Chelseas achter. Ze waren in een diep gesprek verwikkeld, en onder het praten keken ze een paar keer Claires kant uit.

Toen ze langsliep op weg naar de deur, hoorde ze Mimi zeggen: 'O, dat is echt klote. Nou, misschien bedenken je ouders zich nog.'

Josie keek weer naar Claire en ontmoette nu wel haar ogen. Claire zag in die rechtstreekse blik geen dankbaarheid of spijt, geen schaamte... alleen maar een smeulende wrok. Het meisje draaide zich om en liep weg. *Nou ja, een dankjewel had ik ook niet verwacht,* dacht Claire.

'Let maar niet op Josie,' zei Chel. 'Ze is alleen maar in een slechte bui. Zij en Nick van Buren zijn uit elkaar of zo, ze heeft niet precies gezegd wat er is gebeurd. En nu sturen haar ouders haar naar een andere school. Ze is furieus.'

'Een andere school?'

'Ja, de St. Mary's Academy voor meisjes. Het is een nonnenkostschool. Haar ouders vinden dat ze met verkeerde mensen omgaat. Ze willen dat ze leukere kinderen om zich heen krijgt.' Ze rolde met haar ogen.

'Zijn Josies ouders werkelijk streng tegen haar opgetreden?' zei Claire ongelovig. 'Hebben ze het haar ook uit laten maken met Nick?'

'Weet ik het,' zong Mimi toen ze de klas uitliep. 'Dat heeft ze niet gezegd. Maar Josie is vooral kwaad op jou.'

'Op mij? Waarom op míj?'

'Ze zegt dat haar vader en moeder vooral een andere school wilden omdat jij zo'n lastpak bent – nou ja, dat zegt zíj tenminste – dus eigenlijk is het jouw schuld dat ze weg moet.'

'Nou, als ik haar niet meer hoef te zien, vind ik het prima,' zei Claire. 'Hoewel ik medelijden heb met St. Mary's. Ze hebben geen idee wat ze met haar in huis halen.'

Ze liep diep in gedachten alleen de gang door. Nou, dat was dan dat, nog een vijand uitgeschakeld, voorlopig in elk geval. Uiteindelijk zou Nick wel een andere Josie vinden en daar zijn charmes op loslaten. Maar van dit respijt zou ze genieten, hoe kort dat ook mocht zijn.

'Claire?' riep een stem. 'Hé, Claire!'

Ze keek verschrikt op en zag Brian Andrews en Earl Buckley in het trappenhuis staan. 'Heb ik je nou wel of niet gezien op het dansfeest afgelopen zondag?' vroeg Brian haar. 'Met Mimi en haar vriendinnen?'

'Eh, ja. Maar we moesten vroeg weg.'

'Ja, dat zag ik. Jammer. Je had moeten blijven... het was leuk.' De ogen achter zijn brillenglazen keken haar iets te lang aan voordat ze zich weer afwendden. 'Weet je, na school blijven een paar van ons nog even in het computerlokaal. Een soort club. Leuk als je ook een keer komt, Claire.'

'O. Nou, bedankt. Misschien doe ik dat wel,' antwoordde ze.

Claire stond hem na te staren toen hij en Earl de trap op verdwenen. Voor het eerst kon ze naar Brian kijken zonder dat het beeld van William Macfarlane ertussen schoof. Had Leo dan toch gelijk gehad? Zo'n grote liefde als vierhonderd jaar geleden zou ze waarschijnlijk nooit meer krijgen. Maar het zou toch ook leuk zijn, overpeinsde ze, om gewoon voor de pret met iemand uit te gaan... te genieten van iemands gezelschap. Ze moest Claires leven gaan leiden en niet blijven rouwen om het lang vervlogen leven van Alice.

Na school stapte ze zoals altijd op de bus en staarde in gedachten uit het raam. De straten van het voorstadje gleden voorbij, verdwenen toen Lakeside Boulevard in zicht kwam. En daar was de oude stenen muur en cederheg van Willowmere. Impulsief trok ze aan het koord. De bus reed naar de halte en trok weer op toen ze was uitgestapt. Ze stak Lakeside over en liep met ferme pas over de stoep aan de zuidkant, de kraag van haar jas tegen de wind omhoog. Het weer was kouder geworden sinds maandagavond en de laatste halsstarrige herfstbladeren waren losgeschud. Het duurde nog bijna twee maanden voor de winterwende, maar er was onmiskenbaar een nieuw seizoen aangebroken. Toch scheen de middagzon nog helder boven de voortsnellende wolken en daaronder lag het meer als een duizelende vlakte van licht.

Ze liep naar het hek van Willowmere, bleef even staan en staarde omhoog naar de stenen leeuwen op de deurposten. De trotse, rechte beelden en stenen, fronsende wenkbrauwen, vertrouwd en dierbaar in haar herinneringen van haar beide vorige levens. Ze duwde het ijzeren hek open – het zat niet op slot – en liep de oprijlaan op. Hier waren de bomen ook kaal, en de bloemen in de grote verspreid liggende perken waren eindelijk verdord, maar het gras was nog steeds fluwelig en groen. Myra's pauw Dudley struinde met zijn gebruikelijke bezitterige houding over het westelijke grasveld.

De gele Kever stond op zijn oude plekje geparkeerd, buiten de garagestal. Claire keek ernaar toen ze er langsliep. Met haar uilenogen had ze in de schaduwen niet de verfkleur kunnen herkennen, en ook niet de nummerplaat, maar in de gestalte die gisteravond naast de auto had gestaan, had ze zich nooit kunnen vergissen. Ze liep naar het huis toe.

Myra stond op het grasveld voor het portiek balletjes te gooien met Angus. Claire bleef weer staan, ze moest glimlachen om het plaatje dat ze vormden: de mollige kleine vrouw in haar oranje lievelingsjasje, dat in de zon bijna pijn aan je ogen deed, en de vacht van de collie, glanzend als gepolitoerd goud. Hij had net de bal met zijn bek opgevangen en wilde naar zijn vrouwtje terugrennen toen hij Claire in het oog kreeg. Hij draaide midden in zijn ren om en galoppeerde kwispelstaartend naar haar toe. Ze boog zich voorover en aaide zijn kop, hij spuugde de bal uit en gaf haar hand een liefdevolle lik.

Myra kwam ook stralend op haar toe. 'Claire, liefje. Wat heerlijk om je te zien! Het is een beetje te koud om buiten te blijven, vind je ook niet? Zullen we binnen gaan zitten?'

Ze liepen met zijn drieën naar het huis. Claire keek achterom naar de woeste grens van de tuin en zag de grote, gehoornde uil in een van de esdoorns zitten. 'Kan dat wel?' vroeg ze wijzend. 'Hoe zit het met Dudley? En zijn er katten buiten?'

'Het is helemaal veilig. Matilda let op dat de uil ze geen kwaad doet.'

'Matilda?'

'Ik heb mijn daemon eindelijk een naam gegeven.' Myra zweeg even, liet die laatste zin tussen hen in hangen, toen glimlachte ze weer naar Claire en vervolgde: 'Ze gebruikt die grote gehoornde uil alleen maar als tijdelijke gastheer. Meestal gebruikt ze de grijspapegaai, Tillie. En Tillie was genoemd naar mijn oudtante Matilda. Mijn daemon heeft gezegd dat ze echt een naam nodig had, maar tot nu toe heb ik haar eigenlijk nooit hoeven roepen. We noemden elkaar gewoon 'jij'. Maar nu jij en Leo er ook bijgekomen zijn, moet ze toch een naam hebben... het is een beetje raar als ik het steeds over "mijn daemon" heb. En Matilda past wel bij haar, vind ik. Ze doet me heel erg denken aan mijn oudtante: scherpe ogen en een scherpe geest.'

Claire wist niets terug te zeggen en knikte alleen maar. Het zou een tijdje duren, bedacht ze, voordat ze gewend was aan die nieuwe openhartigheid van Myra, over daemonen en zo. Maar het was ook een opluchting dat ze iemand had met wie ze over alles kon praten. Een mens van vlees en bloed. Zij en Myra liepen stilzwijgend het huis binnen en door de gang naar de keuken. Toen vroeg Claire: 'Hoe lang weet je het al?'

'Over daemonen? Al vele jaren. Daarom schrok ik zo toen ik je voor het eerst dat woord hoorde gebruiken, het is geen gewoon woord en mijn oom gebruikte het alleen voor de wezens in de andere dimensie. Hij heeft me er lang geleden over verteld, en ook over zijn merkwaardige beroep. In het begin kon ik het bijna niet geloven. Maar oom Al zou me nooit voorliegen, dat wist ik zeker. Uiteindelijk heb ik een oproepritueel gedaan uit een van zijn boeken, en toen kwam mijn eigen huisgeest naar me toe en heeft me alles over haar dimensie en soortgenoten verteld.'

'Ja... in zijn aantekeningen heeft je oom het erover dat je zijn verhaal begon te accepteren. Ik wist alleen niet hoeveel je precies wist, hoe dicht je bij de daemonen en hun wereld stond. Het spijt me dat ik in die aantekeningen heb gegluurd, maar het was Tillie – of eigenlijk Matilda – die me ernaartoe heeft gebracht. Een van de eerste keren dat ik op de dieren paste, was de papegaai uit de volière ontsnapt en naar de studeerkamer gevlogen, dus moest ik wel achter haar aan en haar proberen te vangen. Ze liet Tillie zelfs op de papieren zitten, zodat ze me als vanzelf opvielen. Ik begrijp nu waarom ze wilde dat ik ze las, zodat ik zou ontdekken wie ik werkelijk was. En dat bedoelde ik eigenlijk met mijn vraag. Hoe lang weet je al dat ik Alice ben geweest?'

'Nog niet zo heel lang,' zei Myra en ze zette een ketel water op. 'Het begon me te dagen toen ik je beter ging leren kennen. Ik bracht je niet onmiddellijk in verband met de gereïncarneerde Alice uit de notities van mijn oom. Maar de dingen pasten zo mooi in elkaar... het vertrek van je moeder, het verlies van je kat en natuurlijk je eigen belangstelling voor Alice... daardoor kreeg ik wel een vermoeden. Tijdens je allereerste bezoek hier zei je dat je volgens jou het portret al eens eerder had gezien, ook al was je nog nooit in dit huis geweest. Maar toen de tijd verstreek en ik alle losse eindjes aan elkaar had geknoopt, was ik ervan overtuigd dat jij de waarheid over jezelf nog niet kende.' Ze wachtte even. 'Dus wilde ik je tegen die kennis beschermen, zie je, niet alleen omdat je daarvan natuurlijk heel erg in de war kon raken, maar het was ook nog eens heel gevaarlijk voor je.'

'En ik heb jou steeds willen beschermen! Als je het zou weten, was ik bang dat je je ermee zou gaan bemoeien... dat je iets tegen de heksenmeesters zou ondernemen en dat ze je uiteindelijk iets zouden aandoen. Ze hadden al drie mensen ziek gemaakt met hun geestesspelletjes.'

'Matilda heeft je ontmoeting met Josie op het dak gezien. Ze zat in een vogelgastheer, niet ver ervandaan, en wilde bijna tussenbeide te komen, maar toen kwam je eigen daemon je al te hulp. Toen ze me vertelde wat ze had gezien, wist ik zeker dat je Alice moest zijn. Maar je praatte er steeds maar niet over met me, dus toen ging ik weer twijfelen. Zo ontwijkend zou Alice toch niet zijn geweest, zo geheimzinnig? Ik heb zelfs een ontmoeting bij de supermarkt geregeld toen je daar rijlessen kreeg van je vader, zodat ik je te eten kon uitnodigen. Met hem erbij kon je dat niet makkelijk afwimpelen, dacht ik. Maar ik zag dat het idee je tegenstond, en daar heb ik me het hoofd over gebroken. Nu begrijp ik natuurlijk dat je me eigenlijk in bescherming nam.'

Claire moest lachen. 'We hebben als het ware om elkaar heen gedanst, durfden niet over gevaarlijke onderwerpen te praten om elkaar te beschermen tegen dingen die we al wisten!'

'Nou ja, het ligt nu allemaal op straat. Maar op dit moment is het gevaar enigszins geweken. We hebben een beetje ademruimte.'

'Dankzij jou. Hoe heb je geraden wat er gisteravond in het ravijn gaande was?'

'Daar moet je Matilda voor bedanken. Ik heb haar gevraagd een oogje in het zeil te houden, vooral toen ik weg was. Ik begon me zorgen te maken over onze vrienden verderop in de straat. Toen ik terugkwam, heeft mijn huisgeest me alles verteld. We wisten dat jij een daemon aan je zijde had, maar we wisten niet of het Leo was. Toen jij naar de vijandelijke manor ging, waren we allebei heel erg bezorgd.'

'Ik was alleen maar een beetje aan het spioneren.'

'Dat begreep ik wel. Maar toen Matilda me over de rare gebeurtenissen van gisteravond vertelde, wist ik dat er absoluut iets mis moest zijn. Eerst werden de honden het ravijn in gestuurd, toen ging Van Buren junior met zijn auto weg, toen reed jij er helemaal heen, terwijl ik zeker weet dat je nog geen rijbewijs hebt! Ik kon maar niet besluiten of ik naar jouw huis zou gaan voor het geval je terug zou komen, of dat ik een kijkje zou gaan nemen bij het ravijn. Uiteindelijk heb ik voor het ravijn gekozen... en maar goed ook, dat is wel gebleken.'

'Ja, je hebt mijn leven gered. Die zwarte hond had me te pakken gehad als jij hem niet had neergeschoten. Was dat geweer ook van je oom?'

Myra gebaarde dat ze moest gaan zitten. 'Geweer?' giechelde ze. 'Mijn lieve Claire, ik straf geen onschuldige dieren! Die hond kan het niet helpen dat hij door een schurkendaemon wordt gebruikt. Ik heb hem met een verdovingspijltje neergeschoten.'

Claire staarde haar aan en begon toen te lachen. 'Myra, je bent ongelooflijk! Waar heb je in hemelsnaam een verdovingsgeweer vandaan gehaald?'

Ze knipoogde. 'Dat is een lang verhaal. Ik dacht dat het wel handig zou zijn als ik met daemonen te maken zou krijgen. Sowieso de grotere soorten. Op die manier kan ik ze tegenhouden zonder dat ik hun gastheren kwaad hoef te doen. Onze vijanden hebben dat soort gewetensbezwaren natuurlijk niet. Bij het ravijn heeft mijn daemon het me verteld en toen ik zag dat de honden van Van Buren achter die arme vossen aan zaten, wist ik dat het geen gewone jacht was. En jij zou er waarschijnlijk ook bij betrokken zijn, dat had Matilda die avond al gemerkt. Dus ondernamen we onmiddellijk actie. En jíj was met de vos verbonden! Waarom heb je de link niet afgebroken?'

'Daar was geen tijd meer voor,' antwoordde Claire en onder een kopje thee vertelde ze Myra het hele verhaal van Josie en haar nachtelijke jacht.

'Dat arme, domme wicht.' Myra schudde haar hoofd. 'Nou, ik hoop dat ze haar lesje heeft geleerd. Hoewel ik het betwijfel of ze ooit de beleefdheid kan opbrengen om je te bedanken.'

'Kan me niet schelen. Ik zie haar toch niet meer.' Claire vertelde van de St. Mary's Academy voor meisjes.

'Denkt de vijand trouwens nog steeds dat zij Alice is?' vroeg Myra. 'Loopt ze nog steeds gevaar?'

'Niet na gisteravond, denk ik. Ze moet via een daemon met die vos verbonden zijn geweest, en die heeft mij gevoeld toen ik binnendrong en tussenbeide kwam.'

'Ah, juist, net als de echte Alice gedaan zou hebben. Je hebt gelijk, ze moeten nu wel een idee hebben van de ware aard van hun vijand. Josies redder gedroeg zich meer als Alice dan Josie. Je hebt je leven geriskeerd met het redden van Josies leven. Als je je gewoon afzijdig had gehouden, zou je nu veilig zijn. Zij dachten immers dat ze met haar ook jóú te pakken hadden, en dan zouden ze niet meer op zoek gaan naar Alice. Tenzij de hele zaak een list was... dat ze Josies malle aandachttrekkerij gebruikten zodat de werkelijke revenant zich zou blootgeven. Ik hoop maar dat ze nog niet weten wie je bent.'

'Dat hoop ik ook. Leo gelooft niet dat ze mijn identiteit hebben kunnen achterhalen in het korte moment dat ik met Josie was gelinkt en ze even contact hadden met mijn geest. Maar ze kunnen er wel een slag naar slaan. Ik denk dat Josie het had geraden, en zij is bepaald geen Einstein.'

'Nou, over twee vijanden hoef je je tenminste geen zorgen meer te maken.'

'Maar ik dacht dat de hond alleen maar verdoofd was. En trouwens, Phobetor kan makkelijk een andere gastheer nemen.'

'Ik bedoelde niet de daemon. Natuurlijk kunnen we aan hem weinig doen. Heb je het dan niet gehoord van de oude Van Buren?'

Claire zette haar theekopje neer en staarde haar aan. 'Nee. Wat is er met hem?'

'Hij heeft een beroerte gehad of zo. Toen ik gisteravond thuiskwam, zag ik een ambulance voor zijn huis staan. Een van de buren vertelde me dat hij nog steeds in het ziekenhuis ligt en waarschijnlijk een lange revalidatietijd tegemoet gaat, dus het moet wel ernstig zijn. Het kan natuurlijk toeval zijn, maar ik denk dat het te maken heeft met de hond Rex en de jacht. Een man als hij, een jager, wil erbij zijn als de prooi wordt gedood, dat wordt althans gezegd. En toen de hond werd neergeschoten, moet dat een behoorlijke schok voor Van Burens eigen lijf zijn geweest... genoeg om een lichamelijke reactie als een beroerte uit te lokken, zeker als hij daar gevoelig voor was. Hij is tenslotte de jongste niet meer. Nou... voorlopig is hij tenminste uitgeschakeld. Maar natuurlijk is Phobetor er nog, die kan van lichaam naar lichaam overschakelen, en die jongen, Nick. Het ziet ernaar uit dat hij nu je belangrijkste tegenstander wordt, hij is duidelijk gedrild om het werk van zijn oom over te nemen.'

'Ja. Ze hebben een bedrijf dat met genetische manipulatie experimenteert, op mensen. Zo creëren ze gastheren die op afroep beschikbaar zijn voor het Legioen... de daemonen willen over ons allemaal heersen. Ze willen onze lotsbestemming veranderen.'

'Denk je dat je dat kunt tegenhouden?' vroeg Myra.

'Dat weet ik niet. Maar ik moet het wel proberen. Daarom ben ik teruggekomen.' Claire slaakte een zucht en duwde haar lege kopje van zich af. 'O, het is nog niet voorbij, dat is wel zeker. Maar ik wil me er nu geen zorgen over maken. Myra, ik ben zo blij dat de lucht nu tussen ons geklaard is.'

'Ik ook, liefje, ik ook. Ik begon me ook een beetje eenzaam te voelen, zonder mijn oom om me raad te geven. Nu zitten we er samen in. Het is zo jammer dat oom Al er niet meer is, hij wist zo veel meer dan ik en had je zo veel beter kunnen helpen. Maar ik doe wat ik kan.' Ze glimlachte. 'Ik vraag me af hoeveel sjamanen zoals wij op de wereld zijn? Misschien moeten we met iedereen contact opnemen... een congres of zo organiseren.' Claire glimlachte terug en haar spanning verdween. Myra boog zich naar voren en legde haar hand op die van Claire.

'Welkom thuis, Alice, liefje,' zei ze.

Natuurlijk zouden er nog meer gevaren komen, peinsde Claire toen ze die avond op het punt stond om naar bed te gaan. Ze gingen niet vanzelf weg als je gewoonweg deed alsof ze er niet waren. Ze had nog steeds geen contact gehad met haar moeder, en het zat haar dwars dat haar vader nog steeds geen idee had van wat haar allemaal was overkomen. Ze was maar ternauwernood ontsnapt aan een vette ruzie over de auto. Als hij een half uur eerder thuis was geweest, had ze een smoes moeten verzinnen, de waarheid zou hij immers nooit hebben geloofd. Dit ging allemaal door haar hoofd toen ze in bed stapte en het licht uitdeed. Ze kon de slaap niet vatten. Ze lag een tijdje naar het plafond te staren en Leonardo da Vinci te aaien, die opgekruld in het holletje van haar rechterarm lag te spinnen. 'Ben je daar, Leo?' fluisterde ze in het oor van het katje.

Opeens hoorde ze zijn stem in haar hoofd, vriendelijk en liefdevol. *'Altijd,'* antwoordde hij. *'Wanneer je me maar nodig hebt.'*

'Gelukkig,' zei ze zacht. Er was tenminste iets goeds uit voortgekomen, ze zou nooit meer helemaal alleen zijn.

'Ben je erg moe?' vroeg hij. *'Want als dat niet zo is, willen een paar van mijn daemonvrienden en ik je graag meenemen naar een schijnwereld. We hebben iets nieuws bedacht. Het is echt veilig, beloofd.'*

'Nou... een paar minuutjes kan wel, denk ik,' antwoordde ze. Ze was moe, maar iets in zijn geestesstem prikkelde haar nieuwsgierigheid.

De donkere slaapkamer vervaagde. Ze wist dat ze nog in bed lag, de kat warm tegen haar arm genesteld, maar ze voelde hem niet meer. Haar geest dwaalde vrijelijk door het dromendomein, het universum van de daemonen. Ze merkte dat ze onder de nachtelijke hemel op een glooiend grasveld stond. De volle maan was onmogelijk groot en wit, en het maanlicht was zo puur en krachtig dat ze elk detail van haar omgeving kon onderscheiden: cipressen, heggen, bloemen als edelstenen op het grasveld, de fraai bewerkte marmeren fontein die een paar meter bij haar vandaan spoot. Hij had de vorm van een draak met gedraaide vlechten, en uit zijn bek sproeide een waterstraal.

In de verte stond een paleis met fantastische punttorentjes, lamplicht gloeide warm geel uit de talloze vensters. Een snelle blik omlaag leerde haar dat haar schijnlichaam gekleed was in een witte tulen jurk, rijkelijk borduurd met parels, een robe van een prinses. *Een sprookjesprinses,* dacht ze opgetogen, en eindelijk herkende ze haar omgeving. Het was de omslag van een fantasyboek.

Achter zich hoorde ze zachte voetstappen op het gras en ze draaide zich om. Ze zag Leo in zijn mensengedaante, gekleed in een prinselijke outfit. Hij lachte toen hij op haar toe liep. 'Goed gedrag wordt op geheel eigen wijze beloond, heb ik gezegd.

Maar ik dacht dat je hier wel van zou genieten.' Hij hield zijn fluwelen arm voor haar op. 'We hebben ter ere van jou een feestje in het paleis, als je tenminste zin hebt om erheen te gaan. Myra en Matilda zijn er ook, en een paar vrienden van me. Zelfs die oude, chagrijnige Vecco heeft gezegd dat hij zou komen. Zullen we gaan?' Grijnzend stak ze haar arm door de zijne, en samen wandelden ze naar het sprookjespaleis, naar het geluid van het gelach en de muziek die door de nacht weerklonken.

Hoog in de maanverlichte hemel vloog een vogel in wijde, trage cirkels... geen nachtvogel, maar een snelle en scherp ziende valk, die op een zilveren vleugel overhelde, zich voorover boog en de gestaltes onder hem nauwlettend gadesloeg.